P9-EMF-969

»Die hier durch einen Nachdruck in seiner Originalgestalt wieder zugänglich gemachte ›Kleine Ausgabe‹ der ›Kinder- und Hausmärchen‹ der Brüder Grimm repräsentiert nicht nur das späteste Zeugnis der langen und wechselvollen Textgeschichte dieses Werks, sondern ist zugleich auch die letzte Veröffentlichung Wilhelm Grimms (24. Februar 1786 bis 16. Dezember 1859). Es mutet wie folgerichtig an, daß er sein großes Lebenswerk mit einer neuen Auflage des Buches abschließen sollte, das sein in jeder Hinsicht erfolg- und folgenreichstes war und ist, das seinen und seines Bruders Jacob (4. Januar 1785 bis 20. September 1863) Ruhm begründete und in alle Welt trug.

Wurde doch die Märchenausgabe zu Lebzeiten der Brüder Grimm insgesamt nicht weniger als neunzehnmal aufgelegt: Die sogenannte ›Große Ausgabe‹ (die zunächst einhundertsechsundfünfzig, zuletzt zweihundertelf Texte umfaßte) erschien zwischen 1812/15 und 1857 siebenmal, die ›Kleine Ausgabe‹ (mit fünfzig Texten) zwischen 1825 und 1858 zehnmal; dazu stellen sich die selbständigen Veröffentlichungen des Bandes mit den wissenschaftlichen Anmerkungen in den Jahren 1822 und 1856. Die ›Kinder- und Hausmärchen‹ sind dergestalt das meistaufgelegte Werk der Brüder Grimm überhaupt – sie wurden und blieben darüber hinaus das bestbekannte, meistübersetzte und wohl häufigst verbreitete deutschsprachige Buch aller Zeiten. Diesen ungeheuren, zunächst gar nicht vorhersehbaren Erfolg hat zumindest in den Anfängen der Wirkungsgeschichte die hier vorliegende ›Kleine Ausgabe‹ bewirkt und noch lange bestimmt.«

Heinz Rölleke

insel taschenbuch 842

Kinder- und Hausmärchen
gesammelt durch die
Brüder Grimm
Kleine Ausgabe

Kinder- und Hausmärchen gesammelt durch die Brüder Grimm

Kleine Ausgabe von 1858

Mit Illustrationen von Ludwig Pietsch
und einem Nachwort von
Heinz Rölleke

Insel Verlag

Umschlagabbildung:
Illustration von Ludwig Pietsch zu *Hänsel und Grethel*
Die Reproduktion der Abbildungen erfolgt mit freundlicher
Genehmigung des Brüder-Grimm-Museums in Kassel

insel taschenbuch 842
Erste Auflage 1985

Vertrieb durch den Suhrkamp Taschenbuch Verlag
Umschlag nach Entwürfen von Willy Fleckhaus
Satz: LibroSatz, Kriftel
Druck: Nomos Verlagsgesellschaft, Baden-Baden
Printed in Germany

6 7 8 9 – 97

Kinder-

und

Hausmärchen

gesammelt

durch

die Brüder Grimm.

Kleine Ausgabe.

Zehnte Auflage.

Berlin.
Franz Duncker.
(W. Besser's Verlagshandlung.)
1858.

I.

Der Froschkönig oder der eiserne Heinrich.

In den alten Zeiten, wo das Wünschen noch geholfen hat, lebte ein König, dessen Töchter waren alle schön, aber die jüngste war so schön, daß die Sonne selber, die doch so vieles gesehen hat, sich verwunderte, so oft sie ihr ins Gesicht schien. Nahe bei dem Schlosse des Königs lag ein großer dunkler Wald, und in dem Walde unter einer alten Linde war ein Brunnen: wenn nun der Tag recht heiß war, so gieng das Königskind hinaus in den Wald, und setzte sich an den Rand des kühlen Brunnens: und wenn sie Langeweile hatte, so nahm sie eine goldene Kugel, warf sie in die Höhe und fieng sie wieder; und das war ihr liebstes Spielwerk.

Nun trug es sich einmal zu, daß die goldene Kugel der Königstochter nicht in ihr Händchen fiel, das sie in die Höhe gehalten hatte, sondern vorbei auf die Erde schlug, und geradezu ins Wasser hinein rollte. Die Königstochter folgte ihr mit den Augen nach, aber die Kugel verschwand, und der Brunnen war so tief, daß man keinen Grund sah. Da fieng sie an zu weinen, und weinte immer lauter und konnte sich gar nicht trösten. Und wie sie so klagte, rief ihr jemand zu »was hast du vor, Königstochter, du schreist ja, daß sich ein Stein erbarmen möchte?« Sie sah sich um, woher die Stimme käme, da erblickte sie einen Frosch, der seinen dicken häßlichen Kopf aus dem Wasser streckte. »Ach, du bist's, alter Wasserpatscher«, sagte sie, »ich weine über meine goldene Kugel, die mir in den Brunnen hinabgefallen ist.« »Sei still«, antwortete der Frosch, »ich kann wohl Rath schaffen, aber was gibst du mir, wenn ich dein Spielwerk wieder herauf hole?« »Was du haben willst, lieber Frosch«, sagte sie, »meine Kleider, meine Perlen und Edelsteine, auch noch die goldene Krone, die ich trage.« Der Frosch antwortete »deine Kleider, deine Perlen und Edelsteine, und deine goldene Krone, die mag ich nicht: aber wenn du mich lieb haben willst, und ich soll dein Geselle und Spielkamerad sein, an deinem Tischlein neben dir sitzen, von deinem goldenen Tellerlein essen, aus deinem Becherlein trinken, in deinem Bettlein schlafen: wenn du mir das versprichst, so will ich hinunter steigen und dir die goldene Kugel wieder herauf holen«. »Ach ja«, sagte sie, »ich verspreche dir alles, was du willst, wenn du mir nur die Kugel wieder bringst.« Sie dachte aber, »was der einfältige Frosch schwätzt, der sitzt im Wasser bei seines Gleichen und quakt, und kann keines Menschen Geselle sein«.

Der Frosch, als er die Zusage erhalten hatte, tauchte seinen Kopf unter, sank hinab, und über ein Weilchen kam er wieder herauf gerudert, hatte die Kugel im Maul und warf sie ins Gras. Die Königstochter war voll Freude, als sie ihr schönes Spielwerk wieder erblickte, hob es auf und sprang damit fort. »Warte, warte«, rief der Frosch, »nimm mich mit, ich kann nicht so laufen wie du.« Aber was half ihm, daß er sein quack quack so laut nachschrie, als er konnte! sie hörte nicht darauf, eilte nach Haus, und hatte bald den armen Frosch vergessen, der wieder in seinen Brunnen hinabsteigen mußte.

Am andern Tage, als sie mit dem König und allen Hofleuten sich zur Tafel gesetzt hatte, und von ihrem goldenen Tellerlein aß, da kam, plitsch platsch, plitsch platsch, etwas die Marmortreppe herauf gekrochen, und als es oben angelangt war, klopfte es an der Thür und rief »Königstochter, jüngste, mach mir auf«. Sie lief und wollte sehen, wer draußen wäre, als sie aber aufmachte, so saß der Frosch davor. Da warf sie die Thür hastig zu, setzte sich wieder an den Tisch, und war ihr ganz angst. Der König sah wohl, daß ihr das Herz gewaltig klopfte und sprach »mein Kind, was fürchtest du dich, steht etwa ein Riese vor der Thür und will dich holen?« »Ach nein«, antwortete sie, »es ist kein Riese, es ist ein garstiger Frosch.« »Was will der Frosch von dir?« »Ach, lieber Vater, als ich gestern im Wald beim Brunnen saß und spielte, da fiel meine goldene Kugel ins Wasser. Und weil ich so weinte, so hat sie der Frosch wieder herauf geholt: und weil er es durchaus verlangte, so versprach ich ihm, er sollte mein Geselle werden, ich dachte aber nimmermehr, daß er aus seinem Wasser heraus könnte. Nun ist er draußen und will zu mir herein.« Indem klopfte es zum zweitenmal und rief:

»Königstochter, jüngste,
mach mir auf,
weißt du nicht, was gestern
du zu mir gesagt
bei dem kühlen Brunnenwasser;
Königstochter, jüngste,
mach mir auf!«

Da sagte der König »was du versprochen hast, das mußt du auch halten; geh nur und mach ihm auf«. Sie gieng und öffnete die Thüre, da hüpfte der Frosch herein, ihr immer auf dem Fuße nach, bis zu ihrem Stuhl. Da saß er und rief »heb mich herauf zu dir«. Sie zauderte, bis es endlich der König befahl. Der Frosch sprang von dem Stuhl auf den

Tisch und sprach »nun schieb mir dein goldenes Tellerlein näher, damit wir zusammen essen«. Das that sie zwar, aber man sah wohl, daß sies nicht gerne that. Der Frosch ließ sichs gut schmecken, aber ihr blieb fast jedes Bißlein im Halse. Endlich sprach er »nun hab ich mich satt gegessen und bin müde, trag mich hinauf in dein Kämmerlein und mache dein seiden Bettlein zurecht, da wollen wir uns schlafen legen«. Da fieng die Königstochter an zu weinen, sie fürchtete sich vor dem kalten Frosch, den sie nicht anzurühren getraute, und der nun in ihrem schönen reinen Bettlein schlafen sollte. Der König aber ward zornig und sprach »wer dir geholfen hat als du in der Noth warst, den sollst du hernach nicht verachten«. Da packte sie ihn mit zwei Fingern, trug ihn hinauf und setzte ihn in eine Ecke. Als sie aber im Bette lag, kam er gekrochen und sprach »ich bin müde, ich will schlafen so gut wie du: heb mich herauf oder ich sags deinem Vater«. Da ward sie bitterböse, holte ihn herauf und warf ihn aus allen Kräften wider die Wand, »nun wirst du Ruhe haben, du garstiger Frosch«.

Als er aber herab fiel, da war er kein Frosch, sondern ein Königssohn mit schönen und freundlichen Augen. Der war nun nach ihres Vaters Willen ihr lieber Geselle und Gemahl. Da erzählte er ihr, er wäre von einer bösen Hexe verwünscht worden, und Niemand hätte ihn aus dem Brunnen erlösen können, als sie allein, und morgen wollten sie zusammen in sein Reich gehen. Dann schliefen sie ein, und am andern Morgen, als die Sonne sie aufweckte, kam ein Wagen heran gefahren mit acht weißen Pferden bespannt, die hatten weiße Straußfedern auf dem Kopf und giengen in goldenen Ketten, und hinten stand der Diener des jungen Königs, das war der treue Heinrich. Der treue Heinrich hatte sich so betrübt, als sein Herr war in einen Frosch verwandelt worden, daß er drei eiserne

Bande hatte um sein Herz legen lassen, damit es ihm nicht vor Weh und Traurigkeit zerspränge. Der Wagen aber sollte den jungen König in sein Reich abholen; der treue Heinrich hob beide hinein, stellte sich wieder hinten auf und war voller Freude über die Erlösung. Und als sie ein Stück Wegs gefahren waren, hörte der Königssohn, daß es hinter ihm krachte, als wäre etwas zerbrochen. Da drehte er sich um und rief:

»Heinrich, der Wagen bricht.«
»Nein, Herr, der Wagen nicht,
es ist ein Band von meinem Herzen,
das da lag in großen Schmerzen,
als ihr in dem Brunnen saßt,
als ihr eine Fretsche (Frosch) wast (wart).«

Noch einmal und noch einmal krachte es auf dem Weg, und der Königssohn meinte immer der Wagen bräche und es waren doch nur die Bande, die vom Herzen des treuen Heinrich absprangen, weil sein Herr wieder erlöst und glücklich war.

2.

Marienkind.

Vor einem großen Walde lebte ein Holzhacker mit seiner Frau, der hatte nur ein einziges Kind, das war ein Mädchen von drei Jahren. Sie waren aber so arm, daß sie nicht mehr das tägliche Brot hatten und nicht wußten, was sie ihm sollten zu essen geben. Eines Morgens gieng der Holzhacker voller Sorgen hinaus in den Wald an seine Arbeit, und wie er da Holz hackte, stand auf einmal eine schöne große Frau vor ihm, die hatte eine Krone von leuchtenden Sternen auf dem Haupt und sprach zu ihm, »ich bin die Jungfrau Maria, die Mutter des Christkindleins; du bist arm und dürftig, bring mir dein Kind, ich will es mit mir nehmen, und seine Mutter sein und für es sorgen«. Der Holzhacker gehorchte, holte sein Kind und übergab es der Jungfrau Maria, die nahm es mit sich hinauf in den Himmel. Da gieng es ihm wohl, es aß Zuckerbrot und trank süße Milch, und seine Kleider waren von Gold und die Englein spielten mit ihm. Als es nun vierzehn Jahr alt geworden war, rief es einmal die Jungfrau Maria zu sich und sprach »liebes Kind, ich habe eine große Reise vor, da nimm die Schlüssel zu den dreizehn Thüren des Himmelreichs in Verwahrung: zwölf davon darfst du aufschließen und die Herrlichkeiten darin betrachten, aber die dreizehnte, wozu dieser kleine Schlüssel gehört, die ist dir verboten: hüte dich, daß du sie nicht aufschließest, sonst wirst du unglücklich«. Das Mädchen versprach gehorsam zu sein, und als nun die Jungfrau Maria weg war, fieng es an und besah die Wohnungen des Himmelreichs: jeden Tag schloß es eine auf, bis die zwölfe herum waren. In jeder aber saß ein Apostel, und war von Licht und Glanz umgeben. Es freute sich über all die Pracht und Herrlichkeit, und die Englein, die es immer begleiteten, freuten sich mit ihm. Nun war allein noch die verbotene Thür übrig, da empfand es eine große Lust zu wissen, was dahinter verborgen wäre, und sprach zu den Englein »ganz aufmachen will ich sie nicht, aber ich will sie aufschließen, damit wir ein wenig durch den Ritz sehen«. »Ach nein«, sagten die Englein, »das wäre Sünde: die Jungfrau Maria hats verboten, und es könnte leicht dein Unglück werden.« Da schwieg es still, aber die Lust und Neugier in seinem Herzen schwieg nicht still, sondern nagte und pickte ordentlich daran, und ließ ihm keine Ruhe. Und als die Englein einmal hinausgegangen waren, dachte es »nun bin ich ganz allein und könnte einmal hinein gucken, es weiß es ja niemand, wenn ich es thue«. Es suchte den Schlüssel heraus, und als es ihn in der Hand hielt, steckte es ihn auch in das Schloß, und als es ihn hineingesteckt hatte, drehte es auch um. Da sprang die Thüre auf, und es sah da die Dreieinigkeit im Feuer und Glanz sitzen und betrachtete alles mit Erstaunen, dann rührte es ein klein wenig mit dem Finger an den Glanz, da ward der Finger ganz golden. Da empfand es eine gewaltige Angst, schlug die Thür heftig zu und lief fort. Die Angst wollte auch nicht wieder weichen, es mochte anfangen, was es wollte, und das Herz klopfte in einem fort und wollte nicht ruhig werden; auch das Gold blieb an dem Finger und gieng nicht ab, es mochte waschen und reiben, so viel es wollte.

Gar nicht lange, so kam die Jungfrau Maria von ihrer Reise zurück. Sie rief das Mädchen zu sich und forderte ihm die Himmelsschlüssel wieder ab. Indem es den Bund hinreichte, blickte ihm die Jungfrau in die Augen und sprach »hast du auch nicht die dreizehnte Thür geöffnet?« »Nein«, antwortete es. Da legte sie ihre Hand auf sein Herz, fühlte wie es klopfte und klopfte, und merkte wohl, daß es ihr Gebot übertreten und die Thür aufgeschlossen hatte. Da sprach sie noch einmal »hast du es gewiß nicht gethan?« »Nein«, sagte das Mädchen zum zweitenmal. Da erblickte sie den Finger, der von der Berührung des himmlischen Feuers golden geworden war, und sah wohl, daß es gesündigt hatte, und sprach zum drittenmal »hast du es nicht gethan?« »Nein«, sagte das Mädchen zum drittenmal. Da sprach die Jungfrau Maria »du hast mir nicht gehorcht und hast noch dazu gelogen, du bist nicht mehr würdig im Himmel zu sein«.

Da versank das Mädchen in einen tiefen Schlaf, und als es erwachte, lag es unten auf der Erde, mitten in einer Wildniß. Es wollte rufen, aber es konnte keinen Laut hervorbringen: es sprang auf und wollte fortlaufen, aber wo es sich hinwendete, immer ward es von dichten Dornhecken zurück gehalten, die es nicht durchbrechen konnte. Mitten in der Einöde stand ein alter hohler Baum, das mußte seine Wohnung sein. Da kroch es hinein, wenn die Nacht kam, und wenn es stürmte und regnete, fand es darin Schutz. Aber es war ein jämmerliches Leben, und wenn es daran dachte, wie es im Himmel so schön gewesen war und die Engel mit ihm gespielt hatten, so weinte es bitterlich. Wurzeln und Waldbeeren waren seine einzige Nahrung: die suchte es sich so weit es kommen konnte. Im Herbst sammelte es die herab gefallenen Nüsse und Blätter und trug sie in die Höhle, die Nüsse waren im Winter seine Speise und wenn Schnee und Eis kam, so kroch es wie ein armes Thierchen in die Blätter, daß es nicht fror. Nicht lange, so zerrissen seine Kleider und ein Stück nach dem andern fiel vom Leib herab. Sobald dann die Sonne wieder warm schien, ging es heraus und setzte sich vor den Baum, und seine langen Haare bedeckten es von allen Seiten wie ein Mantel. So saß es ein Jahr nach dem andern und fühlte den Jammer und das Elend der Welt.

Einmal, als die Bäume wieder in frischem Grün standen, jagte der König des Landes in dem Wald und verfolgte ein Reh, und weil es in das Gebüsch geflohen war, das den hohlen Baum einschloß, stieg er ab, riß das Gestrüppe aus einander und hieb sich mit seinem Schwert einen Weg. Als er nun hindurch gedrungen war, sah er unter dem Baum ein wunderschönes Mädchen, das saß da und war von seinem goldenen Haar bis zu den Fußzehen bedeckt. Er stand still und betrachtete es voll Erstaunen,

dann redete er es an und sprach »wer bist du? warum sitzest du hier in der Einöde?« Es gab aber keine Antwort, denn es konnte seinen Mund nicht aufthun. Der König sprach weiter »willst du mit mir auf mein Schloß gehen?« Da nickte es nur ein wenig mit dem Kopf. Der König nahm es auf seinen Arm, trug es auf sein Pferd und ritt mit ihm heim. Und als er in das königliche Schloß kam, ließ er ihm schöne Kleider anziehen und gab ihm alles im Ueberfluß. Und ob es gleich nicht sprechen konnte, so war es doch so schön und holdselig, daß er es von Herzen lieb gewann, und es dauerte nicht lange, so vermählte er sich mit ihm.

Als etwa ein Jahr verflossen war, brachte die Königin einen Sohn zur Welt. Darauf in der Nacht, als sie allein in ihrem Bette lag, erschien ihr die Jungfrau Maria und sprach »willst du die Wahrheit sagen und gestehen, daß du die verbotene Thür aufgeschlossen hast, so will ich deinen Mund öffnen und dir die Sprache wieder geben, verharrst du aber in der Sünde und leugnest hartnäckig, so nehm ich dein neugebornes Kind mit mir«. Da war der Königin verliehen zu antworten, sie blieb aber verstockt und sprach »nein, ich habe die verbotene Thür nicht aufgemacht«, und die Jungfrau Maria nahm das neugeborne Kind ihr aus den Armen und verschwand damit. Am andern Morgen, als das Kind nicht zu finden war, gieng ein Gemurmel unter den Leuten, die Königin wäre eine Menschenfresserin und hätte ihr eigenes Kind umgebracht. Sie hörte alles, und konnte nichts dagegen sagen, der König aber wollte es nicht glauben, weil er sie so lieb hatte.

Nach einem Jahr gebar die Königin wieder einen Sohn. In der Nacht trat auch wieder die Jungfrau Maria zu ihr ein und sprach »willst du gestehen, daß du die verbotene Thüre geöffnet hast, so will ich dir dein Kind wiedergeben und deine Zunge lösen: verharrst du aber in der Sünde und leugnest, so nehme ich auch dieses neugeborne mit mir«. Da sprach die Königin wiederum »nein, ich habe die verbotene Thür nicht aufgemacht«, und die Jungfrau nahm ihr das Kind aus den Armen weg und mit sich in den Himmel. Am Morgen, als die Leute hörten, daß das Kind abermals verschwunden sei, sagten sie laut, die Königin hätte es gefressen, und des Königs Räthe verlangten, daß sie sollte gerichtet werden. Der König aber hatte sie so lieb, daß er es nicht glauben wollte, und befahl den Räthen bei Leibes- und Lebensstrafe nichts mehr darüber zu sprechen.

Im dritten Jahre gebar die Königin ein schönes Töchterlein, da erschien ihr auch wieder Nachts die Jungfrau Maria und sprach »folge mir«. Sie nahm sie bei der Hand und führte sie in den Himmel und zeigte ihr da ihre beiden ältesten Kinder, die lachten sie an und spielten mit der Weltkugel. Als sich die Königin darüber freuete, sprach die Jungfrau Maria »willst du nun eingestehen, daß du die verbotene Thür geöffnet hast, so will ich dir deine beiden Söhnlein zurück geben«. Die Königin antwortete zum drittenmal »nein, ich habe die verbotene Thür nicht geöffnet«. Da ließ sie die Jungfrau wieder zur Erde hinabsinken und nahm ihr auch das dritte Kind.

Am andern Morgen, als es ruchbar ward, riefen alle Leute laut »die Königin ist eine Menschenfresserin, sie muß verurtheilt werden!« und der König konnte seine Räthe nicht mehr zurückweisen. Es ward ein Gericht über sie gehalten, und weil sie nicht antworten und sich nicht vertheidigen konnte, ward sie verurtheilt auf dem Scheiterhaufen zu sterben. Das Holz wurde zusammengetragen, und als sie an den Pfahl festgebunden war, und das Feuer rings umher zu brennen anfieng, da schmolz das harte Eis des Stolzes und ihr Herz ward von Reue bewegt, und sie dachte »könnt ich vor meinem Tode gestehen, daß ich die Thüre geöffnet habe«. Da kam ihr die Stimme, daß sie laut rief »ja, Maria, ich habe es gethan!« Und alsbald fieng der Himmel an zu regnen und löschte die Feuerflammen, und über ihr brach ein Licht hervor, und die Jungfrau Maria kam herab und hatte die beiden Söhnlein zu ihren Seiten, das neu geborne Töchterlein auf dem Arm. Sie sprach freundlich zu ihr »wer seine Sünde bereut und gesteht, dem ist sie vergeben«, und reichte ihr die Kinder, löste ihr die Zunge und gab ihr Glück für das ganze Leben.

3.

Märchen von einem, der auszog das Fürchten zu lernen.

Ein Vater hatte zwei Söhne, davon war der älteste klug und gescheidt, und wußte sich in alles wohl zu schicken, der jüngste aber war dumm, konnte nichts begreifen und lernen: und wenn ihn die Leute sahen, sprachen sie »mit dem wird der Vater noch seine Last haben!« Wenn nun etwas zu thun war, so mußte es der älteste allzeit ausrichten: hieß ihn aber der Vater noch spät oder gar in der Nacht etwas holen, und der Weg gieng dabei über den Kirchhof oder sonst einen schaurigen Ort, so antwortete er wohl »ach, Vater es gruselt mir!« denn er fürchtete sich. Oder wenn Abends beim Feuer Geschichten erzählt wurden, wobei einem die Haut schaudert, so sprachen die Zuhörer manchmal »ach, es gruselt mir!« Der jüngste saß in einer Ecke und hörte das mit an, und konnte nicht begreifen, was es heißen sollte. »Immer sagen sie es gruselt mir! es gruselt mir! mir gruselts nicht: das wird wohl eine Kunst sein, von der ich auch nichts verstehe.«

Nun geschah es, daß der Vater einmal zu ihm sprach »hör du, in der Ecke dort, du wirst groß und stark, und mußt auch etwas lernen, womit du dein Brot verdienst. Siehst du, wie sich dein Bruder Mühe giebt, aber an dir ist Hopfen und Malz verloren«. »Ei, Vater«, antwortete er, »ich will gerne was lernen; ja, wenns angienge, so möchte ich lernen, daß mirs gruselte: davon verstehe ich noch gar nichts.« Der älteste lachte, als er das hörte, und dachte bei sich »du lieber Gott, was ist mein Bruder ein Dummbart, aus dem wird mein Lebtag nichts: was ein Häkchen werden will, muß sich bei Zeiten krümmen«. Der Vater seufzte und antwortete ihm »das Gruseln, das sollst ⟨du⟩ schon noch lernen, aber dein Brot wirst du damit nicht verdienen«.

Bald danach kam der Küster zum Besuch ins Haus, da klagte ihm der Vater seine Noth und erzählte, wie sein jüngster Sohn in allen Dingen so schlecht beschlagen wäre, er wüßte nichts und lernte nichts. »Denkt euch, als ich ihn fragte, womit er sein Brot verdienen wollte, hat er gar verlangt das Gruseln zu lernen.« »Wenns weiter nichts ist«, antwortete der Küster, »das kann er bei mir lernen, thut ihn nur zu mir, ich will ihn schon abhobeln.« Der Vater war es zufrieden, weil er dachte »der Junge wird doch ein wenig zugestutzt«. Der Küster nahm ihn also ins Haus, und er mußte die Glocke läuten. Nach ein paar Tagen weckte er ihn um Mitternacht, hieß ihn aufstehen, in den Kirchthurm steigen und läuten. »Du sollst schon lernen, was Gruseln ist«, dachte er, gieng heimlich voraus, und als der Junge oben war, und sich umdrehte und das Glockenseil fassen wollte, so sah er auf der Treppe, dem Schallloch gegenüber, eine weiße Gestalt stehen. »Wer da?« rief er, aber die Gestalt gab keine Antwort, regte und bewegte sich nicht. »Gib Antwort«, rief der Junge, »oder mache daß du fort kommst, du hast hier in der Nacht nichts zu schaffen.« Der Küster aber blieb unbeweglich stehen, damit der Junge glauben sollte, es wäre ein Gespenst. Der Junge rief zum zweitenmal »was willst du hier? sprich, wenn du ein ehrlicher Kerl bist, oder ich werfe dich die Treppe hinab«. Der Küster dachte »das wird so schlimm nicht gemeint sein«, gab keinen Laut von sich und stand, als wenn er von Stein wäre. Da rief ihn der Junge zum drittenmal an, und als das auch vergeblich war, nahm er einen Anlauf und stieß das Gespenst die Treppe hinab, daß es zehn Stufen hinab fiel und in einer Ecke liegen blieb. Darauf läutete er die Glocke, gieng heim, legte sich, ohne ein Wort zu sagen, ins Bett und schlief fort. Die Küsterfrau wartete lange Zeit auf ihren Mann, aber er wollte nicht wieder kommen. Da ward ihr endlich angst, sie weckte den Jungen und fragte »weißt du nicht, wo mein Mann geblieben ist? er ist vor dir auf den Thurm gestiegen«. »Nein«, antwortete der Junge, »aber da hat einer dem Schallloch gegenüber auf der Treppe gestanden, und weil er keine Antwort geben und auch nicht weggehen wollte, so habe ich ihn für einen Spitzbuben gehalten und hinunter gestoßen. Geht nur hin, so werdet ihr sehen ob ers gewesen ist, es sollte mir leid thun.« Die Frau sprang fort und fand ihren Mann, der in einer Ecke lag und jammerte, und ein Bein gebrochen hatte.

Sie trug ihn herab und eilte dann mit lautem Geschrei zu dem Vater des Jungen. »Euer Junge«, rief sie, »hat ein großes Unglück angerichtet, meinen Mann hat er die Treppe hinab geworfen, daß er ein Bein gebrochen hat: schafft den Taugenichts aus unserem Hause.« Der Vater erschrak, kam herbei gelaufen und schalt den Jungen aus.

»Was sind das für gottlose Streiche, die muß dir der Böse eingegeben haben.« »Vater«, antwortete er, »hört nur an, ich bin ganz unschuldig: er stand da in der Nacht, wie einer, der böses im Sinne hat. Ich wußte nicht, wers war, und habe ihn dreimal ermahnt zu reden oder wegzugehen.« »Ach«, sprach der Vater, »mit dir erleb ich nur Unglück, geh mir aus den Augen, ich will dich nicht mehr ansehen.« »Ja, Vater, recht gerne, wartet nur bis Tag ist, da will ich ausgehen und das Gruseln lernen, so versteh ich doch auch eine Kunst, die mich ernähren kann.« »Lerne was du willst«, sprach der Vater, »mir ist alles einerlei. Da hast du funfzig Thaler, damit geh in die weite Welt, und sage keinem Menschen, wo du her bist und wer dein Vater ist, denn ich muß mich deiner schämen.« »Ja, Vater, wie ihrs haben wollt: wenn ihr nicht mehr verlangt, das kann ich leicht in Acht behalten.«

Als nun der Tag anbrach, steckte der Junge seine funfzig Thaler in die Tasche, gieng hinaus auf die große Landstraße und sprach immer vor sich hin »wenn mirs nur gruselte! wenn mirs nur gruselte!« Da kam ein Mann heran, der hörte das Gespräch, das der Junge mit sich selber führte, und als sie ein Stück weiter waren, daß man den Galgen sehen konnte, sagte er zu ihm »siehst du, dort ist der Baum, wo siebene mit des Seilers Tochter Hochzeit gehalten haben und jetzt das Fliegen lernen: setz dich darunter und warte bis die Nacht kommt, so wirst du schon das Gruseln lernen«. »Wenn weiter nichts dazu gehört«, antwortete der Junge, »das ist leicht gethan; lerne ich aber so geschwind das Gruseln, so sollst du meine funfzig Thaler haben: komm nur Morgen früh wieder zu mir.« Da gieng der Junge zu dem Galgen, setzte sich darunter und wartete, bis der Abend kam. Und weil ihn fror, machte er sich ein Feuer an: aber um Mitternacht ging der Wind so kalt, daß er trotz des Feuers nicht warm werden wollte. Und als der Wind die Gehenkten gegen einander stieß, daß sie sich hin und her bewegten, so dachte er »du frierst unten bei dem Feuer, was mögen die da oben erst frieren und zappeln«. Und weil er mitleidig war, legte er die Leiter an, stieg hinauf, knüpfte einen nach dem andern los und holte sie alle siebene herab. Darauf schürte er das Feuer, blies es an und setzte sie rings herum, daß sie sich wärmen sollten. Aber sie saßen da und regten sich nicht, und das Feuer ergriff ihre Kleider. Da sprach er »nehmt euch in Acht, sonst häng ich euch wieder hinauf«. Die Todten aber hörten nicht, schwiegen und ließen ihre Lumpen fort brennen. Da ward er bös und sprach »wenn ihr nicht Acht geben wollt, so kann ich euch nicht helfen, ich will nicht mit euch verbrennen«, und hieng sie nach der Reihe wieder hinauf. Nun setzte er sich zu seinem Feuer und schlief ein, und am andern Morgen, da kam der Mann zu ihm, wollte die funfzig Thaler haben, und sprach »nun, weißt du was gruseln ist?« »Nein«, antwortete er, »woher sollte ichs wissen? die da droben haben das Maul nicht aufgethan, und waren so dumm, daß sie die paar alten Lappen, die sie am Leibe haben, brennen ließen.« Da sah der Mann, daß er die funfzig Thaler heute nicht davon tragen würde, gieng fort und sprach »so einer ist mir noch nicht vorgekommen«.

Der Junge gieng auch seines Weges und fieng wieder an vor sich hin zu reden »ach, wenn mirs nur gruselte! ach, wenn mirs nur gruselte!« Das hörte ein Fuhrmann, der hinter ihm her schritt, und fragte »wer bist du?« »Ich weiß nicht«, antwortete der Junge. Der Fuhrmann fragte weiter »wo bist du her?« »Ich weiß nicht.« »Wer ist dein Vater?« »Das darf ich nicht sagen.« »Was brummst du beständig in den Bart hinein?« »Ei«, antwortete der Junge, »ich wollte, daß mirs gruselte, aber niemand kann mirs lehren.« »Laß dein dummes Geschwätz«, sprach der Fuhrmann, »komm, geh mit mir, ich will sehen, daß ich dich unterbringe.« Der Junge gieng mit dem Fuhrmann, und Abends gelangten sie zu einem Wirthshaus, wo sie übernachten wollten. Da sprach er beim Eintritt in die Stube wieder ganz laut »wenn mirs nur gruselte! wenn mirs nur gruselte!« Der Wirth, der das hörte, lachte und sprach »wenn dich danach lüstet, dazu sollte hier wohl Gelegenheit sein«. »Ach schweig stille«, sprach die Wirthsfrau, »so mancher Vorwitzige hat schon sein Leben eingebüßt, es wäre Jammer und Schade um die schönen Augen, wenn die das Tageslicht nicht wieder sehen sollten.« Der Junge aber sagte »wenns noch so schwer wäre, ich wills einmal lernen, deshalb bin ich ja ausgezogen«. Er ließ den ⟨!⟩ Wirth auch keine Ruhe, bis dieser erzählte, nicht weit davon stände ein verwünschtes Schloß, wo einer wohl lernen könnte, was gruseln wäre, wenn er nur drei Nächte darin wachen wollte. Der König hätte dem, ders wagen wollte, seine Tochter zur Frau versprochen, und die wäre die schönste Jungfrau, welche die Sonne beschien: in dem Schlosse steckten auch große Schätze, von bösen Geistern bewacht, die würden dann frei, und könnten einen Armen reich genug machen. Schon viele wären wohl hinein, aber noch keiner wieder herausgekommen. Da gieng der Junge am andern Morgen vor den König und sprach »wenns erlaubt wäre, so wollte ich wohl drei Nächte in dem verwünschten Schloß wachen«. Der König sah ihn an, und weil er ihm gefiel, sprach er »du darfst dir noch dreierlei ausbitten, aber es müssen leblose Dinge sein, und darfst das mit ins Schloß nehmen«. Da antwortete er »so bitt ich um ein Feuer, eine Drehbank und eine Schnitzbank mit dem Messer«.

Der König ließ ihm das alles bei Tag in das Schloß tragen. Als es Nacht werden wollte, gieng der Junge hinauf, machte sich in einer Kammer ein helles Feuer an, stellte die Schnitzbank mit dem Messer daneben, und setzte sich auf die Drehbank. »Ach, wenn mirs nur gruselte!« sprach er, »aber hier werd ichs auch nicht lernen.« Gegen Mitternacht wollte er sich sein Feuer einmal aufschüren: wie er so hinein blies, da schries plötzlich aus einer Ecke »au, miau! was uns friert!« »Ihr Narren«, rief er, »was schreit ihr? wenn euch friert, kommt, setzt euch ans Feuer und wärmt euch.« Und wie er das gesagt hatte, kamen zwei große schwarze Katzen in einem gewaltigen Sprunge herbei, setzten sich ihm zu beiden Seiten und sahen ihn mit ihren feurigen Augen ganz wild an. Ueber ein Weilchen, als sie sich gewärmt hatten, sprachen sie »Kamerad, wollen wir eins in der Karte spielen?« »Warum nicht?« antwortete er, »aber zeigt einmal eure Pfoten her.« Da streckten sie die Krallen aus. »Ei«, sagte er, »was habt ihr lange Nägel! wartet, die muß ich euch erst abschneiden.« Damit packte er sie beim Kragen, hob sie auf die Schnitzbank und schraubte ihnen die Pfoten fest. »Euch habe ich auf die Finger gesehen«, sprach er, »da vergeht mir die Lust zum Kartenspiel«, schlug sie todt und warf sie hinaus ins Wasser. Als er aber die zwei zur Ruhe gebracht hatte und sich wieder zu seinem Feuer setzen wollte, da kamen aus allen Ecken und Enden schwarze Katzen und schwarze Hunde an glühenden Ketten, immer mehr und mehr, daß er sich nicht mehr bergen konnte: die schrien gräulich, traten ihm auf sein Feuer, zerrten es auseinander und wollten es ausmachen. Das sah er ein Weilchen ruhig mit an, als es ihm aber zu arg ward, faßte er sein Schnitzmesser, »du Gesindel, fort mit dir«, rief er, und hackte auf sie los. Ein Theil sprang weg, die anderen schlug er todt und warf sie hinaus in den Teich. Als er wieder gekommen war, blies er aus den Funken sein Feuer frisch an und wärmte sich. Und als er so saß, wollten ihm die Augen nicht länger offen bleiben und er bekam Lust zu schlafen. Da blickte er um sich und sah in der Ecke ein großes Bett; »das ist mir eben recht«, sprach er, und legte sich hinein. Als er aber die Augen eben zuthun wollte, so fieng das Bett von selbst an zu fahren, und fuhr im ganzen Schloß herum. »Recht so«, sprach er, »nur besser zu.« Da rollte das Bett fort, als wären sechs Pferde vorgespannt, über Schwellen und Treppen auf und ab: auf einmal, hopp hopp! warf es um, das unterste zu oberst, daß es wie ein Berg auf ihm lag. Aber er schleuderte Decken und Kissen in die Höhe, stieg heraus und sagte »nun mag fahren, wer Lust hat«, legte sich an sein Feuer und schlief bis es Tag war. Am Morgen kam der König, und als er ihn da auf der Erde liegen sah, meinte er die Gespenster hätten ihn umgebracht, und er wäre todt. Da sprach er, »es ist doch Schade um den schönen Menschen«. Das hörte der Junge, richtete sich auf und sprach »so weit ists noch nicht!« Da verwunderte sich der König, freute sich aber und fragte, wie es ihm gegangen wäre. »Recht gut«, antwortete er, »eine Nacht wäre herum, die zwei anderen werden auch herum gehen.« Als er zum Wirth kam, da machte der große Augen. »Ich dachte nicht«, sprach er, »daß ich dich wieder lebendig sehen würde, hast du nun gelernt, was Gruseln ist?« »Nein«, sagte er, »es ist alles vergeblich: wenn mirs nur einer sagen könnte!«

Die zweite Nacht gieng er abermals hinauf ins alte Schloß, setzte sich zum Feuer und fieng sein altes Lied wieder an »wenn mirs nur gruselte!« Wie Mitternacht herankam, ließ sich ein Lärm und Gepolter hören, erst sachte, dann immer stärker, dann wars ein bischen still, endlich kam mit lautem Geschrei ein halber Mensch den Schornstein herab und fiel vor ihm hin. »Heda!« rief er, »noch ein halber gehört dazu, das ist zu wenig.« Da gieng der Lärm von frischem an, es tobte und heulte, und fiel die andere Hälfte auch herab. »Wart«, sprach er, »ich will dir erst das Feuer ein wenig anblasen.« Wie er das gethan hatte und sich wieder umsah, da waren die beiden Stücke zusammengefahren, und saß da ein gräulicher Mann auf seinem Platz. »So ist's nicht gemeint«, sprach der Junge, »die Bank ist mein.« Der Mann wollte ihn wegdrängen, aber der Junge ließ sichs nicht gefallen, schob ihn mit Gewalt weg und setzte sich wieder auf seinen Platz. Da fielen noch mehr Männer herab, die hatten neun Todtenbeine und zwei Todtenköpfe, setzten auf und spielten Kegel. Der Junge bekam auch Lust und fragte »hört ihr, kann ich mit sein?« »Ja, wenn du Geld hast.« »Geld genug«, antwortete er, »aber eure Kugeln sind nicht recht rund.« Da nahm er die Todtenköpfe, setzte sie in die Drehbank und drehte sie rund. »So, jetzt werden sie besser schüppeln«, sprach er, »heida! nun gehts lustig!« Er spielte mit und verlor etwas von seinem Geld, als es aber zwölf Uhr schlug, war alles vor seinen Augen verschwunden: er legte sich nieder und schlief ruhig ein. Am andern Morgen kam der König und wollte sich erkundigen. »Wie ist dirs diesmal gegangen?« fragte er. »Ich habe gekegelt«, antwortete er, »und ein paar Heller verloren.« »Hat dir denn nicht gegruselt?« »Ei was«, sprach er, »lustig hab ich mich gemacht. Wenn ich nur wüßte, was Gruseln wäre!«

In der dritten Nacht setzte er sich wieder auf seine Bank und sprach ganz verdrießlich »wenn es mir nur gruselte!« Als es spät ward, kamen sechs große Männer und brachten eine Todtenlade herein getragen. Da sprach er »ha ha, das ist gewiß mein Vetterchen, das erst vor ein paar Tagen gestorben ist«, winkte mit dem Finger und rief »komm, Vetterchen, komm!« Sie stellten den Sarg auf die Erde, er aber gieng hinzu und nahm den Deckel ab: da lag ein todter Mann darin. Er fühlte ihm ans Gesicht, aber es war kalt wie Eis. »Wart«, sprach er, »ich will dich ein bischen wärmen«, gieng ans Feuer, wärmte seine Hand und legte sie ihm aufs Gesicht: aber der Todte blieb kalt. Nun nahm er ihn heraus, setzte sich ans Feuer, und legte ihn auf seinen Schooß, und rieb ihm die Arme, damit das Blut wieder in Bewegung kommen sollte. Als auch das nichts helfen wollte, fiel ihm ein »wenn zwei zusammen im Bett liegen, so wärmen sie sich«, brachte ihn ins Bett, deckte ihn zu und legte sich neben ihn. Ueber ein Weilchen ward auch der Todte warm und fieng an sich zu regen. Da sprach der Junge »siehst du, Vetterchen, hätt ich dich nicht gewärmt!« Der Todte aber hub an und rief »jetzt will ich dich erwürgen!« »Was«, sagte er, »ist das mein Dank? gleich sollst du wieder in deinen Sarg«, hub ihn auf, warf ihn hinein und machte den Deckel zu; da kamen die sechs Männer und trugen ihn wieder fort. »Es will mir nicht gruseln«, sagte er, »hier lerne ichs mein Lebtag nicht.«

Da trat ein Mann herein, der war größer als alle andere, und sah fürchterlich aus; er war aber alt und hatte einen langen weißen Bart. »O du Wicht«, rief er, »nun sollst du bald lernen, was Gruseln ist, denn du sollst sterben.« »Nicht so schnell«, antwortete der Junge, »soll ich sterben, so muß ich auch dabei sein.« »Dich will ich schon packen«, sprach der Unhold. »Sachte, sachte, mach dich nicht zu breit: so stark wie du bin ich auch, und wohl noch stärker.« »Das wollen wir sehn«, sprach der Alte, »bist du stärker als ich, so will ich dich gehen lassen; komm, wir wollens versuchen.« Da führte er ihn durch dunkle Gänge zu einem Schmiedefeuer, nahm eine Axt und schlug den einen Amboß mit einem Schlag in die Erde. »Das kann ich noch besser«, sprach der Junge, und gieng zu dem andern Amboß, und der Alte stellte sich neben hin und wollte zusehen, und sein weißer Bart hieng herab. Da faßte der Junge die Axt, zerspaltete den Amboß auf einen Hieb, und klemmte den Bart mit hinein. »Nun hab ich dich«, sprach der Junge, »jetzt ist das Sterben an dir.« Dann faßte er eine Eisenstange und schlug auf den Alten los, bis er wimmerte und bat, er möchte aufhören, er wollte ihm große Reichthümer geben. Der Junge zog die Axt raus und ließ den Alten los. Der Alte führte ihn wieder ins Schloß zurück und zeigte ihm in einem Keller drei Kasten voll Gold. »Davon«, sprach er, »ist ein Theil den Armen, der andere dem König, der dritte dein.« Indem schlug es zwölfe, und der Geist verschwand, also daß der Junge im Finstern stand. »Ich werde mir doch heraus helfen können«, sprach er, tappte herum, suchte den Weg in die Kammer und schlief bei seinem Feuer ein. Am andern Morgen kam der König und sagte »nun wirst du gelernt haben, was Gruseln ist?« »Nein«, antwortete er, »was ists nur? mein todter Vetter war da, und ein bärtiger Mann ist gekommen, der hat mir da unten viel Geld gezeigt, aber was Gruseln ist, hat mir keiner gesagt.« Da sprach der König »du hast das Schloß erlöst, und sollst meine Tochter heirathen«. »Das ist all recht gut«, antwortete er, »aber ich weiß immer noch nicht, was Gruseln ist.«

Da ward das Gold herauf gebracht und die Hochzeit gefeiert, aber der junge König, so lieb er seine Gemahlin hatte und so vergnügt er war, sagte doch immer »wenn mir nur gruselte, wenn mir nur gruselte«. Das verdroß sie endlich. Ihr Kammermädchen sprach »ich will Hilfe schaffen, das Gruseln soll er schon lernen«. Sie gieng hinaus zum Bach, der durch den Garten floß, und ließ sich einen ganzen Eimer voll Gründlinge holen. Und Nachts, als der junge König schlief, mußte seine Gemahlin ihm die Decke wegziehen und den Eimer voll kalt Wasser mit den Gründlingen über ihn herschütten, daß die kleinen Fische um ihn herum zappelten. Da wachte er auf und rief »ach, was gruselt mir, was gruselt mir, liebe Frau! Ja, nun weiß ich, was Gruseln ist«.

4.

Der Wolf und die sieben jungen Geislein.

Es war einmal eine alte Geis, die hatte sieben junge Geislein, und hatte sie lieb, wie eine Mutter ihre Kinder lieb hat. Eines Tages wollte sie in den Wald gehen und Futter holen, da rief sie alle sieben herbei und sprach »liebe Kinder, ich will hinaus in den Wald, seid auf eurer Hut vor dem Wolf: wenn er herein kommt, so frißt er euch alle mit Haut und Haar. Der Bösewicht verstellt sich oft, aber an seiner rauhen Stimme und an seinen schwarzen Füßen werdet ihr ihn erkennen«. Die Geislein sagten »liebe Mutter, wir wollen uns schon in Acht nehmen, Ihr könnt ohne Sorge forgehen«. Da meckerte die Alte und machte sich getrost auf den Weg.

Es dauerte nicht lange, so klopfte jemand an die Hausthür und rief »macht auf, ihr lieben Kinder, eure Mutter ist da, und hat jedem von euch etwas mitgebracht«. Aber die Geiserchen hörten an der rauhen Stimme, daß es der Wolf war. »Wir machen nicht auf«, riefen sie, »du bist unsere Mutter nicht, die hat eine feine und liebliche Stimme, aber deine Stimme ist rauh: du bist der Wolf.« Da gieng der Wolf fort zu einem Krämer und kaufte sich ein großes Stück Kreide: die aß er und machte damit seine Stimme fein. Dann kam er zurück, klopfte an die Hausthür und rief »macht auf, ihr lieben Kinder, eure Mutter ist da und hat jedem von euch etwas mitgebracht«. Aber der Wolf hatte seine schwarze Pfote in das Fenster gelegt, das sahen die Kinder und riefen »wir machen nicht auf, unsere Mutter hat keinen schwarzen Fuß, wie du: du bist der Wolf«. Da lief der Wolf zu einem Bäcker und sprach »ich habe mich an den Fuß gestoßen, streich mir Teig darüber«. Und als ihm der Bäcker die Pfote bestrichen hatte, so lief er zum Müller und sprach »streu mir weißes Mehl auf meine Pfote«. Der Müller dachte »der Wolf will einen betrügen« und weigerte sich, aber der Wolf sprach »wenn du es nicht thust, so fresse ich dich«. Da fürchtete sich der Müller und machte ihm die Pfote weiß. Ja, so sind die Menschen.

Nun gieng der Bösewicht zum drittenmal zu der Hausthüre, klopfte an und sprach »macht mir auf, Kinder, euer liebes Mütterchen ist heim gekommen und hat jedem von euch etwas aus dem Walde mitgebracht«. Die Geiserchen riefen »zeig uns erst deine Pfote, damit wir wissen, daß du unser liebes Mütterchen bist«. Da legte er die Pfote ins Fenster, und als sie sahen, daß sie weiß war, so glaubten sie, es wäre alles wahr, und machten die Thüre auf. Wer aber hereinkam, das war der Wolf. Sie erschraken und wollten sich verstecken. Das eine sprang unter den Tisch, das zweite ins Bett, das dritte in den Ofen, das vierte in die Küche, das fünfte in den Schrank, das sechste unter die Waschschüssel, das siebente in den Kasten der Wanduhr. Aber der Wolf fand sie alle und machte nicht langes Federlesen: eins nach dem andern schluckte er in seinen Rachen; nur das jüngste in dem Uhrkasten das fand er nicht. Als der Wolf seine Lust gebüßt hatte, trollte er sich fort, legte sich draußen auf der grünen Wiese unter einen Baum und fieng an einzuschlafen.

Nicht lange danach kam die alte Geis aus dem Walde wieder heim. Ach was mußte sie da erblicken! Die Hausthür stand sperrweit auf: Tisch, Stühle und Bänke waren umgeworfen, die Waschschüssel lag in Scherben, Decke und Kissen waren aus dem Bett gezogen. Sie suchte ihre Kinder, aber nirgend waren sie zu finden. Sie rief sie nach einander bei Namen, aber niemand antwortete. Endlich als sie an das jüngste kam, da rief eine feine Stimme »liebe Mutter, ich stecke im Uhrkasten«. Sie holte es heraus und es erzählte ihr, daß der Wolf doch gekommen wäre und die andern alle gefressen hätte. Da könnt ihr denken, wie sie über ihre armen Kinder geweint hat.

Endlich gieng sie in ihrem Jammer hinaus, und das jüngste Geislein lief mit. Und als sie auf die Wiese kam, so lag da der Wolf an dem Baum und schnarchte, daß die Aeste zitterten. Sie betrachtete ihn von allen Seiten, und sah, daß in seinem angefüllten Bauch sich etwas regte und zappelte. »Ach Gott«, dachte sie »sollten meine armen Kinder, die er zum Abendbrot hinunter gewürgt hat, noch am Leben sein?« Da mußte das Geislein nach Haus laufen und Scheere, Nadel und Zwirn holen. Dann schnitt sie dem Ungethüm den Wanst auf, und kaum hatte sie einen Schnitt gethan, so steckte schon ein Geislein den Kopf heraus, und als sie weiter schnitt, so sprangen nach einander alle sechse heraus, und hatten nicht einmal Schaden gelitten, denn das Ungethüm hatte sie in der Gier ganz hinunter geschluckt. Das war eine Freude! Da herzten sie ihre liebe Mutter und hüpften wie ein Schneider, der Hochzeit hält. Die Alte aber sagte »jetzt geht und sucht Wackersteine, damit wollen wir dem gottlosen Thier den Bauch füllen, so lange es noch im Schlafe liegt«. Da schleppten die sieben Geiserchen in aller Eile die Steine herbei und steckten sie ihm in den Bauch, so viel sie hinein bringen konnten. Dann nähte ihn die Alte in aller Geschwindigkeit wieder zu, daß er nichts merkte und sich nicht einmal regte.

Als der Wolf ausgeschlafen hatte, machte er sich auf die Beine, und weil er so großen Durst empfand, so wollte er zu einem Brunnen gehen und trinken. Als er aber anfieng sich zu bewegen, so stießen die Steine in seinem Bauch an einander und rappelten. Da rief er

»was rumpelt und pumpelt
in meinem Bauch herum?
ich meinte es wären sechs Geislein,
so sind's lauter Wackerstein.«

Und als er an den Brunnen kam und sich über das Wasser bückte und trinken wollte, da zogen ihn die schweren Steine hinein, und er mußte jämmerlich ersaufen. Als die sieben Geislein das sahen, da kamen sie herbeigelaufen, riefen laut »der Wolf ist todt! der Wolf ist todt!« und tanzten mit ihrer Mutter vor Freude um den Brunnen herum.

5.

Der treue Johannes.

Es war einmal ein alter König, der war krank und dachte »es wird wohl das Todtenbett sein, auf dem ich liege«. Da sprach er »laßt mir den getreuen Johannes kommen«. Der getreue Johannes war aber sein liebster Diener, und hieß so, weil er ihm sein Lebelang so treu gewesen war. Als er nun vor das Bett gekommen war, sprach der König »getreuster Johannes, ich fühle, daß mein Ende heran naht, und da hab ich keine andere Sorge als um meinen Sohn: er ist noch in jungen Jahren, wo er sich nicht immer zu rathen weiß, und wenn du mir nicht versprichst, ihn zu unterrichten in allem, was er wissen muß, und sein Pflegvater zu sein, so kann ich meine Augen nicht in Ruhe zuthun«. Da antwortete der getreue Johannes »ich will ihn nicht verlassen, und will ihm mit Treue dienen, wenns auch mein Leben kostet«. Da sagte der alte König »so sterb ich getrost und in Frieden«. Und sprach dann weiter »nach meinem Tode sollst du ihm das ganze Schloß zeigen, alle Kammern, Säle und Gewölbe, und alle Schätze, die darin liegen: aber die letzte Kammer in dem langen Gange sollst du ihm nicht zeigen, worin das Bild der Königstochter vom goldenen Dache verborgen steht. Wenn er sie erblickt, wird er eine heftige Liebe zu ihr empfinden, und wird in Ohnmacht niederfallen, und wird ihretwillen in große Gefahren gerathen; davor sollst du ihn hüten«. Und als der treue Johannes nochmals dem alten König die Hand darauf gegeben hatte, ward dieser still, legte sein Haupt auf das Kissen und starb.

Als der alte König nun zu Grabe getragen war, da erzählte der treue Johannes dem jungen König, was er seinem Vater auf dem Sterbelager versprochen hatte, und sagte «das will ich gewißlich halten, und will dir treu sein, wie ich ihm gewesen bin, und sollte es mein Leben kosten«. Die Trauer gieng vorüber, da sprach der treue Johannes zu ihm »es ist nun Zeit, daß du dein Erbe siehst: ich will dir dein väterliches Schloß zeigen«. Da führte er ihn überall herum, auf und ab, und ließ ihn alle die Reichthümer und prächtigen Kammern sehen: nur die eine Kammer öffnete er nicht, worin das gefährliche Bild stand. Das Bild war aber so gestellt, daß, wenn die Thüre aufgieng, man gerade darauf sah, und war so herrlich gemacht, daß man meinte es leibte und lebte, und es gäbe nichts lieblicheres und schöneres auf der ganzen Welt. Der junge König aber merkte wohl, daß der getreue Johannes immer an einer Thüre vorübergieng, und sprach »warum schließest du mir diese niemals auf?« »Es ist etwas darin«, antwortete er, »vor dem du erschrickst.« Aber der König antwortete »ich habe das ganze Schloß gesehn, so will ich auch wissen, was darin ist«, und gieng und wollte die Thüre mit Gewalt öffnen. Da hielt ihn der getreue Johannes zurück und sagte »ich habe es deinem Vater vor seinem Tode versprochen, daß du nicht sehen sollst, was in der Kammer steht: es könnte dir und mir zu großem Unglück ausschlagen«. »Ach«, antwortete der junge König, »wenn ich nicht hinein komme, so ists mein sicheres Verderben: ich würde Tag und Nacht keine Ruhe haben, bis ichs mit meinen Augen gesehen hätte. Nun gehe ich nicht von der Stelle, bis du aufgeschlossen hast.«

Da sah der getreue Johannes, daß es nicht mehr zu ändern war, und suchte mit schwerem Herzen und vielem Seufzen aus dem großen Bund den Schlüssel heraus. Als er die Thür der Kammer geöffnet hatte, trat er zuerst hinein und dachte der König sollte das Bildnis vor ihm nicht sehen: aber was half das? der König stellte sich auf die Fußspitzen und sah ihm über die Schulter. Und als er das Bildnis der Jungfrau erblickte, das so herrlich war und von Gold und Edelsteinen glänzte, da fiel er ohnmächtig zur Erde nieder. Der getreue Johannes hob ihn auf, trug ihn in sein Bett und dachte voll Sorgen »das Unglück ist geschehen, Herr Gott, was will daraus werden!« Dann stärkte er ihn mit Wein, bis er wieder zu sich selbst kam.

Das erste Wort, das er sprach, war »ach wer ist das schöne Bild?« »Das ist die Königstochter vom goldenen Dache«, antwortete der treue Johannes. Da sprach der König weiter »meine Liebe zu ihr ist so groß, wenn alle Blätter an den Bäumen Zungen wären, sie könntens nicht aussagen; mein Leben setze ich daran, daß ich sie erlange. Du bist mein getreuester Johannes, du mußt mir beistehen«.

Der treue Diener besann sich lange, wie es anzufangen wäre, denn es hielt schwer, nur vor das Angesicht der Königstochter zu kommen. Endlich hatte er ein Mittel ausgedacht, und sprach zu dem König »alles, was sie um sich hat, ist von Gold: Tische, Stühle, Schüsseln, Becher, Näpfe und alles Hausgeräth: in deinem Schatze liegen fünf Tonnen Goldes, laß eine von den Goldschmieden des Reichs verarbeiten zu allerhand Gefäßen und Geräthschaften, zu allerhand Vögeln, Gewild und wunderbaren Thieren, das wird ihr gefallen. Wir wollen hinfahren und unser Glück versuchen«. Der König ließ alle Goldschmiede zusammenkommen: sie arbeiteten Tag und Nacht, bis endlich die herrlichsten Dinge fertig waren. Nun ließ der getreue Johannes alles auf ein Schiff laden, und zog Kaufmannskleider an, und der König mußte ein gleiches thun, um sich unkenntlich zu machen. Dann fuhren sie über das Meer und fuhren so lange, bis sie zur Stadt kamen, worin die Königstochter vom goldenen Dache wohnte.

Der treue Johannes hieß den König auf dem Schiffe zurückbleiben und auf ihn warten. »Vielleicht«, sprach er, »bring ich die Königstochter mit, darum sorget, daß alles in Ordnung ist, laßt die Goldgefäße aufstellen und das ganze Schiff ausschmücken.« Darauf suchte er sich in sein Schürzchen allerlei von den Goldsachen zusammen, stieg ans Land und gieng gerade nach dem königlichen Schloß.

Als er in den Schloßhof kam, stand da beim Brunnen ein schönes Mädchen, das hatte zwei goldene Eimer in der Hand und schöpfte damit. Und als es das blinkende Wasser forttragen wollte und sich umdrehte, sah es den fremden Mann und fragte ihn, wer er wäre. Da antwortete er »ich bin ein Kaufmann«, und öffnete sein Schürzchen und ließ sie hineinschauen. Da rief sie »ei, was für schönes Goldzeug!« setzte die Eimer nieder und betrachtete eins nach dem andern. Da sprach das Mädchen »das muß die Königstochter sehen, die hat so große Freude an den Goldsachen, daß sie euch alles abkauft«. Es nahm ihn bei der Hand und führte ihn hinauf, denn es war die Kammerjungfer. Als die Königstochter die Waare sah, war sie ganz vergnügt und sprach »es ist so schön gearbeitet, daß ich dir alles abkaufen will«. Aber der getreue Johannes sprach »ich bin nur der Diener von einem reichen Kaufmann: was ich hier habe, ist nichts gegen das, was mein Herr auf seinem Schiffe stehen hat, und das ist das künstlichste und köstlichste, was je in Gold ist gearbeitet worden«. Sie wollte alles herauf gebracht haben, aber er sprach »dazu gehören viele Tage, so groß ist die Menge, und so viele Säle, um es aufzustellen, daß euer Haus nicht Raum dafür hat«. Da ward ihre Neugierde und Lust immer mehr angeregt, so daß sie endlich sagte »führe mich hin zu dem Schiff, ich will selbst hingehen und deines Herrn Schätze betrachten«.

Da führte sie der getreue Johannes zu dem Schiffe hin und war ganz freudig, und der König, als er sie erblickte, sah, daß sie noch schöner war als das Bild und meinte nicht anders, als das Herz wollte ihm zerspringen. Nun stieg sie in das Schiff, und der König führte sie hinein; der getreue Johannes aber blieb zurück bei dem Steuermann und hieß das Schiff abstoßen, »spannt alle Segel auf, daß es fliegt wie ein Vogel in der Luft«. Der König aber zeigte ihr drinnen das goldene Geschirr, jedes einzeln, die Schüsseln, Becher, Näpfe, die Vögel, das Gewild und die wunderbaren Thiere. Viele Stunden giengen herum, während sie alles besah, und in ihrer Freude merkte sie nicht, daß das Schiff dahin fuhr. Nachdem sie das letzte betrachtet hatte, dankte sie dem Kaufmann und wollte heim; als sie aber an des Schiffes Rand kam, sah sie, daß es fern vom Land auf hohem Meere gieng und mit vollen Segeln forteilte. »Ach«, rief sie erschrocken, »ich bin betrogen, ich bin entführt und in die Gewalt eines Kaufmanns gerathen; lieber wollt ich sterben!« Der König aber faßte sie bei der Hand und sprach »ein Kaufmann bin ich nicht, ich bin ein König und nicht geringer an Geburt als du bist: aber daß ich dich mit List enführt habe, das ist aus übergroßer Liebe geschehen. Das erstemal, als ich dein Bildniß gesehen habe, bin ich ohnmächtig zur Erde gefallen«. Als die Königstochter vom goldenen Dache das hörte, ward sie getröstet, und ihr Herz ward ihm geneigt, so daß sie gerne einwilligte seine Gemahlin zu werden.

Es trug sich aber zu, während sie auf dem hohen Meere dahin fuhren, daß der getreue Johannes, als er vornen auf dem Schiffe saß und Musik machte, in der Luft drei Raben erblickte, die daher geflogen kamen. Da hörte er auf zu spielen und horchte was sie mit einander sprachen, denn er verstand das wohl. Die eine rief »ei, da führt er die Königstochter vom goldenen Dache heim«. »Ja«, antwortete die zweite, »er hat sie noch nicht.« Sprach die dritte »er hat sie doch, sie sitzt bei ihm im Schiffe«. Da fieng die erste wieder an und rief »was hilft ihm das! wenn sie ans Land kommen, wird ihm ein fuchsrothes Pferd entgegenspringen: da wird er sich aufschwingen wollen, und thut er das, so sprengt es mit ihm fort und in die Luft hinein, daß er nimmer mehr seine Jungfrau wieder sieht«. Sprach die zweite »ist gar keine Rettung?« »O ja, wenn ein anderer schnell aufsitzt, das Feuergewehr, das in den Halftern stecken muß, heraus nimmt und das Pferd damit todt schießt, so ist der junge König gerettet. Aber wer weiß das! und wers weiß und sagts ihm, der wird zu Stein von den Fußzehen bis zum Knie.« Da sprach die zweite »ich weiß noch mehr, wenn das Pferd auch getödtet wird, so behält der junge König doch nicht seine Braut: wenn sie zusammen ins Schloß kommen, so liegt dort ein gemachtes Brauthemd in einer Schüssel, und sieht aus als wärs von Gold und Silber gewebt, ist aber nichts als Schwefel und Pech: wenn ers anthut, verbrennt es ihn bis auf Mark und Knochen«. Sprach die dritte »ist da gar keine Rettung?« »O ja«, antwortete die zweite, »wenn einer mit Handschuhen das Hemd packt und wirft es ins Feuer, daß es verbrennt, so ist der junge König gerettet. Aber was hilfts! wers weiß und es ihm sagt, der wird halbes Leibes Stein vom Knie bis zum Herzen!« Da sprach die dritte »ich weiß noch mehr, wird das Brauthemd auch verbrannt, so hat der junge König seine Braut doch noch nicht; wenn nach der Hochzeit der Tanz anhebt, und die junge Königin tanzt, wird sie plötzlich erbleichen und wie todt hinfallen: und hebt sie nicht einer auf und zieht aus ihrer rechten Brust drei Tropfen Blut und speit sie wieder aus, so stirbt sie. Aber verräth das einer, der es weiß, so wird er ganzes Leibes zu Stein vom Wirbel bis zur Fußzehe«. Als die Raben das mit einander gesprochen hatten, flogen sie weiter, und der getreue Johannes hatte alles wohl verstanden, aber von der Zeit an war er still und traurig; denn verschwieg er seinem Herrn, was er gehört hatte, so war dieser unglücklich: entdeckte er es ihm, so mußte er selbst sein Leben hingeben. Endlich aber sprach er bei sich

»meinen Herrn will ich retten, und sollt ich selbst darüber zu Grunde gehen«.

Als sie nun ans Land kamen, da geschah es, wie die Raben vorher gesagt hatten, und es sprengte ein prächtiger fuchsrother Gaul daher. »Wohlan«, sprach der König, »der soll mich in mein Schloß tragen«, und wollte sich aufsetzen, doch der getreue Johannes kam ihm zuvor, schwang sich schnell darauf, zog das Gewehr aus den Halftern und schoß ihn nieder. Da riefen die andern Diener des Königs, die dem treuen Johannes doch nicht gut waren, »wie schändlich, das schöne Thier zu tödten, das den König in sein Schloß tragen sollte!« Aber der König sprach »schweigt und laßt ihn gehen, es ist mein getreuster Johannes, wer weiß, wozu das gut ist!« Nun giengen sie ins Schloß, und da stand im Saal eine Schüssel, und das gemachte Brauthemd lag darin und sah aus nicht anders als wäre es von Gold und Silber. Der junge König gieng darauf zu und wollte es ergreifen, aber der treue Johannes schob ihn weg, packte es mit Handschuhen an, trug es schnell ins Feuer und ließ es verbrennen. Die anderen Diener fiengen wieder an zu murren und sagten »seht, nun verbrennt er gar des Königs Brauthemd«. Aber der junge König sprach »wer weiß, wozu es gut ist, laßt ihn gehen, es ist mein getreuester Johannes«. Nun ward die Hochzeit gefeiert: der Tanz hub an, und die Braut trat auch hinein, da hatte der treue Johannes Acht und schaute ihr ins Antlitz: auf einmal erbleichte sie und fiel wie todt zur Erde. Da sprang er eilends hinzu, hob sie auf und trug sie in eine Kammer, da legte er sie nieder, kniete und sog die drei Blutstropfen aus ihrer rechten Brust und speite sie aus. Alsbald athmete sie wieder und erholte sich, aber der junge König hatte es mit angesehen, und wußte nicht, warum es der treue Johannes gethan hatte, ward zornig darüber, und rief »werft ihn ins Gefängniß«. Am andern Morgen ward der getreue Johannes verurtheilt und zum Galgen geführt, und als er oben stand und gerichtet werden sollte, sprach er »jeder der sterben soll, darf vor seinem Ende noch einmal reden, soll ich das Recht auch haben?« »Ja«, antwortete der König, »es soll dir vergönnt sein.« Da sprach der treue Johannes »ich bin mit Unrecht verurtheilt und bin dir immer treu gewesen«, und erzählte, wie er auf dem Meere das Gespräch der Raben gehört, und wie er, um seinen Herrn zu retten, das alles hätte thun müssen. Da rief der König, »o mein getreuster Johannes, Gnade! Gnade! führt ihn herunter«. Aber der treue Johannes war bei dem letzten Wort, das er geredet hatte, leblos herabgefallen, und war ein Stein.

Darüber trug nun der König und die Königin großes Leid, und der König sprach »ach, was hab ich große Treue so übel belohnt!« und ließ das steinerne Bild aufheben und in seine Schlafkammer neben sein Bett stellen. So oft er es ansah, weinte er und sprach »ach, könnt ich dich wieder lebendig machen, mein getreuster Johannes«. Es gieng eine Zeit herum, da gebar die Königin Zwillinge, zwei Söhnlein, die wuchsen heran und waren ihre Freude. Einmal, als die Königin in der Kirche war und die zwei Kinder bei dem Vater saßen und spielten, sah dieser wieder das steinerne Bildniß voll Trauer an, seufzte und rief »ach, könnt ich dich wieder lebendig machen, mein getreuester Johannes«. Da fieng der Stein an zu reden und sprach »ja, du kannst mich wieder lebendig machen, wenn du dein Liebstes daran wenden willst«. Da rief der König »alles, was ich auf der Welt habe, will ich für dich hingeben«. Sprach der Stein weiter »wenn du mit deiner eigenen Hand deinen beiden Kindern den Kopf abhaust und mich mit ihrem Blute bestreichst, so erhalte ich das

Leben wieder«. Der König erschrak, als er hörte, daß er seine liebsten Kinder selbst tödten sollte, doch dachte er an die große Treue, und daß der getreue Johannes für ihn gestorben war, zog sein Schwert und hieb mit eigener Hand den Kindern den Kopf ab. Und als er mit ihrem Blute den Stein bestrichen hatte, kehrte das Leben zurück, und der getreue Johannes stand wieder frisch und gesund vor ihm. Er aber sprach zum König »deine Treue soll nicht unbelohnt bleiben«, und nahm die Häupter der Kinder, setzte sie wieder auf und bestrich die Wunde mit ihrem Blut: davon wurden sie im Augenblick wieder heil, und sprangen herum und spielten fort, als wär ihnen nichts geschehen. Nun war der König voll Freude, und als er die Königin kommen sah, versteckte er den treuen Johannes und die beiden Kinder in einen großen Schrank. Wie sie hereintrat, sprach er zu ihr »hast du gebetet in der Kirche?« »Ja«, antwortete sie, »aber ich habe beständig an den treuen Johannes gedacht, daß er so unglücklich durch uns geworden ist.« Da sprach er »liebe Frau, wir können ihm das Leben wiedergeben, aber es kostet uns unsre beiden Söhnlein, die müssen wir opfern«. Die Königin ward bleich und erschrak im Herzen, doch sprach sie »wir sinds ihm schuldig wegen seiner großen Treue«. Da freute er sich, daß sie dachte, wie er gedacht hatte, gieng hin und schloß den Schrank auf, und holte die Kinder und den treuen Johannes heraus und sprach »Gott sei gelobt, er ist erlöst, und unsere Söhnlein haben wir auch wieder«, und erzählte ihr, wie es sich alles zugetragen hatte. Da lebten sie zusammen in Glückseligkeit bis an ihr Ende.

6.

Der gute Handel.

Ein Bauer, der hatte seine Kuh auf den Markt getrieben und für sieben Thaler verkauft. Auf dem Heimweg mußte er an einem Teich vorbei, und da hörte er schon von weitem, wie die Frösche riefen »ak, ak, ak, ak«. »Ja«, sprach er für sich, »die schreien auch ins Haberfeld hinein: sieben Thaler sinds, die ich gelöst habe, keine acht.« Als er zu dem Wasser herankam, rief er ihnen zu »dummes Vieh, das ihr seid! wißt ihrs nicht besser? sieben Thaler sinds und keine acht«. Die Frösche blieben aber bei ihrem »ak, ak, ak, ak«. »Nun, wenn ihrs nicht glauben wollt, ich kanns euch vorzählen«, holte das Geld aus der Tasche und zählte die sieben Thaler ab, immer vierundzwanzig Groschen auf einen. Die Frösche kehrten sich aber nicht an seine Rechnung und riefen abermals »ak, ak, ak, ak«. »Ei«, rief der Bauer ganz bös, »wollt ihrs besser wissen als ich, so zählt selber«, und warf ihnen das Geld mit einander ins Wasser hinein. Er blieb stehen und wollte warten, bis sie fertig wären und ihm das Seinige wiederbrächten, aber die Frösche beharrten auf ihrem Sinn, schrien immerfort »ak, ak, ak, ak«, und warfen auch das Geld nicht wieder heraus. Er wartete noch eine gute Weile, bis der Abend einbrach und er nach Haus mußte, da schimpfte er die Frösche aus, und rief »ihr Wasserpatscher, ihr Dickköpfe, ihr Klotzaugen, ein groß Maul habt ihr und könnt schreien, daß einem die Ohren weh thun, aber sieben Thaler könnt ihr nicht zählen: meint ihr, ich wollte da stehen, bis ihr fertig wärt?« Damit gieng er fort, aber die Frösche riefen noch »ak, ak, ak, ak« hinter ihm her, daß er ganz verdrießlich heim kam.

Ueber eine Zeit erhandelte er sich wieder eine Kuh, die

schlachtete er, und machte die Rechnung, wenn er das Fleisch gut verkaufte, könnte er so viel lösen, als die beiden Kühe werth wären, und das Fell hätte er obendrein. Als er nun mit dem Fleisch zu der Stadt kam, war vor dem Thore ein ganzes Rudel Hunde zusammen gelaufen, voran ein großer Windhund: der sprang um das Fleisch, schnupperte und bellte »was, was, was, was«. Als er gar nicht aufhören wollte, sprach der Bauer zu ihm »ja, ich merke wohl, du sagst ›was, was‹, weil du etwas von dem Fleisch verlangst, da sollt ich aber schön ankommen, wenn ich dirs geben wolte«. Der Hund antwortete nichts als »was, was«. »Willst dus auch nicht wegfressen und für deine Kameraden da gut stehen?« »Was, was«, sprach der Hund. »Nun, wenn du dabei beharrst, so will ich dirs lassen, ich kenne dich wohl und weiß, bei wem du dienst. Aber das sage ich dir, in drei Tagen muß ich mein Geld haben: du kannst mirs nur hinaus bringen.« Darauf lud er das Fleisch ab und kehrte wieder um: die Hunde machten sich darüber her und bellten laut »was, was«. Der Bauer, der es von weitem hörte, sprach zu sich »horch, jetzt verlangen sie alle was, aber der große muß mir einstehen«.

Als drei Tage herum waren, dachte der Bauer »heute Abend hast du dein Geld in der Tasche« und war ganz vergnügt. Aber es wollte niemand kommen und auszahlen. »Es ist kein Verlaß mehr auf jemand«, sprach er, und endlich riß ihm die Geduld, daß er in die Stadt zu dem Fleischer gieng und sein Geld forderte. Der Fleischer meinte, es wäre ein Spaß, aber der Bauer sagte »Spaß bei Seite, ich will mein Geld: hat der große Hund euch nicht die ganze geschlachtete Kuh vor drei Tagen heim gebracht?« Da ward der Fleischer zornig, griff nach seinem Besenstiel und jagte ihn hinaus. »Wart«, sprach der Bauer, »es giebt noch Gerechtigkeit auf der Welt!« und gieng in das königliche Schloß und bat sich Gehör aus. Er ward vor den König geführt, der da saß mit seiner Tochter und fragte, was ihm für ein Leid widerfahren wäre. »Ach«, sagte er, »die Frösche und Hunde haben mir das Meinige genommen, und der Metzger hat mich dafür mit dem Stock bezahlt«, und erzählte weitläufig, wie es zugegangen war. Darüber fieng die Königstochter laut an zu lachen, und der König sprach zu ihm »Recht kann ich dir hier nicht geben, aber dafür sollst du meine Tochter zur Frau haben; ihr Lebtag hat sie noch nicht gelacht, als eben über dich, und ich habe sie dem versprochen, der sie zum Lachen bringen könnte. Du kannst Gott für dein Glück danken«. »O«, antwortete der Bauer, »ich will sie gar nicht; ich habe daheim nur eine einzige Frau, und die ist mir schon zu viel: wenn ich nach Haus komme, so ist mir nicht anders als stände in jedem Winkel eine.« Da ward der König zornig und sagte »du bist ein Grobian«. »Ach, Herr König«, antwortete der Bauer, »was könnt ihr von einem Ochsen anders erwarten als Rindfleisch.« »Warte«, erwiderte der König »du sollst einen andern Lohn haben. Jetzt pack dich fort, aber in drei Tagen komm wieder, so sollen dir fünfhundert vollgezählt werden.«

Wie der Bauer hinaus vor die Thür kam, sprach die Schildwache »du hast die Königstochter zum Lachen gebracht, da wirst du was rechts bekommen haben«. »Ja, das mein ich«, antwortete der Bauer, »fünfhundert werden mir ausgezahlt.« »Hör«, sprach der Soldat, »gieb mir etwas davon: was willst du mit all dem Geld anfangen!« »Nun«, sprach der Bauer, »weil dus bist, so sollst du zweihundert haben, melde dich in drei Tagen beim König und laß dirs aufzählen.« Ein Jude, der in der Nähe gestanden und das Gespräch mit angehört hatte, lief dem Bauer nach, hielt ihn beim Rock und sprach »Gotteswunder, was seid ihr ein

Glückskind! ich wills euch wechseln, ich wills euch umsetzen in Scheidemünz, was wollt ihr mit den harten Thalern?« »Mauschel«, sagte der Bauer, »dreihundert kannst du noch haben, gieb mirs gleich in Münze, heut über drei Tage wirst du dafür beim König bezahlt werden.« Der Jude voll Freude über das Profitchen, brachte gleich die Summe in schlechten Groschen, wo drei so viel werth sind als zwei gute. Nach Verlauf der drei Tage gieng der Bauer, dem Befehl gemäß, vor den König. »Zieht ihm den Rock aus«, sprach dieser, »er soll seine fünfhundert haben.« »Ach«, sagte der Bauer, »sie gehören nicht mehr mein, zweihundert habe ich an die Schildwache verschenkt, und dreihundert hat mir der Jude eingewechselt, von Rechtswegen gebührt mir gar nichts.« Indem kam der Soldat und der Jude herein, verlangten das Ihrige, das sie dem Bauer abgewonnen hätten, und erhielten die Schläge richtig zugemessen. Der Soldat ertrugs geduldig und wußte schon wies schmeckte: der Jude aber that jämmerlich, »au weih geschrien! sind das die harten Thaler?« Der König mußte über den Bauer lachen, und da aller Zorn verschwunden war, sprach er, »weil du deinen Lohn schon verloren hast, bevor er dir zu Theil ward, so will ich dir einen Ersatz geben: geh in meine Schatzkammer und hol dir Geld, so viel du willst«. Der Bauer ließ sich das nicht zweimal sagen und füllte in seine weiten Taschen, was nur hinein wollte. Danach gieng er ins Wirthshaus und überzählte sein Geld. Der Jude war ihm nachgeschlichen und hörte, wie er mit sich allein brummte »nun hat mich der Spitzbube von König doch hinters Licht geführt! hätte er mir nicht selbst das Geld geben können, so wüßte ich, was ich hätte, wie kann ich nun wissen, ob das richtig ist, was ich so eingesteckt habe!« »Gott bewahre«, sprach der Jude für sich, »der spricht despectirlich von unserm Herrn, ich lauf und gebs an, da krieg ich eine Belohnung, und er wird obendrein noch bestraft.« Als der König von den Reden des Bauern hörte, gerieth er in Zorn und hieß den Juden hingehen und den Sünder herbei holen. Der Jude lief zum Bauer, »ihr sollt gleich zum Herrn König kommen, wie ihr geht und steht«. »Ich weiß besser, was sich schickt«, antwortete der Bauer, »erst laß ich mir einen neuen Rock machen; meinst du ein Mann, der so viel Geld in der Tasche hat, sollte in dem alten Lumpenrock hingehen?« Der Jude, als er sah, daß der Bauer ohne einen andern Rock nicht wegzubringen war, und weil er fürchtete, wenn der Zorn des Königs verraucht wäre, so käme er um seine Belohnung und der Bauer um die Strafe, so sprach er »ich will euch für die kurze Zeit einen schönen Rock leihen aus bloßer Freundschaft; was thut der Mensch nicht dem andern zu Liebe!« Der Bauer ließ sich das gefallen, zog den Rock vom Juden an und gieng mit ihm fort. Der König hielt dem Bauer die bösen Reden vor, die der Jude hinterbracht hatte. »Ach«, sprach der Bauer, »was ein Jude sagt, ist immer gelogen, dem geht kein wahres Wort aus dem Munde; der Kerl da ist im Stand und behauptet ich hätte seinen Rock an.« »Was soll mir das?« schrie der Jude, »ist der Rock nicht mein, hab ich ihn euch nicht aus bloßer Freundschaft geborgt, damit ihr vor den Herrn König treten konntet?« Wie der König das hörte, sprach er »einen hat der Jude gewiß betrogen, mich oder den Bauer«, und ließ ihm noch etwas in harten Thalern nachzahlen; der Bauer aber gieng in dem guten Rock und mit dem guten Geld in der Tasche heim und sprach »diesmal hab ichs getroffen«.

7.

Die zwölf Brüder.

Es war einmal ein König und eine Königin, die lebten in Frieden mit einander und hatten zwölf Kinder, das waren aber lauter Buben. Nun sprach der König zu seiner Frau »wenn das dreizehnte Kind, das du zur Welt bringst, ein Mädchen ist, so sollen die zwölf Buben sterben, damit sein Reichthum groß wird und das Königreich ihm allein zufällt«. Er ließ auch zwölf Särge machen, die waren schon mit Hobelspänen gefüllt, und in jedem lag das Todtenkißchen, und ließ sie in eine verschlossene Stube bringen, davon gab er der Königin den Schlüssel und gebot ihr, niemand etwas davon zu sagen.

Die Mutter aber saß nun den ganzen Tag und trauerte, so daß der kleinste Sohn, der immer bei ihr war und den sie nach der Bibel Benjamin nannte, zu ihr sprach »liebe Mutter, warum bist du so traurig?« »Liebstes Kind«, antwortete sie, »ich darfs dir nicht sagen.« Er ließ ihr aber keine Ruhe, bis sie gieng und die Stube aufschloß und ihm die zwölf mit Hobelspänen schon gefüllten Todtenladen zeigte. Danach sprach sie »mein liebster Benjamin, diese Särge hat dein Vater für dich und deine elf Brüder machen lassen, denn wenn ich ein Mädchen zur Welt bringe, so sollt ihr allesammt getödtet und darin begraben werden«. Und als sie weinte, während sie das sprach, so tröstete sie der Sohn und sagte »weine nicht, liebe Mutter, wir wollen uns schon helfen und wollen fortgehen«. Sie aber sprach »geh mit deinen elf Brüdern hinaus in den Wald, und einer setze sich immer auf den höchsten Baum, der zu finden ist, und halte Wacht und schaue nach dem Thurm hier im Schloß. Gebär ich ein Söhnlein, so will ich eine weiße

Fahne aufstecken, und dann dürft ihr wiederkommen: gebär ich ein Töchterlein, so will ich eine rothe Fahne aufstecken, und dann flieht fort, so schnell ihr könnt, und der liebe Gotte behüte euch. Alle Nacht will ich aufstehen und für euch beten, im Winter, daß ihr an einem Feuer euch wärmen könnt, im Sommer, daß ihr nicht in der Hitze schmachtet«.

Nachdem sie also ihre Söhne gesegnet hatte, giengen sie hinaus in den Wald. Einer hielt um den andern Wacht, saß auf der höchsten Eiche und schaute nach dem Thurm. Als elf Tage herum waren und die Reihe an Benjamin kam, da sah er wie eine Fahne aufgesteckt wurde: es war aber nicht die weiße, sondern die rothe Blutfahne, die verkündigte, daß sie alle sterben sollten. Wie die Brüder das nun hörten, wurden sie zornig und sprachen »sollten wir um eines Mädchens willen den Tod leiden! wir schwören, daß wir uns rächen wollen: wo wir ein Mädchen finden, soll sein rothes Blut fließen«.

Darauf giengen sie tiefer in den Wald hinein, und mitten drein, wo er am dunkelsten war, fanden sie ein kleines verwünschtes Häuschen, das leer stand. Da sprachen sie »hier wollen wir wohnen, und du, Benjamin, du bist der jüngste und schwächste, du sollst daheim bleiben und haushalten, wir andern wollen ausgehen und Essen holen«. Nun zogen sie in den Wald und schossen Hasen, wilde Rehe, Vögel und Täuberchen und was zu essen stand: das brachten sie dem Benjamin, der mußts ihnen zurecht machen, damit sie ihren Hunger stillen konnten. In dem Häuschen lebten sie zehn Jahre zusammen, und die Zeit ward ihnen nicht lang.

Das Töchterchen, das ihre Mutter, die Königin, geboren hatte, war nun herangewachsen, war gut vom Herzen und schön von Angesicht, und hatte einen goldenen Stern auf der Stirne. Einmal, als große Wäsche war, sah es darunter zwölf Mannshemden und fragte seine Mutter »wem gehören diese zwölf Hemden, für den Vater sind sie doch viel zu klein?« Da antwortete sie mit schwerem Herzen »liebes Kind, die gehören deinen zwölf Brüdern«. Sprach das Mädchen »wo sind meine zwölf Brüder, ich habe noch niemals von ihnen gehört«. Sie antwortete »das weiß Gott, wo sie sind: sie irren in der Welt herum«. Da nahm sie das Mädchen und schloß ihm das Zimmer auf, und zeigte ihm die zwölf Särge mit den Hobelspänen und Todtenkißchen. »Diese Särge«, sprach sie, »waren für deine Brüder bestimmt, aber sie sind heimlich fortgegangen, ehe du geboren warst«, und erzählte ihm, wie sich alles zugetragen hatte. Da sagte das Mädchen »liebe Mutter, weine nicht, ich will gehen und meine Brüder suchen«.

Nun nahm es die zwölf Hemden und gieng fort und geradezu in den großen Wald hinein. Es gieng den ganzen Tag und am Abend kam es zu dem verwünschten Häuschen. Da trat es hinein und fand einen jungen Knaben, der fragte »wo kommst du her und wo willst du hin?« und erstaunte, daß sie so schön war, königliche Kleider trug und einen goldenen Stern auf der Stirne hatte. Da antwortete sie »ich bin eine Königstochter und suche meine zwölf Brüder und will gehen so weit der Himmel blau ist, bis ich sie finde«. Sie zeigte ihm auch die zwölf Hemden, die ihnen gehörten. Da sah Benjamin, daß es seine Schwester war und sprach »ich bin Benjamin, dein jüngster Bruder«. Und sie fieng an zu weinen vor Freude und Benjamin auch, und sie küßten und herzten einander vor großer Liebe. Hernach sprach er »liebe Schwester, es ist noch ein Vorbehalt da, wir hatten verabredet, daß ein jedes Mädchen, das uns begegnete, sterben sollte, weil wir um ein

Mädchen unser Königreich verlassen mußten«. Da sagte sie »ich will gerne sterben, wenn ich damit meine zwölf Brüder erlösen kann«. »Nein«, antwortete er, »du sollst nicht sterben, setze dich unter diese Bütte, bis die elf Brüder kommen, dann will ich schon einig mit ihnen werden.« Also that sie; und wie es Nacht ward, kamen die andern von der Jagd, und die Mahlzeit war bereit. Und als sie am Tische saßen und aßen, fragten sie »was gibts neues?« Sprach Benjamin »wißt ihr nichts?« »Nein«, antworteten sie. Sprach er weiter »ihr seid im Wald gewesen, und ich bin daheim geblieben und weiß doch mehr als ihr«. »So erzähle uns«, riefen sie. Antwortete er »versprecht ihr mir auch, daß das erste Mädchen, das uns begegnet, nicht soll getödtet werden?« »Ja«, riefen sie alle, »das soll Gnade haben, erzähl uns nur.« Da sprach er »unsere Schwester ist da«, und hub die Bütte auf, und die Königstochter kam hervor in ihren königlichen Kleidern mit dem goldenen Stern auf der Stirne, und war so schön, zart und fein. Da freueten sie sich alle, fielen ihr um den Hals und küßten sie und hatten sie vom Herzen lieb.

Nun blieb sie bei Benjamin zu Haus und half ihm in der Arbeit. Die elfe zogen in den Wald, suchten Gewild, Rehe, Hasen, Vögel und Täuberchen, damit sie zu essen hatten, und die Schwester und Benjamin sorgten, daß es zubereitet wurde. Sie suchte das Holz zum Kochen und die Kräuter zum Gemüs, und stellte die Töpfe ans Feuer, also daß die Mahlzeit immer fertig war, wenn die elfe kamen. Sie hielt auch sonst Ordnung im Häuschen und deckte die Bettlein hübsch weiß und rein, und die Brüder waren immer zufrieden und lebten in großer Einigkeit mit ihr.

Auf eine Zeit hatten die beiden daheim eine schöne Kost zurecht gemacht, und wie sie nun alle beisammen waren, setzten sie sich, aßen und tranken und waren voller Freude. Es war aber ein kleines Gärtchen an dem verwünschten Häuschen, darin standen zwölf Lilienblumen, die man auch Studenten heißt: nun wollte sie ihren Brüdern ein Vergnügen machen, brach die zwölf Blumen ab und dachte jedem aufs Essen eine zu schenken. Wie sie aber die Blumen abgebrochen hatte, in demselben Augenblicke waren die zwölf Brüder in zwölf Raben verwandelt und flogen über den Wald hin fort, und das Haus mit dem Garten war auch verschwunden. Da war nun das arme Mädchen allein in dem wilden Wald, und wie es sich umsah, so stand eine alte Frau neben ihm, die sprach »mein Kind, was hast du angefangen? warum hast du die zwölf weißen Blumen nicht stehen lassen? das waren deine Brüder, die sind nun auf immer in Raben verwandelt«. Das Mädchen sprach weinend »ist denn kein Mittel sie zu erlösen?« »Nein«, sagte die Alte, »es ist keins auf der ganzen Welt als eins, das ist aber so schwer, daß du sie damit nicht befreien wirst, denn du mußt sieben Jahre stumm sein, darfst nicht sprechen und nicht lachen, und sprichst du ein einziges Wort, und es fehlt nur eine Stunde an den sieben Jahren, so ist alles umsonst, und deine Brüder werden von dem einen Wort getödtet.«

Da sprach das Mädchen in seinem Herzen »ich weiß gewiß, daß ich meine Brüder erlöse«, und gieng und suchte einen hohen Baum, setzte sich darauf, und spann und sprach nicht und lachte nicht. Nun trugs sich zu, daß ein König in dem Walde jagte, der hatte einen großen Windhund, der lief zu dem Baum, wo das Mädchen darauf saß, sprang herum, schrie und bellte hinauf. Da kam der König herbei und sah die schöne Königstochter mit dem goldenen Stern auf der Stirne, und war so entzückt über ihre Schönheit, daß er ihr zurief, ob sie seine Gemahlin werden wollte. Sie gab keine Antwort, nickte aber ein wenig mit dem Kopf. Da stieg er selbst auf den Baum, trug sie herab, setzte sie auf sein Pferd und führte sie heim. Da ward die Hochzeit mit großer Pracht und Freude gefeiert: aber die Braut sprach nicht und lachte nicht. Als sie ein paar Jahre mit einander vergnügt gelebt hatten, fieng die Mutter des Königs, die eine böse Frau war, an, die junge Königin zu verläumden und sprach zum König »es ist ein gemeines Bettelmädchen, das du dir mitgebracht hast, wer weiß, was für gottlose Streiche sie heimlich treibt. Wenn sie stumm ist und nicht sprechen kann, so könnte sie doch einmal lachen, aber wer nicht lacht, der hat ein böses Gewissen«. Der König wollte zuerst nicht daran glauben, aber die Alte trieb es so lange und beschuldigte sie so viel böser Dinge, daß der König sich endlich überreden ließ und sie zum Tod verurtheilte.

Nun ward im Hof ein großes Feuer angezündet, darin sollte sie verbrannt werden, und der König stand oben am Fenster und sah mit weinenden Augen zu, weil er sie noch immer so lieb hatte. Und als sie schon an den Pfahl festgebunden war, und das Feuer schon an ihren Kleidern mit rothen Zungen leckte, da war eben der letzte Augenblick von den sieben Jahren verflossen. Da ließ sich in der Luft ein Geschwirr hören, und zwölf Raben kamen hergezogen und senkten sich nieder: und wie sie die Erde berührten, waren es ihre zwölf Brüder, die sie erlöst hatte. Sie rissen das Feuer aus einander, löschten die Flammen, machten ihre liebe Schwester frei, und küßten und herzten sie. Nun aber, da sie ihren Mund aufthun und reden durfte, erzählte sie dem Könige, warum sie stumm gewesen wäre und niemals gelacht hätte. Der König freute sich, als er hörte, daß sie unschuldig war, und sie lebten nun alle zusammen in Einigkeit bis an ihren Tod. Die böse Stiefmutter ward vor Gericht gestellt und in ein Faß gesteckt, das mit siedendem Oel und giftigen Schlangen angefüllt war, und starb eines bösen Todes.

8.

Das Lumpengesindel.

Hähnchen sprach zum Hühnchen »jetzt ist die Zeit, wo die Nüsse reif werden: da wollen wir zusammen auf den Berg gehen und uns einmal recht satt essen, ehe sie das Eichhorn alle wegholt«. »Ja«, antwortete das Hühnchen, »komm, wir wollen uns eine Lust mit einander machen.« Da giengen sie zusammen fort auf den Berg, und weil es ein heller Tag war, blieben sie bis zum Abend. Nun weiß ich nicht, ob sie sich so dick gegessen hatten, oder ob sie übermüthig geworden waren, kurz, sie wollten nicht zu Fuß nach Haus gehen, und das Hähnchen mußte einen kleinen Wagen von Nußschalen bauen. Als er fertig war, setzte sich Hühnchen hinein und sagte zum Hähnchen »du kannst dich nur immer vorspannen«. »Du kommst mir recht«, sagte das Hähnchen, »lieber geh ich zu Fuß nach Haus, als daß ich mich vorspannen lasse: nein, so haben wir nicht gewettet. Kutscher will ich wohl sein und auf dem Bock sitzen, aber selbst ziehen, das thu' ich nicht.«

Wie sie so stritten, schnatterte eine Ente daher »ihr Diebsvolk, wer hat euch geheißen in meinen Nußberg gehen? wartet, das soll euch schlecht bekommen!« und gieng damit auf das Hähnchen los. Aber Hähnchen war auch nicht faul und stieg der Ente tüchtig zu Leib: endlich hackte es mit seinem Sporn so gewaltig auf sie los, daß sie um Gnade bat und sich gern zur Strafe vor den Wagen spannen ließ. Hähnchen setzte sich nun auf den Bock und war Kutscher, und darauf gieng es fort in einem Jagen, »Ente lauf zu, was du kannst!« Als sie ein Stück Weges gefahren waren, begegneten sie zwei Fußgängern, einer Stecknadel und einer Nähnadel. Die riefen »halt! halt!« und sagten es würde gleich stichdunkel werden, da könnten sie keinen Schritt weiter, auch wäre es so schmutzig auf der Straße, ob sie nicht ein wenig einsitzen könnten: sie wären auf der Schneiderherberge vor dem Thor gewesen, und hätten sich beim Bier verspätet. Hähnchen, da es magere Leute waren, die nicht viel Platz einnahmen, ließ sie beide einsteigen, doch mußten sie versprechen ihm und seinem Hühnchen nicht auf die Füße zu treten. Spät Abends kamen sie zu einem Wirthshaus, und weil sie die Nacht nicht weiter fahren wollten, die Ente auch nicht gut zu Fuß war und von einer Seite auf die andere fiel, so kehrten sie ein. Der Wirth machte anfangs viel Einwendungen, sein Haus wäre schon voll, gedachte auch wohl, es möchte keine vornehme Herrschaft sein, endlich aber, da sie süße Reden führten, er sollte das Ei haben, welches das Hühnchen unterweges gelegt hatte, auch die Ente behalten, die alle Tage eins legte, so sagte er, sie könnten die Nacht bleiben. Nun ließen sie frisch auftragen und lebten in Saus und Braus. Früh Morgens, als es erst dämmerte und noch alles schlief, weckte Hähnchen das Hühnchen, holte das Ei, pickte es auf, und sie verzehrten es zusammen; die Schalen aber warfen sie auf den Feuerherd. Dann giengen sie zu der Nähnadel, die noch schlief, packten sie beim Kopf und steckten sie in das Sesselkissen des Wirths, die Stecknadel aber in sein Handtuch, endlich flogen sie, mir nichts dir nichts, über die Heide davon. Die Ente, die gern unter freiem Himmel schlief, und im Hof geblieben war, hörte sie fortschnurren, machte sich munter und fand einen Bach, auf dem sie hinabschwamm: und das gieng geschwinder als vor dem Wagen. Ein paar Stunden danach hob sich der Wirth aus den Federn, wusch sich und wollte sich am Handtuch abtrocknen, da fuhr ihm die Stecknadel über das Gesicht und machte ihm einen rothen Strich von einem Ohr zum andern: dann gieng er in die Küche und wollte sich eine Pfeife anstecken, wie er aber an den Heerd kam, sprangen ihm die Eierschalen in die Augen. »Heute Morgen will mir Alles an meinen Kopf«, sagte er und ließ sich verdrießlich auf seinen Großvaterstuhl nieder; aber geschwind fuhr er wieder in die Höhe, und schrie »auweh!« denn die Nähnadel hatte ihn noch schlimmer und nicht in den Kopf gestochen. Nun war er vollends böse und hatte Verdacht auf die Gäste, die so spät gestern Abend gekommen waren: und wie er gieng und sich nach ihnen umsah, waren sie fort. Da that er einen Schwur, kein Lumpengesindel mehr in sein Haus zu nehmen, das viel verzehrt, nichts bezahlt, und zum Dank noch obendrein Schabernack treibt.

9.

Brüderchen und Schwesterchen.

Brüderchen nahm sein Schwesterchen an der Hand und sprach »seit die Mutter todt ist, haben wir keine gute Stunde mehr: die Stiefmutter schlägt uns alle Tage, und wenn wir zu ihr kommen, stößt sie uns mit den Füßen fort. Die harten Brotkrusten, die übrig bleiben, sind unsere Speise, und dem Hündlein unter dem Tisch gehts besser: dem wirft sie doch manchmal einen guten Bissen zu. Daß Gott erbarm, wenn das unsere Mutter wüßte!

Komm, wir wollen mit einander in die weite Welt gehen«. Sie giengen den ganzen Tag über Wiesen, Felder und Steine, und wenn es regnete, sprach das Schwesterchen »Gott und unsere Herzen, die weinen zusammen!« Abends kamen sie in einen großen Wald und waren so müde von Jammer, Hunger und dem langen Weg, daß sie sich in einen hohlen Baum setzten und einschliefen.

Am andern Morgen, als sie aufwachten, stand die Sonne schon hoch am Himmel und schien heiß in den Baum hinein. Da sprach das Brüderchen »Schwesterchen, mich dürstet, wenn ich ein Brünnlein wüßte, ich gieng und tränk einmal; ich mein, ich hört eins rauschen«. Brüderchen stand auf, nahm Schwesterchen an der Hand, und sie wollten das Brünnlein suchen. Die böse Stiefmutter aber war eine Hexe und hatte wohl gesehen, wie die beiden Kinder fortgegangen waren, war ihnen nachgeschlichen, heimlich, wie die Hexen schleichen, und hatte alle Brunnen im Walde verwünscht. Als sie nun ein Brünnlein fanden, das so glitzerig über die Steine sprang, wollte das Brüderchen daraus trinken: aber das Schwesterchen hörte, wie es im Rauschen sprach »wer aus mir trinkt, wird ein Tiger; wer aus mir trinkt, wird ein Tiger«. Da rief das Schwesterchen »ich bitte dich, Brüderchen, trink nicht, sonst wirst du ein wildes Thier und zerreißest mich«. Das Brüderchen trank nicht, ob es gleich so großen Durst hatte, und sprach »ich will warten, bis zur nächsten Quelle«. Als sie zum zweiten Brünnlein kamen, hörte das Schwesterchen, wie auch dieses sprach »wer aus mir trinkt, wird ein Wolf; wer aus mir trinkt, wird ein Wolf«. Da rief das Schwesterchen »Brüderchen, ich bitte dich, trink nicht, sonst wirst du ein Wolf und frissest mich«. Das Brüderchen trank nicht und sprach »ich will warten, bis wir zur nächsten Quelle kommen, aber dann muß ich trinken, du magst sagen, was du willst: mein Durst ist gar zu groß«. Und als sie zum dritten Brünnlein kamen, hörte das Schwesterlein, wie es im Rauschen sprach »wer aus mir trinkt, wird ein Reh, wer aus mir trinkt, wird ein Reh«. Das Schwesterchen sprach »ach, Brüderchen, ich bitte dich, trink nicht, sonst wirst du ein Reh und läufst mir fort«. Aber das Brüderchen hatte sich gleich beim Brünnlein nieder geknieet, hinab gebeugt und von dem Wasser getrunken, und wie die ersten Tropfen auf seine Lippen gekommen waren, lag es da als ein Rehkälbchen.

Nun weinte das Schwesterchen über das arme verwünschte Brüderchen, und das Rehchen weinte auch und saß so traurig neben ihm. Da sprach das Mädchen endlich »sei still, liebes Rehchen, ich will dich ja nimmermehr verlassen«. Dann band es sein goldenes Strumpfband ab und that es dem Rehchen um den Hals, und rupfte Binsen und flocht ein weiches Seil daraus. Daran band es das Thierchen und führte es weiter und gieng immer tiefer in den Wald hinein. Und als sie lange lange gegangen waren, kamen sie endlich an ein kleines Haus, und das Mädchen schaute hinein, und weil es leer war, dachte es »hier können wir bleiben und wohnen«. Da suchte es dem Rehchen Laub und Moos zu einem weichen Lager, und jeden Morgen gieng es aus und sammelte sich Wurzeln, Beeren und Nüsse, und für das Rehchen brachte es zartes Gras mit, das fraß es ihm aus der Hand, war vergnügt und spielte vor ihm herum. Abends, wenn Schwesterchen müde war und sein Gebet gesagt hatte, legte es seinen Kopf auf den Rücken des Rehkälbchens, das war sein Kissen, darauf es sanft einschlief. Und hätte das Brüderchen nur seine menschliche Gestalt gehabt, es wäre ein herrliches Leben gewesen.

Das dauerte nun eine Zeitlang, daß sie so allein in der

Wildnis waren. Da trug es sich zu, daß der König des Landes eine große Jagd in dem Wald hielt. Da schallte das Hörnerblasen, Hundegebell und das lustige Geschrei der Jäger durch die Bäume und das Rehlein hörte es und wäre gar zu gerne dabei gewesen. »Ach«, sprach es zum Schwesterlein, »laß mich hinaus in die Jagd, ich kanns nicht länger mehr aushalten«, und bat so lange, bis es einwilligte. »Aber«, sprach es zu ihm, »komm mir ja Abends wieder, vor den wilden Jägern schließ ich mein Thürlein; und damit ich dich kenne, so klopf und sprich ›mein Schwesterlein, laß mich herein‹: und wenn du nicht so sprichst, so schließ ich mein Thürlein nicht auf.« Nun sprang das Rehchen hinaus, und war ihm so wohl, und war so lustig in freier Luft. Der König und seine Jäger sahen das schöne Thier und setzten ihm nach, aber sie konnten es nicht einholen, und wenn sie meinten, sie hätten es gewiß, da sprang es über das Gebüsch weg und war verschwunden. Als es dunkel ward, lief es zu dem Häuschen, klopfte und sprach »mein Schwesterlein, laß mich herein«. Da ward ihm die kleine Thür aufgethan, es sprang hinein und ruhte sich die ganze Nacht auf seinem weichen Lager aus. Am andern Morgen gieng die Jagd von neuem an, und als das Rehlein wieder das Hüfthorn hörte und das ho, ho! der Jäger, da hatte es keine Ruhe und sprach »Schwesterchen, mach mir auf, ich muß hinaus«. Das Schwesterchen öffnete ihm die Thüre und sprach »aber zu Abend mußt du wieder da sein und dein Sprüchlein sagen«. Als der König und seine Jäger das Rehlein mit dem goldenen Halsband wieder sahen, jagten sie ihm alle nach, aber es war ihnen zu schnell und behend. Das währte den ganzen Tag, endlich aber hatten es die Jäger Abends umzingelt, und einer verwundete es ein wenig am Fuß, so daß es hinken mußte, und langsam fortlief. Da schlich ihm ein Jäger nach bis zu dem Häuschen und hörte, wie es rief »mein Schwesterlein, laß mich herein«, und sah, daß die Thür ihm aufgethan und alsbald wieder zugeschlossen ward. Der Jäger behielt das alles wohl im Sinn, gieng zum König und erzählte ihm, was er gesehen und gehört hatte. Da sprach der König »morgen soll noch einmal gejagt werden«.

Das Schwesterchen aber erschrak gewaltig, als es sah, daß das Rehkälbchen verwundet war. Es wusch ihm das Blut ab, legte Kräuter auf und sprach »geh auf dein Lager, lieb Rehchen, daß du wieder heil wirst«. Die Wunde aber war so gering, daß das Rehchen am Morgen nichts mehr davon spürte. Und als es die Jagdlust wieder draußen hörte, sprach es »ich kanns nicht aushalten, ich muß dabei sein; so bald soll mich auch keiner kriegen«. Das Schwesterchen weinte und sprach »nun werden sie dich tödten, und ich bin hier allein im Wald und verlassen von aller Welt; ich laß dich nicht hinaus«. »So sterb ich dir hier vor Betrübnis«, antwortete das Rehchen, »wenn ich das Hüfthorn höre, so mein ich, ich müßt aus den Schuhen springen!« Da konnte das Schwesterchen nicht anders und schloß ihm mit schwerem Herzen die Thür auf, und das Rehchen sprang gesund und fröhlich in den Wald. Als es der König erblickte, sprach er zu seinen Jägern »nun jagt ihm nach den ganzen Tag bis in die Nacht, aber daß ihm keiner etwas zu Leide thut«. Wie die Sonne untergegangen war, da sprach der König zum Jäger »nun komm und zeige mir das Waldhäuschen«. Und als er vor dem Thürlein war, klopfte er an und rief »lieb Schwesterlein, laß mich herein«. Da gieng die Thür auf, und der König trat hinein, und da stand ein Mädchen, das war so schön, wie er noch keins erblickt hatte. Das Mädchen erschrak, als es sah, daß nicht sein Rehlein, sondern ein Mann herein kam, der eine goldene Krone auf dem Haupt hatte. Aber der König sah es freundlich an, reichte ihm die Hand und sprach »willst du mit mir gehen auf mein Schloß und meine liebe Frau sein?« »Ach ja«, antwortete das Mädchen, »aber das Rehchen muß auch mit, das verlaß ich nicht.« Sprach der König »es soll bei dir bleiben, so lange du lebst, und soll ihm an nichts fehlen«. Indem kam es hereingesprungen, da band es das Schwesterchen wieder an das Binsenseil, nahm es selbst in die Hand und gieng mit ihm aus dem Waldhäuschen fort.

Der König nahm das schöne Mädchen auf sein Pferd und führte es in sein Schloß, wo die Hochzeit mit großer Pracht gefeiert wurde, und war es nun die Frau Königin, und lebten sie lange Zeit vergnügt zusammen; das Rehlein ward gehegt und gepflegt und sprang in dem Schloßgarten herum. Die böse Stiefmutter aber, um derentwillen die Kinder in die Welt hinein gegangen waren, die meinte nicht anders als Schwesterchen wäre von den wilden Thieren im Walde zerrissen worden und Brüderchen als ein Rehkalb von den Jägern todt geschossen. Als sie nun hörte, daß sie so glücklich waren, und es ihnen so wohl gieng, da wurden Neid und Mißgunst in ihrem Herzen rege, und ließen ihr keine Ruhe, und sie hatte keinen andern Gedanken, als wie sie die beiden doch noch ins Unglück bringen könnte. Ihre rechte Tochter, die häßlich war wie die Nacht und nur ein Auge hatte, die machte ihr Vorwürfe und sprach »eine Königin zu werden, das Glück hätte mir gebührt«. »Sei nur still«, sagte die Alte und sprach sie zufrieden, »wenns Zeit ist, will ich schon bei der Hand sein.« Als nun die Zeit heran gerückt war, und die Königin ein schönes Knäblein zur Welt gebracht hatte und der König gerade auf der Jagd war, nahm die alte Hexe die Gestalt der Kammerfrau an, trat in die Stube, wo die Königin lag, und sprach zu der Kranken »kommt, das

Bad ist fertig, das wird euch wohlthun und frische Kräfte geben: geschwind, ehe es kalt wird«. Ihre Tochter war auch bei der Hand, sie trugen die schwache Königin in die Badstube und legten sie in die Wanne: dann schlossen sie die Thür ab und liefen davon. In der Badstube aber hatten sie ein rechtes Höllenfeuer angemacht, daß die schöne junge Königin bald ersticken mußte.

Als das geschehen war, nahm die Alte ihre Tochter, setzte ihr eine Haube auf und legte sie ins Bett an der Königin Stelle. Sie gab ihr auch die Gestalt und das Ansehen der Königin, nur das verlorene Auge konnte sie ihr nicht wieder geben. Damit aber der König es nicht merkte, mußte sie sich auf die Seite legen, wo sie kein Auge hatte. Am Abend, als der König heim kam und hörte, daß ihm ein Söhnlein geboren war, freute er sich herzlich, und wollte ans Bett zu seiner lieben Frau gehen, und wollte sehen, was sie machte. Da rief die Alte geschwind »bei Leibe, laßt die Vorhänge zu, die Königin darf noch nicht ins Licht sehen und muß Ruhe haben«. Der König gieng zurück und wußte nicht, daß eine falsche Königin im Bett lag.

Als es aber Mitternacht war und alles schlief, da sah die Kinderfrau, die in der Kinderstube neben der Wiege saß und allein noch wachte, wie die Thüre aufgieng und die rechte Königin herein trat. Sie nahm das Kind aus der Wiege, legte es in ihren Arm und gab ihm zu trinken. Dann schüttelte sie ihm sein Kißchen, legte es wieder hinein und deckte es mit dem Deckbettchen zu. Sie vergaß aber auch das Rehchen nicht, gieng in die Ecke, wo es lag, und streichelte ihm über den Rücken. Darauf gieng sie ganz stillschweigend wieder zur Thür hinaus, und die Kinderfrau fragte am andern Morgen die Wächter, ob jemand während der Nacht ins Schloß gegangen wäre, aber sie antworteten »nein, wir haben niemand gesehen«. So kam sie viele Nächte und sprach niemals ein Wort dabei; die Kinderfrau sah sie immer, aber sie getraute sich nicht jemand etwas davon zu sagen.

Als nun so eine Zeit verflossen war, da hub die Königin in der Nacht an zu reden und sprach:

»was macht mein Kind? was macht mein Reh?
Nun komm ich noch zweimal und dann nimmermehr.«

Die Kinderfrau antwortete ihr nicht, aber als sie wieder verschwunden war, gieng sie zum König und erzählte ihm alles. Sprach der König »Ach Gott, was ist das! ich will in der nächsten Nacht bei dem Kinde wachen«. Abends gieng er auch in die Kinderstube, aber um Mitternacht erschien die Königin wieder und sprach:

»was macht mein Kind? was macht mein Reh?
Nun komm ich noch einmal und dann nimmermehr.«

Und pflegte dann des Kindes, wie sie gewöhnlich that, ehe sie verschwand. Der König getraute sich nicht sie anzureden, aber er wachte auch in der folgenden Nacht. Sie sprach abermals:

»was macht mein Kind? was macht mein Reh?
Nun komm ich noch diesmal und dann nimmermehr.«

Da konnte sich der König nicht zurückhalten, sprang zu ihr und sprach »du kannst niemand anders sein als meine liebe Frau«. Da antwortete sie »ja, ich bin deine liebe Frau« und hatte in dem Augenblick durch Gottes Gnade das Leben wieder erhalten, war frisch, roth und gesund. Darauf erzählte sie dem König den Frevel, den die böse Hexe und ihre Tochter an ihr verübt hatten. Der König ließ beide vor Gericht führen, und es ward ihnen das Urtheil gesprochen. Die Tochter ward in den Wald geführt, wo sie die wilden Thiere zerrissen, die Hexe aber ward ins Feuer gelegt und mußte jammervoll verbrennen. Und wie sie zu Asche verbrannt war, verwandelte sich auch das Rehkälbchen und erhielt seine menschliche Gestalt wieder; Schwesterchen und Brüderchen aber lebten glücklich zusammen bis an ihr Ende.

10.

Die drei Männlein im Walde.

Es war ein Mann, dem starb seine Frau, und eine Frau, der starb ihr Mann: und der Mann hatte eine Tochter, und die Frau hatte auch eine Tochter. Die Mädchen waren mit einander bekannt und giengen zusammen spazieren und kamen hernach zu der Frau ins Haus. Da sprach sie zu des Mannes Tochter »hör, sag deinem Vater, ich wollt ihn heirathen, dann sollst du jeden Morgen dich in Milch waschen und Wein trinken, meine Tochter aber soll sich im Wasser waschen und Wasser trinken«. Das Mädchen gieng nach Haus und erzählte seinem Vater, was die Frau gesagt hatte. Der Mann sprach »was soll ich thun? das Heirathen ist eine Freude, und ist auch eine Qual«. Endlich weil er keinen Entschluß fassen konnte, zog er seinen Stiefel aus und sagte »nimm diesen Stiefel, der hat in der Sohle ein Loch, geh damit auf den Boden, häng ihn an den großen Nagel und gieß dann Wasser hinein. Hält er das Wasser, so will ich wieder eine Frau nehmen, läufts aber durch, so will ich nicht«. Das Mädchen that, wie ihm geheißen war: aber das Wasser zog das Loch zusammen, und der Stiefel ward voll bis obenhin. Es verkündigte seinem Vater, wie's ausgefallen war. Da stieg er selbst hinauf, und als er sah, daß es seine Richtigkeit hatte, gieng er zu der Wittwe und freite sie, und die Hochzeit ward gehalten.

Am andern Morgen, als die beiden Mädchen sich aufmachten, da stand vor des Mannes Tochter Milch zum Waschen und Wein zum Trinken, vor der Frau Tochter aber stand Wasser zum Waschen und Wasser zum Trinken. Am zweiten Morgen stand Wasser zum Waschen und Wasser zum Trinken so gut vor des Mannes Tochter als vor der Frau Tochter. Und am dritten Morgen stand Wasser zum Waschen und Wasser zum Trinken vor des Mannes Tochter, und Milch zum Waschen und Wein zum Trinken vor der Frau Tochter, und dabei bliebs. Die Frau ward ihrer Stieftochter spinnefeind und wußte nicht, wie sie es ihr von einem Tag zum andern schlimmer machen sollte. Auch war sie neidisch, weil ihre Stieftochter schön und lieblich war, ihre rechte Tochter aber häßlich und widerlich.

Einmal im Winter, als es steinhart gefroren hatte und Berg und Thal vollgeschneit lag, machte die Frau ein Kleid von Papier, rief dann das Mädchen und sprach »da zieh das Kleid an, und geh in den Wald und hol mir ein Körbchen voll Erdbeeren: ich habe Lust danach«. »Du lieber Gott«, sagte das Mädchen, »im Winter wachsen ja keine Erdbeeren, die Erde ist gefroren, und der Schnee hat auch alles zugedeckt. Und warum soll ich in dem Papierkleide gehen? es ist draußen so kalt, daß einem der Athem friert, da weht ja der Wind hindurch und die Dornen reißen mirs vom Leib.« »Willst du mir noch widersprechen?« sagte die Stiefmutter, »mach daß du fortkommst, und laß dich nicht eher wieder sehen, als bis du das Körbchen voll Erdbeeren hast.« Dann gab sie ihm noch ein Stückchen hartes Brot und sprach »davon kannst du den Tag über essen«, und dachte »draußen wirds erfrieren und verhungern und mir nimmermehr wieder vor die Augen kommen«.

Nun war das Mädchen gehorsam, that das Papierkleid an und gieng mit dem Körbchen hinaus. Da war nichts als Schnee die Weite und Breite, und war kein grünes Hälmchen zu merken. Als es in den Wald kam, sah es ein kleines Häuschen, daraus guckten drei kleine Haulemännerchen. Es trat heran, wünschte ihnen die Tageszeit und klopfte an die Thür. Sie riefen herein, und es gieng in die Stube und setzte sich auf die Bank am Ofen: da wollte es sich wärmen und sein Frühstück essen. Die Haulemännerchen sprachen »gib uns auch etwas davon«. »Gerne«, sprach es, theilte sein Stückchen Brot entzwei und gab ihnen die Hälfte. Sie fragten »was willst du zur Winterzeit in deinem dünnen Kleidchen hier im Wald?« »Ach«, antwortete es, »ich soll ein Körbchen voll Erdbeeren suchen und darf nicht eher nach Hause kommen, als bis ich es mitbringe.« Als es nun sein Brot gegessen hatte, gaben sie ihm einen Besen und sprachen »kehre damit an der Hinterthüre den Schnee weg«. Wie es aber draußen war, sprachen die drei Männerchen untereinander »was sollen wir ihm schenken, weil es so artig und gut ist und sein Brot mit uns getheilt hat?« Da sagte der erste »ich schenk ihm, daß es jeden Tag schöner wird«. Der zweite sprach »ich schenk ihm, daß Goldstücke ihm aus dem Mund fallen, so oft es ein Wort spricht«. Der dritte sprach »ich schenk ihm, daß ein König kommt und es zu seiner Gemahlin nimmt«.

Das Mädchen aber that, wie die Haulemännerchen gesagt hatten, kehrte mit dem Besen den Schnee hinter dem kleinen Hause weg, und was glaubt ihr wohl, daß es gefunden hat? lauter reife Erdbeeren, die ganz dunkelroth aus dem Schnee hervor kamen. Da raffte es in großer Freude sein Körbchen voll, dankte den kleinen Männern, lief nach Haus und wollte es der Stiefmutter bringen. Als es eintrat und »guten Abend« sagte, fiel ihm gleich ein Goldstück aus dem Mund. Darauf erzählte es, was ihm im Walde begegnet war, aber bei jedem Worte, das es sprach, fielen ihm die Goldstücke aus dem Mund, so daß bald die ganze Stube damit bedeckt ward. »Nun sehe einer den Uebermuth«, rief die Stiefschwester, »das Geld so hinzuwerfen«, aber heimlich war sie neidisch darüber, und wollte auch hinaus in den Wald und Erdbeeren holen. Die Mutter sprach »nein, mein liebes Töchterchen, es ist zu kalt, du könntest mir erfrieren«. Weil sie ihr aber keine Ruhe ließ, so gab die Mutter endlich nach, nähte einen prächtigen Pelzrock, den es anziehen mußte, und gab ihr Butterbrot und Kuchen mit auf den Weg.

Das Mädchen gieng in den Wald und gerade auf das kleine Häuschen zu. Die drei kleinen Haulemänner guckten wieder, aber es grüßte sie nicht, und ohne sich nach ihnen umzusehen, stolperte es in die Stube hinein, setzte sich an den Ofen und fieng an sein Butterbrot und seinen Kuchen zu essen. »Gib uns etwas davon«, riefen die Kleinen, aber es antwortete »es schickt mir selber nicht, wie kann ich andern noch davon abgeben?« Als es fertig war mit dem Essen, sprachen sie »da hast du einen Besen, kehr uns draußen vor der Hinterthür rein«. »Ei, kehrt euch selber«, antwortete es, »ich bin eure Magd nicht.« Wie es sah, daß sie ihm nichts schenken wollten, gieng es zur Thür hinaus. Da sprachen die kleinen Männer untereinander »was sollen wir ihm schenken, weil es so unartig ist und ein böses neidisches Herz hat, das niemand etwas gönnt?« Der erste sprach »ich schenk ihm, daß es jeden Tag häßlicher wird«. Der zweite sprach »ich schenk ihm, daß ihm bei jedem Wort, das es spricht, eine Kröte aus dem Munde springt«. Der dritte sprach »ich schenk ihm, daß es eines unglücklichen Todes stirbt«. Das Mädchen suchte draußen nach Erdbeeren, als es aber keine fand, gieng es verdrießlich nach Haus. Und wie es den Mund aufthat und seiner Mutter erzählen wollte, was ihm im Walde begegnet war, da sprang ihm bei jedem Wort eine Kröte aus dem Mund, so daß alle einen Abscheu vor ihm bekamen.

Nun ärgerte sich die Stiefmutter noch viel mehr und dachte nur darauf, wie sie der Tochter des Mannes alles Herzeleid anthun wollte, deren Schönheit doch alle Tage größer ward. Endlich nahm sie einen Kessel, setzte ihn zum Feuer und sott Garn darin. Als es gesotten war, hieng sie es dem armen Mädchen auf die Schulter und gab ihm eine Axt dazu, damit sollte es auf den gefrornen Fluß gehen, ein Eisloch hauen und das Garn schlittern. Es war gehorsam, gieng hin und hackte ein Loch in das Eis, und als es mitten im Hacken war, kam ein prächtiger Wagen hergefahren, worin der König saß. Der Wagen hielt still und der König fragte »mein Kind wer bist du? und was machst du da?« »Ich bin ein armes verlassenes Mädchen und schlittere Garn.« Da fühlte der König Mitleiden, und als er sah, wie es so gar schön war, sprach er »willst du mit mir fahren?« »Ach ja, von Herzen gern«, antwortete es, denn es war froh, daß es der Mutter und Schwester aus den Augen kommen sollte.

Also stieg es in den Wagen und fuhr mit dem König fort, und als sie auf sein Schloß gekommen waren, ward die Hochzeit mit großer Pracht gefeiert, wie es die kleinen

Männlein dem Mädchen geschenkt hatten. Ueber ein Jahr gebar die junge Königin einen Sohn, und als die Stiefmutter von dem großen Glücke gehört hatte, so kam sie mit ihrer Tochter in das Schloß und that, als wollte sie einen Besuch machen. Als aber der König einmal hinausgegangen und sonst niemand zugegen war, packte das böse Weib die Königin am Kopf, und ihre Tochter packte sie an den Füßen, hoben sie aus dem Bett und warfen sie zum Fenster hinaus in den vorbei fließenden Strom. Darauf legte sich ihre häßliche Tochter ins Bett und die Alte deckte sie zu bis über den Kopf. Als der König wieder zurück kam und mit seiner Frau sprechen wollte, rief die Alte »still, still, jetzt geht das nicht, sie liegt in starkem Schweiß, ihr müßt sie heute ruhen lassen«. Der König dachte nichts Böses dabei und kam erst den andern Morgen wieder, und wie er mit seiner Frau sprach und sie ihm Antwort gab, sprang bei jedem Wort eine Kröte hervor, während sonst ein Goldstück herausgefallen war. Da fragte er, was das wäre, aber die Alte sprach, das hätte sie von dem starken Schweiß gekriegt, und würde sich schon wieder verlieren.

In der Nacht aber sah der Küchenjunge, wie eine Ente durch die Gosse geschwommen kam, die sprach

»König, was machst du?
schläfst du, oder wachst du?«

Und als sie keine Antwort erhielt, sprach sie

»was machen meine Gäste?«

Da antwortete der Küchenjunge

»sie schlafen feste«.

Fragte sie weiter

»was macht mein Kindelein?«

Antwortete er

»es schläft in der Wiege fein«.

Da gieng sie in der Königin Gestalt hinauf, gab ihm zu trinken, schüttelte ihm sein Bettchen, deckte es zu und schwamm als Ente wieder durch die Gosse fort. So kam sie zwei Nächte, in der dritten sprach sie zu dem Küchenjungen »geh und sage dem König, daß er sein Schwert nimmt und auf der Schwelle dreimal über mir schwingt«. Da lief der Küchenjunge und sagte es dem König, der kam mit seinem Schwert und schwang es dreimal über dem Geist: und beim drittenmal stand seine Gemahlin vor ihm, frisch, lebendig und gesund, wie sie vorher gewesen war.

Nun war der König in großer Freude, er hielt aber die Königin in einer Kammer verborgen bis auf den Sonntag, wo das Kind getauft werden sollte. Und als es getauft war, sprach er »was gehört einem Menschen, der den andern aus dem Bett trägt und ins Wasser wirft?« »Nichts besseres«, antwortete die Alte, »als daß man den Bösewicht in ein Faß steckt, das mit Nägeln ausgeschlagen ist, und den Berg hinab ins Wasser rollt.« Da sagte der König »du hast dein Urtheil gesprochen«, ließ ein solches Faß holen und die Alte mit ihrer Tochter hineinstecken, dann ward der Boden zugehämmert und das Faß bergab gekollert, bis es in den Fluß rollte.

11.

Die drei Spinnerinnen.

Es war ein Mädchen faul und wollte nicht spinnen, und die Mutter mochte sagen was sie wollte, sie konnte es nicht dazu bringen. Endlich übernahm die Mutter einmal Zorn und Ungeduld, daß sie ihm Schläge gab, worüber es laut zu weinen anfieng. Nun fuhr gerade die Königin vorbei, und als sie das Weinen hörte, ließ sie anhalten, trat in das Haus und fragte die Mutter, warum sie ihre Tochter schlüge, daß man sie draußen auf der Straße schreien hörte. Da schämte sich die Frau, daß sie die Faulheit ihrer Tochter offenbaren sollte und sprach »ich kann sie nicht vom Spinnen abbringen, sie will immer und ewig spinnen, und ich bin arm und kann den Flachs nicht herbeischaffen«. Da antwortete die Königin »ich höre nichts lieber als spinnen und bin nicht vergnügter, als wenn die Räder schnurren: gebt mir eure Tochter mit ins Schloß, ich habe Flachs genug, da soll sie spinnen, so viel sie Lust hat«. Die Mutter wars von Herzen gerne zufrieden, und die Königin nahm das Mädchen mit. Als sie ins Schloß gekommen waren, führte sie es hinauf zu drei Kammern, die lagen von unten bis oben voll vom schönsten Flachs. »Nun spinn mir diesen Flachs«, sprach sie, »und wenn du es fertig bringst, so sollst du meinen ältesten Sohn zum Gemahl haben; bist du gleich arm, so acht ich nicht darauf, dein unverdroßner Fleiß ist Ausstattung genug.« Das Mädchen erschrak innerlich, denn es konnte den Flachs nicht spinnen, und wärs dreihundert Jahr alt geworden, und hätte jeden Tag vom Morgen bis Abend dabei gesessen. Als es nun allein war, fieng es an zu weinen und saß so drei Tage, ohne die Hand zu rühren. Am dritten Tage kam die Königin, und als sie sah, daß noch nichts gesponnen war, verwunderte sie sich, aber das Mädchen entschuldigte sich damit, daß es vor großer Betrübnis über die Entfernung aus seiner Mutter Hause noch nicht hätte anfangen können. Das ließ sich die Königin gefallen, sagte aber beim Weggehen »morgen mußt du mir anfangen zu arbeiten«.

Als nun das Mädchen wieder allein war, wußte es sich nicht mehr zu rathen und zu helfen, und trat in seiner Betrübnis vor das Fenster. Da sah es drei Weiber herkommen, davon hatte die erste einen breiten Platschfuß, die zweite hatte eine so große Unterlippe, daß sie über das Kinn herunterhieng, und die dritte hatte einen breiten Daumen. Sie blieben vor dem Fenster stehen, schauten hinauf und fragten das Mädchen, was ihm fehlte. Es klagte ihnen seine Noth, da trugen sie ihm ihre Hülfe an und sprachen »willst du uns zur Hochzeit einladen, dich unser nicht schämen, und uns deine Basen heißen, auch an deinen Tisch setzen, so wollen wir dir den Flachs wegspinnen, und das in kurzer Zeit«. »Von Herzen gern«, antwortete es, »kommt nur herein und fangt gleich die Arbeit an.« Da ließ es die drei seltsamen Weiber herein, und machte in der ersten Kammer eine Lücke, wo sie sich hin setzten und ihr Spinnen anhuben. Die eine zog den Faden und trat das Rad; die andere netzte den Faden, die dritte drehte ihn, und schlug mit dem Finger auf den Tisch, und so oft sie schlug, fiel eine Zahl Garn zur Erde, und das war aufs feinste gesponnen. Vor der Königin verbarg sie die drei Spinnerinnen und zeigte ihr, so oft sie kam, die Menge des gesponnenen Garns, daß diese des Lobes kein Ende fand. Als die erste Kammer leer war, giengs an die zweite, endlich an die dritte, und die war auch bald aufgeräumt. Nun nahmen die drei Weiber Abschied und sagten zum Mädchen »vergiß nicht, was du uns versprochen hast, es wird dein Glück sein«.

Als das Mädchen der Königin die leeren Kammern und den großen Haufen Garn zeigte, richtete sie die Hochzeit aus, und der Bräutigam freute sich, daß er eine so geschickte und fleißige Frau bekäme und lobte sie gewaltig. »Ich habe drei Basen«, sprach das Mädchen, »und da sie mir viel Gutes gethan haben, so wollte ich sie nicht gern in meinem Glück vergessen: erlaubt doch, daß ich sie zu der Hochzeit einlade, und daß sie mit an dem Tisch sitzen.« Die Königin und der Bräutigam gaben ihre Einwilligung. Als nun das Fest anhub, traten die drei Jungfern in wunderlicher Tracht herein, und die Braut sprach »seid willkommen, liebe Basen«. »Ach«, sagte der Bräutigam, »wie kommst du zu der garstigen Freundschaft?« Darauf gieng er zu der einen mit dem breiten Platschfuß und fragte »wovon habt ihr einen solchen breiten Fuß?« »Vom Treten«, antwortete sie, »vom Treten.« Da gieng der Bräutigam zur zweiten und sprach »wovon habt ihr nur die herunterhängende Lippe?« »Vom Lecken«, antwortete sie, »vom Lecken.« Da fragte er die dritte »wovon habt ihr den breiten Daumen?« »Vom Faden drehen«, antwortete sie, »vom Faden drehen.« Da erschrak der Königssohn und sprach »so soll mir nun und nimmermehr meine schöne Braut ein Spinnrad anrühren«. Damit war sie das böse Flachsspinnen los.

12.

Hänsel und Grethel.

Vor einem großen Walde wohnte ein armer Holzhacker mit seiner Frau und seinen zwei Kindern; das Bübchen hieß Hänsel und das Mädchen Grethel. Er hatte wenig zu beißen und zu brechen, und einmal, als große

Theuerung ins Land kam, konnte er auch das tägliche Brot nicht mehr schaffen. Wie er sich nun Abends im Bett Gedanken machte und sich vor Sorgen herumwälzte, seufzte er und sprach zu seiner Frau »was soll aus uns werden? wie können wir unsere armen Kinder ernähren, da wir für uns selbst nichts mehr haben?« »Weißt du was, Mann«, antwortete die Frau, »wir wollen Morgen in aller Frühe die Kinder hinaus in den Wald führen, wo er am dicksten ist, da machen wir ihnen ein Feuer an und geben jedem noch ein Stückchen Brot, dann gehen wir an unsere Arbeit und lassen sie allein. Sie finden den Weg nicht wieder nach Haus, und wir sind sie los.« »Nein, Frau«, sagte der Mann, »das thue ich nicht; wie sollt ichs übers Herz bringen meine Kinder im Walde allein zu lassen, die wilden Thiere würden bald kommen und sie zerreißen.« »O du Narr«, sagte sie, »dann müssen wir alle vier Hungers sterben: du kannst nur die Bretter für die Särge hobelen«, und ließ ihm keine Ruhe, bis er einwilligte. »Aber die armen Kinder dauern mich doch«, sagte der Mann.

Die zwei Kinder hatten vor Hunger auch nicht einschlafen können, und hatten gehört, was die Stiefmutter zum Vater gesagt hatte. Grethel weinte bittere Thränen und sprach zu Hänsel »nun ists um uns geschehen«. »Still, Grethel«, sprach Hänsel, »gräme dich nicht, ich will uns schon helfen.« Und als die Alten eingeschlafen waren, stand er auf, zog sein Röcklein an, machte die Unterthüre auf und schlich sich hinaus. Da schien der Mond ganz helle, und die weißen Kieselsteine, die vor dem Haus lagen, glänzten wie lauter Batzen. Hänsel bückte sich und steckte so viel in sein Rocktäschlein, als nur hinein wollten. Dann gieng er wieder zurück, sprach zu Grethel »sei getrost, liebes Schwesterchen, und schlaf nur ruhig ein,

Gott wird uns nicht verlassen«, und legte sich wieder in sein Bett.

Als der Tag anbrach, noch ehe die Sonne aufgegangen war, kam schon die Frau und weckte die beiden Kinder, »steht auf, ihr Faullenzer, wir wollen in den Wald gehen und Holz holen«. Dann gab sie jedem ein Stückchen Brot, und sprach »da habt ihr etwas für den Mittag, aber eßts nicht vorher auf, weiter kriegt ihr nichts«. Grethel nahm das Brot unter die Schürze, weil Hänsel die Steine in der Tasche hatte. Danach machten sie sich alle zusammen auf den Weg nach dem Wald. Als sie ein Weilchen gegangen waren, stand Hänsel still und guckte nach dem Haus zurück und that das wieder und immer wieder. Der Vater sprach »Hänsel, was guckst du da und bleibst zurück, hab Acht und vergiß deine Beine nicht«. »Ach, Vater«, sagte Hänsel, »ich sehe nach meinem weißen Kätzchen, das sitzt oben auf dem Dach und will mir Ade sagen.« Die Frau sprach »Narr, das ist dein Kätzchen nicht, das ist die Morgensonne, die auf den Schornstein scheint«. Hänsel aber hatte nicht nach dem Kätzchen gesehen, sondern immer einen von den blanken Kieselsteinen aus seiner Tasche auf den Weg geworfen.

Als sie mitten in den Wald gekommen waren, sprach der Vater »nun sammelt Holz, ihr Kinder, ich will ein Feuer anmachen, damit ihr nicht friert«. Hänsel und Grethel trugen Reisig zusammen, einen kleinen Berg hoch. Das ward angezündet, und als die Flamme recht hoch brannte, sagte die Frau »nun legt euch ans Feuer, ihr Kinder, und ruht euch aus, wir gehen in den Wald und hauen Holz. Wenn wir fertig sind, kommen wir wieder und holen euch ab«.

Hänsel und Grethel saßen am Feuer, und als der Mittag kam, aß jedes sein Stücklein Brot. Und weil sie die Schläge der Holzaxt hörten, so glaubten sie ihr Vater wäre in der Nähe. Es war aber nicht die Holzaxt, es war ein Ast, den er an einen dürren Baum gebunden hatte, und den der Wind hin und her schlug. Und als sie so lange gesessen hatten, fielen ihnen die Augen vor Müdigkeit zu, und sie schliefen fest ein. Als sie endlich erwachten, war es schon finstere Nacht. Grethel fieng an zu weinen und sprach »wie sollen wir nun aus dem Wald kommen!« Hänsel aber tröstete sie »wart nur ein Weilchen, bis der Mond aufgegangen ist, dann wollen wir den Weg schon finden«. Und als der volle Mond aufgestiegen war, so nahm Hänsel sein Schwesterchen an der Hand, und gieng den Kieselsteinen nach, die schimmerten wie neu geschlagene Batzen und zeigten ihnen den Weg. Sie giengen die ganze Nacht hindurch und kamen bei anbrechendem Tag wieder zu ihres Vaters Haus. Sie klopften an die Thür, und als die Frau aufmachte und sah, daß es Hänsel und Grethel war, sprach sie »ihr bösen Kinder, was habt ihr so lange im Walde geschlafen, wir haben geglaubt, ihr wolltet gar nicht wieder kommen«. Der Vater aber freute sich, denn es war ihm zu Herzen gegangen, daß er sie so allein zurückgelassen hatte.

Nicht lange darnach war wieder Noth in allen Ecken, und die Kinder hörten, wie die Mutter Nachts im Bette zu dem Vater sprach »alles ist wieder aufgezehrt, wir haben noch einen halben Laib Brot, hernach hat das Lied ein Ende. Die Kinder müssen fort, wir wollen sie tiefer in den Wald hineinführen, damit sie den Weg nicht wieder heraus finden; es ist sonst keine Rettung für uns«. Dem Mann fiels schwer aufs Herz und er dachte »es wäre besser, daß du den letzten Bissen mit deinen Kindern theiltest«. Aber die Frau hörte auf nichts, was er sagte, schalt ihn und machte ihm Vorwürfe. Wer A sagt, muß auch B sagen, und weil er das erste Mal nachgegeben hatte, so mußte er es auch zum zweiten Mal.

Die Kinder waren aber noch wach gewesen und hatten das Gespräch mit angehört. Als die Alten schliefen, stand Hänsel wieder auf, wollte hinaus und Kieselsteine auflesen, wie das vorigemal, aber die Frau hatte die Thür verschlossen, und Hänsel konnte nicht heraus. Aber er tröstete sein Schwesterchen und sprach »weine nicht, Grethel, und schlaf nur ruhig, der liebe Gott wird uns schon helfen«.

Am frühen Morgen kam die Frau und holte die Kinder aus dem Bette. Sie erhielten ihr Stück⟨ch⟩en Brot, das war aber noch kleiner als das vorigemal. Auf dem Wege nach dem Wald bröckelte es Hänsel in der Tasche, stand oft still und warf ein Bröcklein auf die Erde. »Hänsel, was stehst du und guckst dich um«, sagte der Vater, »geh deiner Wege.« »Ich sehe nach meinem Täubchen, das sitzt auf dem Dache und will mir Ade sagen«, antwortete Hänsel. »Narr«, sagte die Frau, »das ist dein Täubchen nicht, das ist die Morgensonne, die auf den Schornstein oben scheint.« Hänsel aber warf nach und nach alle Bröcklein auf den Weg.

Die Frau führte die Kinder noch tiefer in den Wald, wo sie ihr Lebtag noch nicht gewesen waren. Da ward wieder ein großes Feuer angemacht, und die Mutter sagte »bleibt nur da sitzen, ihr Kinder, und wenn ihr müde seid, könnt ihr ein wenig schlafen: wir gehen in den Wald und hauen Holz, und Abends, wenn wir fertig sind, kommen wir und holen euch ab«. Als es Mittag war, theilte Grethel ihr Brot mit Hänsel, der sein Stück auf den Weg gestreut hatte. Dann schliefen sie ein, und der Abend vergieng, aber niemand kam zu den armen Kindern. Sie erwachten erst in der finstern Nacht, und Hänsel tröstete sein Schwesterchen und sagte »wart nur, Grethel, bis der Mond aufgeht, dann werden wir die Brotbröcklein sehen, die ich ausgestreut habe, die zeigen uns den Weg nach Haus«. Als der Mond kam, machten sie sich auf, aber sie fanden kein Bröcklein mehr, denn die viel tausend Vögel, die im Wald und im Felde umher fliegen, die hatten sie weggepickt. Hänsel sagte zu Grethel »wir werden den Weg schon finden«, aber sie fanden ihn nicht. Sie giengen die ganze Nacht und noch einen Tag von Morgen bis Abend, aber sie kamen aus dem Wald nicht heraus und waren so hungrig, denn sie hatten nichts als die paar Beeren, die auf der Erde standen. Und weil sie so müd waren, daß die Beine sie nicht mehr tragen wollten, so legten sie sich unter einen Baum und schliefen ein.

Nun wars schon der dritte Morgen, daß sie ihres Vaters Haus verlassen hatten. Sie fiengen wieder an zu gehen, aber sie geriethen immer tiefer in den Wald und waren nahe daran zu verschmachten. Als es Mittag war, sahen sie ein schönes schneeweißes Vöglein auf einem Ast sitzen, das sang so schön, daß sie stehen blieben und ihm zuhörten. Dann schwang es seine Flügel und flog vor ihnen her, und sie giengen ihm nach, bis sie zu einem Häuschen gelangten, auf dessen Dach es sich setzte, und als sie nahe kamen, so sahen sie, daß das Häuslein ganz aus Brot gebaut war und mit Kuchen gedeckt, aber die Fenster waren von hellem Zucker. »Da wollen wir uns dran machen«, sprach Hänsel, »und eine gute Mahlzeit halten. Ich will ein Stück vom Dach essen, Grethel, iß du vom Fenster, das ist süß.« Hänsel reichte in die Höhe und brach sich ein wenig vom Dach ab, um zu versuchen, wie es schmeckte, und Grethel stellte sich an die Scheiben und knuperte daran. Da rief eine feine Stimme aus der Stube

F.A.BROCKHAUS X.A.

»knuper, knuper, kneischen,
wer knupert an meinem Häuschen?«

die Kinder antworteten

»der Wind, der Wind,
das himmlische Kind,«

und aßen weiter, ohne sich irre machen zu lassen. Hänsel, dem das Dach sehr gut schmeckte, riß sich ein großes Stück davon herunter, und Gretel stieß eine ganz runde Fensterscheibe heraus, setzte sich und that sich wohl damit. Da gieng auf einmal die Thüre auf und eine steinalte Frau, die sich auf eine Krücke stützte, kam herausgeschlichen. Hänsel und Grethel erschraken so gewaltig, daß sie fallen ließen, was sie in den Händen hielten. Die Alte aber wackelte mit dem Kopfe und sprach »ei, ihr lieben Kinder, wer hat euch hierher gebracht? kommt nur herein und bleibt bei mir, ihr sollts gut haben«. Sie faßte beide an der Hand und führte sie in ihr Häuschen. Da ward gutes Essen aufgetragen, Milch und Pfannekuchen mit Zucker, Aepfel und Nüsse. Hernach wurden zwei schöne Bettlein weiß gedeckt, und Hänsel und Grethel legten sich hinein und meinten, sie wären im Himmel.

Die Alte hatte sich nur so freundlich angestellt, sie war aber eine böse Hexe, die den Kindern auflauerte, und hatte das Brothäuslein bloß gebaut, um sie herbeizulocken. Wenn eins in ihre Gewalt kam, so machte sie es todt, kochte es und aß es, und das war ihr ein Festtag. Als Hänsel und Grethel sich dem Haus genähert hatten, da hatte sie boshaft gelacht und höhnisch ausgerufen »die sollen mir nicht entwischen«. Früh Morgens, ehe die Kinder erwacht waren, stand sie schon auf, und als sie beide so lieblich ruhen sah, mit den vollen rothen Backen, so murmelte sie vor sich hin »das wird ein guter Bissen werden«. Da packte sie Hänsel mit ihrer dürren Hand und trug ihn in einen kleinen Stall. Er mochte schreien, wie er wollte, es half ihm nichts: sie sperrte ihn mit einer Gitterthüre ein. Dann gieng sie zu Grethel, rüttelte sie wach und rief »willst du aufstehen, Faullenzerin, du sollst Wasser holen und deinem Bruder etwas gutes kochen, der sitzt im Stall und soll fett werden. Und wenn er fett ist, so will ich ihn essen«. Grethel fieng an bitterlich zu weinen, aber es war alles vergeblich, sie mußte thun, was die böse Hexe verlangte.

Nun ward dem armen Hänsel das beste Essen gekocht, aber Grethel bekam nichts als Krebsschalen. Jeden Morgen schlich die Alte zu dem Ställchen und rief »Hänsel, streck deine Finger heraus, damit ich fühle, ob du bald fett bist«. Hänsel streckte ihr aber ein Knöchlein heraus, und die Alte, die trübe Augen hatte, konnte es nicht sehen und meinte, es wären Hänsels Finger und verwunderte sich, daß er gar nicht fett werden wollte. Als vier Wochen herum waren und Hänsel immer mager blieb, da übernahm sie die Ungeduld, und sie wollte nicht länger warten. »Heda, Grethel«, rief sie dem Mädchen zu, »sei flink und trag Wasser: Hänsel mag fett oder mager sein, morgen will ich ihn schlachten und kochen«. Ach, wie jammerte das arme Schwesterchen, als es das Wasser tragen mußte, und wie flossen ihm die Thränen über die Backen herunter! »Lieber Gott, hilf uns doch«, rief sie aus, »hätten uns nur die wilden Thiere im Wald gefressen, so wären wir doch zusammen gestorben.« »Spar nur dein Geblärre«, sagte die Alte, »es hilft dir alles nichts.«

Früh Morgens mußte Grethel heraus, den Kessel mit Wasser aufhängen und Feuer anzünden. »Erst wollen wir backen«, sagte die Alte, »ich habe den Backofen schon eingeheizt und den Teig geknätet.« Sie stieß das arme Grethel hinaus zu dem Backofen, aus dem die Feuerflammen oben heraus schlugen. »Kriech hinein«, sagte die Hexe, »und sieh zu, ob recht eingeheizt ist, damit wir das Brot hineinschießen können.« Und wenn Grethel darin war, wollte sie den Ofen zumachen, und Grethel sollte darin braten, und dann wollte sies auch aufessen. Aber Grethel merkte, was sie im Sinn hatte und sprach »ich weiß nicht, wie ichs machen soll; wie komm ich da hinein?« »Dumme Gans«, sagte die Alte, »die Oeffnung ist groß genug, siehst du wohl, ich könnte selbst hinein«, krappelte heran und steckte den Kopf in den Backofen. Da gab ihr Grethel einen Stoß, daß sie weit hinein fuhr, machte die eiserne Thür zu und schob den Riegel vor. Hu! da fieng sie an zu heulen, ganz grauselich; aber Grethel lief fort, und die gottlose Hexe mußte elendiglich verbrennen.

Grethel aber lief schnurstracks zum Hänsel, öffnete sein Ställchen und rief »Hänsel, wir sind erlöst, die alte Hexe ist todt«. Da sprang Hänsel heraus, wie ein Vogel aus dem Käfig, wenn ihm die Thüre aufgemacht wird. Wie haben sie sich gefreut, sind herumgesprungen und haben sich geküßt! Und weil sie sich nicht mehr zu fürchten brauchten, giengen sie in das Haus der Hexe hinein, da standen in allen Ecken Kasten mit Perlen und Edelsteinen. »Die sind noch besser als Kieselsteine«, sagte Hänsel und steckte in seine Taschen, was hinein wollte, und Grethel sagte »ich will auch etwas mit nach Haus bringen« und füllte sich sein Schürzchen voll. »Aber jetzt wollen wir fort«, sagte Hänsel, »damit wir aus dem Hexenwald heraus kommen.« Als sie aber ein paar Stunden gegangen waren, gelangten sie an ein großes Wasser. »Wir können nicht hinüber«, sprach Hänsel, »ich sehe keinen Steg und keine Brücke.« »Es kommt auch kein Schiffchen«, antwortete

Grethel, »aber da schwimmt eine weiße Ente, wenn ich die bitte, so hilft sie uns hinüber.« Da rief sie

»Entchen, Entchen,
da steht Grethel und Hänsel.
Kein Steg und keine Brücke,
nimm uns auf deinen weißen Rücken.«

Das Entchen kam auch heran, und Hänsel setzte sich auf und bat sein Schwesterchen sich zu ihm zu setzen. »Nein«, antwortete Grethel, »es wird dem Entchen zu schwer, es soll uns nach einander hinüber bringen.« Das that das gute Thierchen, und als sie glücklich drüben waren und ein Weilchen fortgiengen, da kam ihnen der Wald immer bekannter und immer bekannter vor, und endlich erblickten sie von weitem ihres Vaters Haus. Da fiengen sie an zu laufen, stürzten die Stube hinein und fielen ihrem Vater um den Hals. Der Mann hatte keine frohe Stunde gehabt, seitdem er die Kinder im Walde gelassen hatte, die Frau aber war gestorben. Grethel schüttete sein Schürzchen aus, daß die Perlen und Edelsteine in der Stube herumsprangen, und Hänsel warf eine Handvoll nach der andern aus seiner Tasche dazu. Da hatten alle Sorgen ein Ende, und sie lebten in lauter Freude zusammen. Mein Märchen ist aus, dort lauft eine Maus, wer sie fängt, darf sich eine große große Pelzkappe daraus machen.

13.

Von dem Fischer un syner Fru.

Da wöör maal eens en Fischer un syne Fru, de waanden tosamen in'n Pißputt, dicht an der See, un de Fischer güng alle Dage hen un angeld: un he angeld un angeld.

So seet he ook eens by de Angel un seeg jümmer in dat blanke Water henin: un he seet un seet.

Do güng de Angel to Grund, deep ünner, un as he se heruphaald, so haald he enen grooten Butt heruut. Do säd de Butt to em »hör mal, Fischer, ik bidd dy, laat my lewen, ik bün keen rechten Butt, ik bün'n verwünschten Prins. Wat helpt dy dat, dat du my doot makst? ik würr dy doch nich recht smecken: sett my wedder in dat Water un laat my swemmen«. »Nu«, säd de Mann, »du bruukst nich so veel Wöörd to maken, eenen Butt, de spreken kann, hadd ik doch wol swemmen laten.« Mit des sett't he em wedder in dat blanke Water, do güng de Butt to Grund un leet enen langen Strypen Bloot achter sik. Do stünn de Fischer up un güng na syne Fru in'n Pißputt.

»Mann«, säd de Fru, »hest du hüüt niks fungen?« »Ne«, säd de Mann, »ik füng eenen Butt, de säd he wöör en verwünschten Prins, do hebb ik em wedder swemmen laten.« »Hest du dy denn niks wünscht?« säd de Fru. »Ne«, säd de Mann, »wat schull ik my wünschen?« »Ach«, säd de Fru, »dat is doch äwel, hyr man jümmer in'n Pißputt to wanen, dat stinkt un is so eeklig: du haddst uns doch ene lüttje Hütt wünschen kunnt. Ga noch hen un roop em: segg em wy wählt 'ne lüttje Hütt hebben, he dait dat gewiß.« »Ach«, säd de Mann, »wat schull ik door noch hengaan?« »I«, säd de Fru, »du haddst em doch fungen, und hest em wedder swemmen laten, he dait dat gewiß. Ga glyk hen.« De Mann wull noch nich recht, wull awerst syn Fru ook nich to weddern syn un güng hen nach der See.

Als he door köhm, wöör de See ganß gröön un geel, un goor nich meer so blank. So güng he staan un säd

»Manntje, Manntje, Timpe Te,
Buttje, Buttje in der See,
myne Fru de Ilsebill
will nich so as ik wol will.«

Da köhm de Butt answemmen un säd »na, wat will se denn?« »Ach«, säd de Mann, »ik hebb dy doch fungen hatt, nu säd myn Fru ik hadd my doch wat wünschen schullt. Se mag nich meer in'n Pißputt wanen, se wull geern 'ne Hütt.« »Ga man hen«, säd de Butt, »se hett se all.«

Do güng de Mann hen, un syne Fru seet nich meer in'n Pißputt, dar stünn awerst ene lüttje Hütt, un syne Fru seet vör de Döhr up ene Bänk. Do nöhm syne Fru em by de Hand un säd to em »kumm man herin, süh, nu is dat doch veel beter«. Do güngen se henin, un in de Hütt was en lüttjen Vörplatz un ene lüttje herrliche Stuw un Kamer, wo jem eer Bedd stünn, un Kääk und Spysekamer, allens up dat beste mit Gerädschoppen, un up dat schönnste upgefleyt, Tinntüüg und Mischen (Messing), wat sik darin höört. Un achter was ook en lüttjen Hof mit Hönern un Aanten, un en lüttjen Goorn mit Grönigkeiten un Aaft (Obst). »Süh«, säd de Fru, »is dat nich nett?« »Ja«, säd de Mann, »so schall't blywen, un wähl wy recht vergnöögt lewen.« »Dat wähl wy uns bedenken« säd de Fru. Mit des eeten se wat un güngen to Bedd.

So güng dat wol 'n acht oder veertein Dag, do säd de Fru »hör, Mann, de Hütt is ook goor to eng, un de Hof und de Goorn is so kleen: de Butt hadd uns ook wol en grötter

Huus schenken kunnt. Ik much woll in enem grooten stenern Slott wanen: ga hen tom Butt, he schall uns en Slott schenken«. »Ach, Fru«, säd de Mann, »de Hütt is jo god noog, wat wähl wy in'n Slott wanen.« »I wat«, säd de Fru, »ga du man hen, de Butt kann dat jümmer doon.« »Ne, Fru«, säd de Mann, »de Butt hett uns erst de Hütt gewen, ik mag nu nich all wedder kamen, den Butt muchd et vördreten.« »Ga doch«, säd de Fru, »he kann dat recht good und dait dat gern; ga du man hen.« Dem Mann wöör syn Hart so swoor, un wull nich: he säd by sik sülwen »dat is nicht recht«, he güng awerst doch hen.

Als he an de See köhm, wöör dat Water ganß vigelett un dunkelblau un grau un dick, un goor nich meer so gröön un geel, doch wöör't noch still. Do güng he staan un säd

»Manntje, Manntje, Timpe Te,
Buttje, Buttje in der See,
myne Fru de Ilsebill
will nich so as ik wol will.«

»Na, wat will se denn?« säd de Butt. »Ach«, säd de Mann half bedrööft, »se will in'n groot stenern Slott wanen.« »Ga man hen, se stait vör de Döhr«, säd de Butt.

Da güng de Mann hen un dachd he wull na Huus gaan, as he awerst daar köhm, so stünn door 'n grooten stenern Pallast, un syn Fru stünn ewen up de Trepp un wull henin gaan: do nöhm se em by de Hand und säd »kumm man herin«. Mit des güng he mit ehr henin, un in dem Slott wöör ene groote Dehl mit marmelstenern Asters (Estrich), un dar wören so veel Bedeenters, de reten de grooten Dören up, un de Wende wören all blank un mit schöne Tapeten, un in de Zimmers luter gollne Stöhl un Dischen, und krystallen Kroonlüchters hüngen an dem Bähn, un so wöör dat all de Stuwen un Kamers mit Footdecken: un dat Aeten un de allerbeste Wyn stünn up den Dischen as wenn se breken wullen. Un achter dem Huse wöör ook'n grooten Hof mit Peerd- und Kohstell, un Kutschwagens up dat allerbeste, ook was door een grooten herrlichen Goorn mit de schönnsten Blomen un fyne Aaftbömer, un en Lustholt wol 'ne halwe Myl lang, door wören Hirschen un Reh un Hasen drin un allens wat man sik jümmer wünschen mag. »Na«, säd de Fru, »is dat nu nich schön?« »Ach ja«, säd de Mann, »so schall't ook blywen, nu wähl wy ook in dat schöne Slott wanen, un wähln tofreden syn.« »Dat wähl wy uns bedenken«, säd de Fru, »un wählen't beslapen.« Mit des güngen se to Bedd.

Den annern Morgen waakd de Fru to eerst up, dat was jüst Dag, un seeg uut jem ehr Bedd dat herrliche Land vör sik liggen. Der Mann reckd sik noch, do stödd se em mit dem Ellbagen in de Syd un säd »Mann, sta up und kyk mal uut dem Fenster. Süh, kunnen wy nich König warden äwer all düt Land? Ga hen tom Butt, wy wählt König syn.« »Ach Fru«, säd de Mann, »wat wähl wy König syn! ik mag nich König syn.« »Na«, säd de Fru, »wult du nich König syn, so will ik König syn. Ga hen tom Butt, ik will König syn.« »Ach, Fru«, säd de Mann, »wat wullst du König syn? dat mag ik em nich seggen.« »Worüm nich?« säd de Fru, »ga stracks hen, ik mutt König syn.« Do güng de Mann hen un wöör ganß bedröft dat syne Fru König warden wull. »Dat is nich recht un is nicht recht«, dachd de Mann. He wull nich hen gann, güng awerst doch hen.

Un as he an de See köhm, do wöör de See ganß swartgrau un dat Water geerd so von ünnen up un stünk ook ganß fuul. Do güng he staan un säd

»Manntje, Manntje, Timpe Te,
Buttje, Buttje in der See,
myne Fru de Ilsebill,
will nich so as ik wol will.«

»Na, wat will se denn?« säd de Butt. »Ach«, säd de Mann, »se will König warden.« »Ga man hen, se is't all«, säd de Butt.

Do güng de Mann hen, un as he na dem Pallast köhm, so wöör dat Slott veel grötter worren, mit enem grooten Toorn un herrlyken Zyraat doran: un de Schildwacht stünn vor de Döhr, un dar wören so väle Soldaten un Pauken un Trumpeten. Un as he in dat Huus köhm, so wöör allens von purem Marmelsteen mit Gold, un sammtne Decken un groote gollne Quasten. Do güngen de Dören von dem Saal up, door de ganße Hofstaat wöör, un syne Fru seet up enem hogen Troon von Gold un Demant, un hadd ene groote gollne Kroon up un den Zepter in der Hand von purem Gold un Edelsteen, un up beyden Syden by ehr stünnen ses Jumfern in eene Reeg, jümmer eene enen Kopps lüttjer as de annere. Do güng he staan un säd »ach Fru, büst du nu König?« »Ja«, säd de Fru, »nu bün ik König.« Da stünn he un seeg se an, un as he se do een Flach (eine Zeit lang) so ansehn hadd, säd he »ach, Fru, wat lett dat schöön, wenn du König büst! nu wähl wy ook niks meer wünschen.« »Ne, Mann«, säd de Fru, un wöör ganß unruhig, »my waart de Tyd un Wyl al lang, ik kann dat nich meer uuthollen. Ga hen tom Butt, König bünn ik, nu mutt ik ook Kaiser warden.« »Ach, Fru«, säd de Mann, »wat wullst du Kaiser warden?« »Mann«, säd se, »ga tom Butt, ik will Kaiser syn.« »Ach, Fru«, säd de Mann, »Kaiser kann he nich maken, ik mag dem Butt dat nich seggen; Kaiser is man eenmal im Reich: Kaiser kann de Butt jo nich maken, dat kann un kann he nich.« »Wat«, säd de Fru, »ik bünn König und du büst man myn Mann, wullt du glyk hengaan? glyk ga hen, kann he König maken, kann he ook Kaiser maken, ik will un will Kaiser syn; glyk ga hen.« Do mussd he hengaan. Do de Mann awer hengüng, wöör em ganß bang, un as he so güng, dachd he by sik »düt gait un gait nich good: Kaiser is to uutvörschaamt, de Butt wart am Ende möd«.

Mit des köhm he an de See, da wöör de See noch ganß swart un dick un füng al so von ünnen up to geeren, dat et so Blasen smeet, un et güng so ein Keekwind äwer hen, dat et sik so köhrd; un de Mann wurr groen (grauen). Do güng he staan un säd

»Manntje, Manntje, Timpe Te,
Buttje, Buttje in der See,
myne Fru de Ilsebill
will nich so as ik wol will.«

»Na, wat will se denn?« säd de Butt. »Ach, Butt«, säd he, »myn Fru will Kaiser warden.« »Ga man hen«, säd de Butt, »se is't all.«

Do güng de Mann hen, un as he door köhm, so wöör dat ganße Slott von poleertem Marmelsteen mit albasternen Figuren un gollnen Zyraaten. Vör de Döhr marscheerden de Soldaten, un se blösen Trumpeten un slögen Pauken un Trummeln: awerst in dem Huse da güngen de Baronen un Grawen un Herzogen man so as Bedeenters herüm: do maakden se em de Dören up, de von luter Gold wören. Un as he herin köhm, door seet syne Fru up enem Troon, de wöör von een Stück Gold, un wöör wol twe Myl hoog: un hadd ene groote gollne Kroon up, de wöör dre Elen hoog un mit Briljanten un Karfunkelsteen besett't: in de ene

Hand hadde se den Zepter un in de annere Hand den Reichsappel, un up beyden Syden by eer door stünnen de Trabanten so in twe Regen jümmer een lüttjer as de annere, von dem allergröttsten Rysen, de wöör twe Myl hoog, bet to dem allerlüttjesten Dwaark, de wöör man so groot as min lüttje Finger. Un vör ehr stünnen so vele Fürsten un Herzogen. Door güng de Mann tüschen staan un säd »Fru, büst du nu Kaiser?« »Ja«, säd se, »ik bünn Kaiser.« Do güng he staan un beseeg se sik so recht, un as he se so'n Flach ansehn hadd, so säd he »ach, Fru, watt lett dat schöön, wenn du Kaiser büst«. »Mann«, säd se, »wat staist du door? ik bünn nu Kaiser, nu will ik awerst ook Paabst warden, ga hen tom Butt.« »Ach, Fru«, säd de Mann, »wat wulst du man nich? Paabst kannst du nich warden, Paabst is man eenmal in der Kristenhait, dat kann he doch nich maken.« »Mann«, säd se, »ik will Paabst warden, ga glyk hen, ik mutt hüüt noch Paabst warden!« »Ne, Fru«, säd de Mann, »dat mag ik em nich seggen, dat gait nich good, dat is to groff, tom Paabst kann de Butt nich maken.« »Mann, wat Snack!« säd de Fru, »kann he Kaiser maken, kann he ook Paabst maken. Ga foorts hen, ik bünn Kaiser un du büst man myn Mann, wult du wol hengaan?« Do wurr he bang un güng hen, em wöör awerst ganß flau, un zitterd und beewd, un de Knee un de Waden slakkerden em. Un dar streek so'n Wind äwer dat Land, un de Wolken flögen, as dat düster wurr gegen Awend: de Bläder waiden von den Bömern, un dat Water güng un bruusd as kaakd dat, un platschd an dat Aever, un von feern seeg he de Schepen, de schöten in der Noot, un danßden und sprüngen up den Bülgen. Doch wöör de Himmel noch so'n bitten blau in de Midd, awerst an den Syden door toog dat so recht rood up as en swohr Gewitter. Do güng he recht vörzufft (verzagt) staan in de Angst und säd

»Manntje, Manntje, Timpe Te,
Buttje, Buttje in der See,
myne Fru de Ilsebill
will nich so as ik wol will.«

»Na, wat will se denn?« säd de Butt. »Ach«, säd de Mann, »se will Paabst warden.« »Ga man hen, se is't all« säd de Butt.

Da güng he hen, un as he door köhm, so wöör dar as en groote Kirch mit luter Pallastens ümgewen. Door drängd he sik dorch dat Volk: inwendig was awer allens mit dausend un dausend Lichtern erleuchtet, und syne Fru wöör in luter Gold gekledet, un seet noch up enem veel högeren Troon, un hadde dre groote gollne Kronen up, un üm ehr dar wöör so veel von geistlykem Staat, un up beyden Syden by ehr door stünnen twe Regen Lichter, dat gröttste so dick un groot as de allergröttste Toorn, bet to dem allerkleensten Käkenlicht; un alle de Kaisers un de Könige de legen vör ehr up de Kne un küßden ihr den Tüffel. »Fru«, säd de Mann un seeg se so recht an, »büst du nu Paabst?« »Ja«, säd se, »ik bünn Paabst.« Do güng he staan un seeg se recht an, un dat wöör as wenn he in de helle Sunn seeg. As he se do een Flach ansehn hadd, so segt he »ach, Fru, wat lett dat schöön, wenn du Paabst büst!« Se säd awerst ganß styf as en Boom un rüppeld und röhrd sik nich. Do säd he »Fru, nu sy tofreden, nu du Paabst büst, nu kannst du doch niks meer warden«. »Dat will ik my bedenken«, säd de Fru. Mit des güngen se beyde to Bedd, awerst se wöör nich tofreden, un de Girighait leet se nich slapen, se dachd jümmer wat se noch warden wull.

De Mann sleep recht good un fast, he hadd den Dag veel lopen, de Fru awerst kunn goor nich inslapen un smeet sik von een Syd to der annern de ganße Nacht, un dachd man jümmer wat se noch wol warden kunn, un kunn sik doch up niks meer besinnen. Mit des wull de Sünn upgaan, un as se dat Morgenrood seeg, richt'd se sik äwer End im Bedd un seeg door henin, un as se uut dem Fenster de Sünn so herup kamen seeg, »ha«, dachd se, »kunn ik nich ook de Sünn un de Maan upgaan laten?« »Mann«, säd se, un stödd em mit dem Ellbagen in de Ribben, »waak up, ga hen tom Butt, ik will warden as de lewe Gott.« De Mann was noch meist in'n Slaap, awerst he vörschrock sik so, dat he uut dem Bett füll. He meend he hadd sik vörhöörd, un reef sik de Ogen uut un säd »ach, Fru, wat säd'st du?« »Mann«, säd se, »wenn ik nich de Sünn un de Maan kann upgaan laten un mutt dat so ansehn, dat de Sünn un de Maan upgaan, ik kann dat nich uuthollen, un hebb kene geruhige Stünd meer, dat ik se nich sülwst kann upgaan laten.« Do seeg se em so recht gräsig an, dat em so'n Schudder äwerleep. »Glyk ga hen, ik will warden as de lewe Gott.« »Ach, Fru«, säd de Mann, un füll vör eer up de Knee, »dat kann de Butt nich. Kaiser un Paabst kann he maken, ik bidd dy, sla in dy un blyf Paabst.« Do köhm se in de Boshait, de Hoor flögen ehr so wild üm den Kopp, do reet se sik dat Lyfken up, un geef em eens mit dem Foot un schreed »ik holl dat nich uut un holl dat nich länger uut: wult du hengaan?« Do slööpd he sik de Büxen an un leep wech as unsinnig.

Buten awer güng de Storm un bruusde dat he kuum up den Föten staan kunn: de Huser un de Bömer waiden üm, un de Baarge beewden, un de Felsenstücken rullden in de See, un de Himmel wöör ganß pickswart, un dat dunnerd un blitzd, un de See güng in so hoge swarte Bülgen as Kirchentöörm un as Baarge, un de hadden bawen all ene witte Kron von Schuum up. Do schre he, un kunn syn egen Word nicht hören,

»Manntje, Manntje, Timpe Te,
Buttje, Buttje in der See,
myne Fru de Ilsebill
will nich so as ik wol will.«

»Na, wat will se denn?« säd de Butt. »Ach«, säd he, »se will warden as de lewe Gott.« »Ga man hen, se sitt all wedder in'n Pißputt.«

Door sitten se noch bet up hüüt un düssen Dag.

14.

Aschenputtel.

Einem reichen Manne dem ward seine Frau krank, und als sie fühlte, daß ihr Ende heran kam, rief sie ihr einziges Töchterlein zu sich ans Bett und sprach »liebes Kind, bleib fromm und gut, so wird dir der liebe Gott immer beistehen, und ich will vom Himmel auf dich herab blicken und will um dich sein«. Darauf that sie die Augen zu und verschied. Das Mädchen gieng jeden Tag hinaus zu dem Grabe der Mutter und weinte und blieb fromm und gut. Als der Winter kam, deckte der Schnee ein weißes Tüchlein auf das Grab, und als die Sonne im Frühjahr es wieder herabgezogen hatte, nahm sich der Mann eine andere Frau.

Die Frau hatte zwei Töchter mit ins Haus gebracht, die schön und weiß von Angesicht waren, aber garstig und schwarz von Herzen. Da gieng eine schlimme Zeit für das arme Stiefkind an. »Soll die dumme Gans bei uns in der Stube sitzen?« sprachen sie, »wer Brot essen will, muß es verdienen; hinaus mit der Küchenmagd.« Sie nahmen ihm seine schönen Kleider weg, zogen ihm einen grauen alten Kittel an und gaben ihm hölzerne Schuhe. Dann lachten sie es aus und führten es in die Küche. Da mußte es so schwere Arbeit thun, früh vor Tag aufstehen, Wasser tragen, Feuer anmachen, kochen und waschen. Obendrein thaten ihm die Schwestern alles ersinnliche Herzeleid an, verspotteten es und schütteten ihm die Erbsen und Linsen in die Asche, so daß es sitzen und sie wieder auslesen mußte. Abends, wenn es sich müde gearbeitet hatte, kam es in kein Bett, sondern mußte sich neben den Herd in die Asche legen. Und weil es darum immer staubig und schmutzig aussah, nannten sie es *Aschenputtel.*

Es trug sich zu, daß der Vater einmal in die Messe ziehen wollte, da fragte er die beiden Stieftöchter, was er ihnen mitbringen sollte. »Schöne Kleider«, sagte die eine, »Perlen und Edelsteine« die zweite. »Aber du, Aschenputtel«, sprach er, »was willst du haben?« »Vater, das erste Reis, das euch auf eurem Heimweg an den Hut stößt, das brecht für mich ab.« Er kaufte nun für die beiden Stiefschwestern schöne Kleider, Perlen und Edelsteine, und auf dem Rückweg, als er durch einen grünen Busch ritt, streifte ihn ein Haselreis und stieß ihm den Hut ab. Da brach er das Reis ab und nahm es mit. Als er nach Haus kam, gab er den Stieftöchtern, was sie sich gewünscht hatten, und dem Aschenputtel gab er das Reis von dem Haselbusch. Aschenputtel dankte ihm, gieng zu seiner Mutter Grab und pflanzte das Reis darauf und weinte so sehr, daß die Thränen nieder fielen und es begossen. Es wuchs aber und ward ein schöner Baum. Aschenputtel gieng alle Tage dreimal darunter, weinte und betete, und allemal kam ein weißes Vöglein auf den Baum, und das Vöglein warf ihm herab, was es sich nur wünschte.

Es begab sich aber, daß der König ein Fest anstellte, das

drei Tage dauern sollte, und wozu alle schönen Jungfrauen im Lande eingeladen wurden, damit sich sein Sohn eine Braut aussuchen möchte. Die zwei Stiefschwestern, als sie hörten, daß sie auch dabei erscheinen sollten, waren guter Dinge, riefen Aschenputtel und sprachen »kämm uns die Haare, bürste uns die Schuhe und mache uns die Schnallen fest, wir gehen zur Hochzeit auf des Königs Schloß«. Aschenputtel gehorchte, weinte aber, weil es auch gern zum Tanz mitgegangen wär, und bat die Stiefmutter sie möchte es ihm erlauben. »Du Aschenputtel voll Staub und Schmutz«, sprach sie, »du willst zur Hochzeit und hast keine Kleider! willst tanzen und hast keine Schuhe!« Als es aber mit Bitten anhielt, sprach sie endlich »da habe ich dir eine Schüssel Linsen in die Asche geschüttet, und wenn du die Linsen in zwei Stunden wieder ausgelesen hast, so sollst du mitgehen.« Das Mädchen gieng durch die Hinterthür nach dem Garten und rief »ihr zahmen Täubchen, ihr Turteltäubchen, all ihr Vöglein unter dem Himmel, kommt und helft mir lesen.

die guten ins Töpfchen,
die schlechten ins Kröpfchen.«

Da kamen zum Küchenfenster zwei weiße Täubchen herein, und danach die Turteltäubchen, und endlich schwirrten und schwärmten alle Vögelein unter dem Himmel herein und ließen sich um die Asche nieder. Und die Täubchen nickten mit dem Köpfchen und fiengen an pik, pik, pik, pik, und da fiengen die übrigen auch an pik, pik, pik, pik, und lasen alle guten Körnlein in die Schüssel. Kaum war eine Stunde herum, so waren sie fertig und flogen alle wieder hinaus. Da trug das Mädchen die Schüssel zu der Stiefmutter, freute sich und glaubte, es dürfte nun mit auf die Hochzeit gehen. Aber sie sprach »nein, Aschenputtel, du wirst nur ausgelacht, du hast keine Kleider und kannst nicht tanzen». Als es nun weinte, sprach sie, »wenn du mir zwei Schüsseln voll Linsen in einer Stunde aus der Asche rein lesen kannst, so sollst du mitgehen«, und dachte, »das kann es ja nimmermehr«. Sie schüttete die zwei Schüsseln Linsen in die Asche, aber das Mädchen gieng durch die Hinterthüre nach dem Garten und rief »ihr zahmen Täubchen, ihr Turteltäubchen, all ihr Vöglein unter dem Himmel, kommt und helft mir lesen,

die guten ins Töpfchen,
die schlechten ins Kröpfchen.«

Da kamen zum Küchenfenster zwei weiße Täubchen herein, und danach die Turteltäubchen, und endlich schwirrten und schwärmten alle Vöglein unter dem Himmel herein und ließen sich um die Asche nieder. Und die Täubchen nickten mit ihrem Köpfchen und fiengen an pik, pik, pik, pik, und da fiengen die übrigen auch an pik, pik, pik, pik, und lasen alle guten Körner in die Schüsseln. Und eh eine halbe Stunde herum war, waren sie schon fertig und flogen alle wieder hinaus. Da trug das Mädchen die Schüsseln zu der Stiefmutter, freute sich und glaubte nun dürfte es mit auf die Hochzeit gehen. Aber sie sprach »es hilft dir alles nichts: du kommst nicht mit, denn du hast keine Kleider und kannst nicht tanzen; wir müßten uns deiner schämen«. Darauf kehrte sie ihm den Rücken zu und gieng mit ihren zwei stolzen Töchtern fort.

Als nun niemand mehr daheim war, gieng Aschenputtel zu seiner Mutter Grab unter den Haselbaum und rief

»Bäumchen, rüttel dich und schüttel dich,
wirf Gold und Silber über mich.«

Da warf ihm der Vogel ein golden und silbern Kleid herunter und ein Paar mit Seide und Silber ausgestickte Pantoffeln. Alsbald zog es Kleid und Pantoffeln an und gieng zur Hochzeit. Seine Schwestern aber und die Stiefmutter erkannten es nicht und meinten es müßte eine fremde Königstochter sein, so schön sah es in dem goldenen Kleide aus. An Aschenputtel dachten sie gar nicht und glaubten es läge daheim im Schmutz. Der Königssohn kam ihm entgegen, nahm es bei der Hand und tanzte mit ihm. Er wollte auch mit sonst niemand tanzen, also daß er ihm die Hand nicht los ließ, und wenn ein anderer kam, es aufzufordern, sprach er »das ist meine Tänzerin«.

Es tanzte bis es Abend war, da wollte es nach Haus gehen. Der Königssohn aber sprach »ich gehe mit und begleite dich«, denn er wollte sehen, wem das schöne Mädchen angehörte. Sie entwischte ihm aber und sprang in das Taubenhaus. Nun wartete der Königssohn, bis der Vater kam, und sagte ihm, das fremde Mädchen wär in das Taubenhaus gesprungen. Da dachte er »sollte es Aschenputtel sein«, und sie mußten ihm Axt und Hacken bringen, damit er das Taubenhaus entzwei schlagen konnte: aber es war niemand darin. Und als sie ins Haus kamen, lag Aschenputtel in seinen schmutzigen Kleidern in der Asche, und ein trübes Öllämpchen brannte im Schornstein; denn Aschenputtel war geschwind aus dem Taubenhaus hinten herab gesprungen und war zu dem Haselbäumchen gelaufen; da hatte es die schönen Kleider ausgethan und aufs Grab gelegt, und der Vogel hatte sie wieder weggenommen, und dann hatte es sich in seinem grauen Kittelchen in die Küche zur Asche gesetzt.

Am andern Tag, als das Fest von neuem anhub und die Eltern und Stiefschwestern wieder fort waren, gieng Aschenputtel zu dem Haselbaum und sprach

»Bäumchen, rüttel dich und schüttel dich,
wirf Gold und Silber über mich.«

Da warf der Vogel ein noch viel stolzeres Kleid herab, als am vorigen Tag. Und als es mit diesem Kleide auf der Hochzeit erschien, erstaunte jedermann über seine Schönheit. Der Königssohn aber hatte gewartet, bis es kam, nahm es gleich bei der Hand und tanzte nur allein mit ihm. Wenn die andern kamen und es aufforderten, sprach er »das ist meine Tänzerin«. Als es nun Abend war, wollte es fort, und der Königssohn gieng ihm nach und wollte sehen, in welches Haus es gieng: aber es entsprang ihm und lief in den Garten hinter dem Haus. Darin stand ein schöner großer Baum mit den herrlichsten Birnen, auf den kletterte es behend wie ein Eichhörnchen, und der Königssohn wußte nicht, wo es hingekommen war. Er wartete aber, bis der Vater kam und sprach zu ihm »das fremde Mädchen ist mir entwischt, und ich glaube es ist auf den Birnbaum gesprungen«. Der Vater dachte »sollte es Aschenputtel sein«, und ließ sich die Axt holen und hieb den Baum um, aber es war niemand darauf. Und als sie in die Küche kamen, lag Aschenputtel da in der Asche, wie sonst auch, denn es war auf der andern Seite vom Baum herabgesprungen, hatte dem Vogel auf dem Haselbäumchen die schönen Kleider wieder gebracht und sein graues Kittelchen angezogen.

Am dritten Tag, als die Eltern und Schwestern fort waren, gieng Aschenputtel wieder zu seiner Mutter Grab und sprach zu dem Bäumchen

»Bäumchen, rüttel dich und schüttel dich,
wirf Gold und Silber über mich.«

Nun warf ihm der Vogel ein Kleid herab, das war so prächtig und glänzend, wie es noch keins gehabt hatte, und die Pantoffeln waren ganz golden. Als es in dem Kleid zu der Hochzeit kam, wußten sie alle nicht, was sie vor Verwunderung sagen sollten. Der Königssohn tanzte ganz allein mit ihm, und wenn es einer aufforderte, sprach er »das ist meine Tänzerin«.

Als es nun Abend war, wollte Aschenputtel fort, und der Königssohn wollte es begleiten, aber es entsprang ihm so geschwind, daß er nicht folgen konnte. Der Königssohn hatte aber eine List gebraucht und hatte die ganze Treppe mit Pech bestreichen lassen: da war, als es hinab sprang, der linke Pantoffel des Mädchens hängen geblieben. Der Königssohn hob ihn auf, und er war klein und zierlich und ganz golden. Am nächsten Morgen gieng er damit zu dem Mann und sagte zu ihm »keine andere soll meine Gemahlin werden, als die, an deren Fuß dieser goldene Schuh paßt«. Da freuten sich die beiden Schwestern, denn sie hatten schöne Füße. Die Älteste gieng mit dem Schuh in die Kammer und wollte ihn anprobieren, und die Mutter stand dabei. Aber sie konnte mit der großen Zehe nicht hineinkommen, und der Schuh war ihr zu klein; da reichte ihr die Mutter ein Messer und sprach »hau die Zehe ab: wann du Königin bist, so brauchst du nicht mehr zu Fuß zu gehen«. Das Mädchen hieb die Zehe ab, zwängte den Fuß in den Schuh, verbiß den Schmerz und gieng heraus zum Königssohn. Da nahm er sie als seine Braut aufs Pferd und ritt mit ihr fort. Sie mußten aber an dem Grabe vorbei, da saßen die zwei Täubchen auf dem Haselbäumchen und riefen

»rucke di guck, rucke di guck,
Blut ist im Schuck (Schuh):
der Schuck ist zu klein,
die rechte Braut sitzt noch daheim.«

Da blickte er auf ihren Fuß und sah, wie das Blut herausquoll. Er wendete sein Pferd um, brachte die falsche Braut wieder nach Haus und sagte das wäre nicht die rechte, die andere Schwester sollte den Schuh anziehen. Da gieng diese in die Kammer und kam mit den Zehen glücklich in den Schuh, aber die Ferse war zu groß. Da reichte ihr die Mutter ein Messer und sprach »hau ein Stück von der Ferse ab, wann du Königin bist, brauchst du nicht mehr zu Fuß zu gehen«. Das Mädchen hieb ein Stück von der Ferse ab, zwängte den Fuß in den Schuh, verbiß den Schmerz und gieng heraus zum Königssohn. Da nahm er sie als seine Braut aufs Pferd und ritt mit ihr fort. Als sie an dem Haselbäumchen vorbei kamen, saßen die zwei Täubchen darauf und riefen

»rucke di guck, rucke di guck,
Blut ist im Schuck:
der Schuck ist zu klein,
die rechte Braut sitzt noch daheim.«

Er blickte nieder auf ihren Fuß und sah wie das Blut aus dem Schuh quoll und an den weißen Strümpfen ganz roth heraufgestiegen war. Da wendete er sein Pferd und brachte die falsche Braut wieder nach Haus. »Das ist auch nicht die rechte«, sprach er, »habt ihr keine andere Tochter?« »Nein«, sagte der Mann, »nur von meiner verstorbenen Frau ist noch ein kleines verbuttetes Aschenputtel da, das kann unmöglich die Braut sein.« Der Königssohn sprach, er sollt es herauf schicken, die Mutter aber antwortete »ach nein, das ist viel zu schmutzig, das darf sich nicht sehen lassen«. Er wollte es aber durchaus sehen, und Aschenputtel mußte gerufen werden. Da wusch es sich erst Hände und Angesicht rein, gieng dann hin und neigte sich vor dem Königssohn, der ihm den goldenen Schuh reichte. Es setzte sich auf einen Schemel, zog den linken Fuß aus dem schweren Holzschuh, setzte ihn auf den goldenen Pantoffel, und nur ein wenig brauchte es zu drücken, so stand es darin, als wär er ihm angegossen. Als es aber das Gesicht erhob, da sah er, daß es die war, die mit ihm getanzt hatte, und sprach »das ist die rechte Braut!« Die Stiefmutter und die beiden Schwestern erschraken und wurden bleich vor Ärger: er aber nahm Aschenputtel aufs Pferd und ritt mit ihm fort. Als sie an dem Haselbäumchen vorbei kamen, riefen die zwei weißen Täubchen

»rucke di guck, rucke di guck,
kein Blut im Schuck:
der Schuck ist nicht zu klein,
die rechte Braut die führt er heim.«

Und als sie das gerufen hatten, kamen sie beide herab geflogen, und setzten sich dem Aschenputtel auf die Schultern, eine rechts, die andere links, und blieben da sitzen.

Als die Hochzeit mit dem Königssohn sollte gehalten werden, kamen die falschen Schwestern, wollten sich einschmeicheln und Theil an seinem Glück nehmen. Als die Brautleute nun zur Kirche giengen, war die älteste zur rechten, die jüngste zur linken Seite: da pickten die Tauben einer jeden das eine Auge aus; hernach als sie heraus giengen, war die älteste zur linken, und die jüngste zur

rechten, da pickten die Tauben einer jeden das andere Auge aus. Und waren sie also für ihre Bosheit und Falschheit auf ihr Lebtag gestraft.

15.

Frau Holle.

Eine Wittwe hatte zwei Töchter, davon war die eine schön und fleißig, die andere häßlich und faul. Sie hatte aber die häßliche und faule, weil sie ihre rechte Tochter war, viel lieber, und die andere mußte alle Arbeit thun und der Aschenputtel im Hause sein. Das arme Mädchen mußte sich täglich auf die große Straße neben einen Brunnen setzen und mußte so viel spinnen, daß ihm das Blut aus den Fingern sprang. Nun trug es sich zu, daß die Spule einmal ganz blutig war, da bückte es sich damit in den Brunnen und wollte sie abwaschen: sie sprang ihm aber aus der Hand und fiel hinab. Es weinte, lief zur Stiefmutter und erzählte ihr das Unglück. Sie schalt es heftig und war so unbarmherzig, daß sie sprach »hast du die Spule hinunter fallen lassen, so hol sie auch wieder herauf«. Da gieng das Mädchen zu dem Brunnen zurück und wußte nicht, was es anfangen sollte, und in seiner Herzensangst sprang es in den Brunnen hinein, um die Spule zu holen. Es verlor die Besinnung, und als es erwachte und wieder zu sich selber kam, war es auf einer schönen Wiese: da schien die Sonne und waren viel tausend Blumen. Auf der Wiese gieng es fort und kam zu einem Backofen, der war voller Brot; das Brot aber rief »ach, zieh mich raus, zieh mich raus, sonst verbrenn' ich, ich bin schon längst ausgebacken«. Da trat es mit dem

Brotschieber herzu und holte alles heraus. Danach gieng es weiter und kam zu einem Baum, der hieng voll Äpfel und rief ihm zu »ach schüttel mich, schüttel mich, wir Äpfel sind alle mit einander reif«. Da schüttelte es den Baum, daß die Äpfel fielen, als regneten sie, und schüttelte so lange, bis keiner mehr oben war; und als es alle in einem Haufen zusammen gelegt hatte, gieng es auf dem Pfade weiter. Endlich kam es zu einem kleinen Haus, daraus guckte eine alte Frau: weil sie aber so große Zähne hatte, ward ihm angst, und es wollte fortlaufen. Die alte Frau aber rief ihm nach »was fürchtest du dich, liebes Kind? bleib bei mir, wenn du alle Arbeit im Hause ordentlich thun willst, so soll dirs gut gehn; nur mußt du Acht geben, daß du mein Bett sorgsam machst und fleißig aufschüttelst, daß die Federn fliegen, dann schneit es in der Welt*); ich bin die Frau Holle«. Weil die Alte ihm so gut zusprach, so faßte sich das Mädchen ein Herz, willigte ein und begab sich in ihren Dienst. Es that auch alles zu ihrer Zufriedenheit und schüttelte ihr das Bett immer gewaltig auf, daß die Federn wie Schneeflocken umher flogen; dafür hatte es auch ein gutes Leben bei ihr, kein böses Wort und alle Tage Gesottenes und Gebratenes. Nun war es eine Zeitlang bei der Frau Holle, da ward es traurig und wußte anfangs selbst nicht, was ihm fehlte; endlich merkte es, daß es Heimweh war: und ob es hier gleich viel tausendmal besser war als zu Haus, so hatte es doch ein Verlangen dahin. Endlich sagte es zu ihr »ich habe den Jammer nach Haus kriegt, und wenn es mir auch noch so gut hier unten geht, so kann ich doch nicht länger bleiben, ich muß wieder hinauf zu den Meinigen«. Die Frau Holle sagte »es gefällt mir, daß du wieder nach Haus verlangst, und weil

*) Darum sagt man in Hessen, wenn es schneit, »die Frau Holle macht ihr Bett«.

du mir so treu gedient hast, so will ich dich selbst wieder oben hinbringen«. Sie nahm es darauf bei der Hand und führte es vor ein großes Thor. Das Thor ward aufgethan, und wie das Mädchen gerade darunter stand, fiel ein gewaltiger Goldregen, und alles Gold blieb an ihm hängen, so daß es über und über davon bedeckt war. »Das sollst du haben, weil du so fleißig gewesen bist«, sprach die Frau Holle, und gab ihm auch die Spule wieder, die ihm in den Brunnen gefallen war. Darauf ward das Thor verschlossen und das Mädchen befand sich oben auf der Welt, nicht weit von seiner Mutter Haus, und als es in den Hof kam, saß der Hahn auf dem Brunnen und rief

»kikeriki,
unsere goldene Jungfrau ist wieder hie.«

Da gieng es hinein zu seiner Mutter, und weil es so mit Gold bedeckt ankam, ward es von ihr und der Schwester ganz gut aufgenommen.

Das Mädchen erzählte alles, was ihm begegnet war, und als die Mutter hörte, auf welche Art es zu dem großen Reichthum gekommen war, wollte sie der andern häßlichen und faulen Tochter gerne dasselbe Glück verschaffen. Sie mußte sich an den Brunnen setzen und spinnen; und damit ihre Spule blutig ward, stach sie sich in die Finger und stieß die Hand in die Dornhecke. Dann warf sie die Spule in den Brunnen und sprang selber hinein. Sie kam wie die andere auf die schöne Wiese und gieng auf demselben Pfade weiter. Als sie zu dem Backofen gelangte, schrie das Brot wieder »ach zieh mich raus, zieh mich raus, sonst verbrenn' ich, ich bin schon längst ausgebacken«. Die Faule aber antwortete »da hätt ich Lust mich schmutzig zu machen, bleib sitzen bis du schwarz wirst«, und gieng fort. Bald kam sie zu dem Apfelbaum, der rief »ach, schüttel mich, schüttel mich, wir Äpfel sind alle mit einander reif«. Sie antwortete aber »du kommst mir recht, es könnte mir einer auf den Kopf fallen«, und gieng weiter. Als sie vor der Frau Holle Haus kam, fürchtete sie sich nicht, weil sie von ihren großen Zähnen schon gehört hatte, und verdingte sich gleich zu ihr. Am ersten Tag that sie sich Gewalt an, war fleißig und folgte der Frau Holle, wenn sie ihr etwas sagte, denn sie dachte an das viele Gold, das sie ihr schenken würde; am zweiten Tag aber fieng sie schon an zu faullenzen, am dritten noch mehr, da wollte sie Morgens gar nicht aufstehen. Sie machte auch der Frau Holle das Bett nicht, wie sichs gebührte, und schüttelte es nicht, daß die Federn aufflogen. Das ward die Frau Holle bald müde und sagte ihr den Dienst auf. Das war die Faule wohl zufrieden und meinte nun würde der Goldregen kommen. Die Frau Holle führte sie auch zu dem Thor, als sie aber darunter stand, ward statt des Goldes ein großer Kessel voll Pech ausgeschüttet. »Das ist zur Belohnung deiner Dienste«, sagte die Frau Holle und schloß das Thor zu. Da kam die Faule heim und war ganz mit Pech bedeckt, und der Hahn auf dem Brunnen, als er sie sah, rief

»kikeriki,
unsere schmutzige Jungfrau ist wieder hie.«

Das Pech blieb aber an ihr hängen und wollte, so lange sie lebte, nicht abgehen.

16.

Die sieben Raben.

Ein Mann hatte sieben Söhne und immer noch kein Töchterchen, so sehr er sich auch eins wünschte; endlich gab ihm seine Frau wieder gute Hoffnung zu einem Kinde, und wies zur Welt kam, wars ein Mädchen. Ob es gleich schön war, so wars doch auch schmächtig und klein, und sollte wegen seiner Schwachheit die Nothtaufe haben. Da schickte der Vater einen der Knaben eilends zur Quelle, Taufwasser zu holen, und die andern sechs liefen mit. Jeder wollte aber der erste beim Schöpfen sein, und darüber fiel ihnen der Krug in den Brunnen. Da standen sie und wußten nicht, was sie thun sollten, und keiner getraute sich heim. Dem Vater ward unter der Weile angst das Mädchen müßte ungetauft verscheiden, und wußte gar nicht warum die Jungen so lange ausblieben. »Gewiß«, sprach er, »haben sies wieder über ein Spiel vergessen«; und als sie immer nicht kamen, fluchte er im Ärger »ich wollte, daß die Jungen alle zu Raben würden.« Kaum war das Wort ausgeredet, so hörte er ein Geschwirr über seinem Haupt in der Luft, blickte auf und sah sieben kohlschwarze Raben auf und davon fliegen.

Die Eltern konnten die Verwünschung nicht mehr zurücknehmen, und so traurig sie über den Verlust ihrer sieben Söhne waren, trösteten sie sich doch einigermaßen durch ihr liebes Töchterchen, das bald zu Kräften kam und mit jedem Tage schöner ward. Es wußte lange Zeit nicht einmal, daß es Geschwister gehabt hatte, denn die Eltern hüteten sich ihrer zu erwähnen, bis es eines Tages von ungefähr die Leute von sich sprechen hörte, das Mädchen wäre wohl schön, aber doch eigentlich Schuld an dem Unglück seiner sieben Brüder. Da ward es ganz betrübt, gieng zu Vater und Mutter und fragte, ob es denn Brüder gehabt hätte, und wo sie hingerathen wären? Nun durften die Eltern das Geheimniß nicht länger verschweigen, sagten jedoch es sei so des Himmels Verhängniß gewesen, und seine Geburt nur der unschuldige Anlaß. Allein das Mädchen machte sich täglich ein Gewissen daraus und glaubte es müßte seine Geschwister wieder erlösen. Es hatte nicht Ruhe und Rast, bis es sich heimlich aufmachte und in die weite Welt gieng, seine Brüder irgendwo aufzuspüren und zu befreien, es möchte kosten, was es wollte. Es nahm nichts mit sich als ein Ringlein von seinen Eltern zum Andenken, einen Laib Brot für den Hunger, ein Krüglein Wasser für den Durst und ein Stühlchen für die Müdigkeit.

Nun gieng es immer zu, weit weit bis an der Welt Ende. Da kam es zur Sonne, aber die war zu heiß und fürchterlich und fraß die kleinen Kinder. Eilig lief es weg und hin zu dem Mond, aber der war gar zu kalt und auch grausig und bös, und als er das Kind merkte, sprach er »ich rieche rieche Menschenfleisch«. Da machte es sich geschwind fort und kam zu den Sternen, die waren ihm freundlich und gut, und jeder saß auf seinem besondern Stühlchen. Der Morgenstern aber stand auf, gab ihm ein Hinkelbeinchen und sprach »wenn du das Beinchen nicht hast, kannst du den Glasberg nicht aufschließen, und in dem Glasberg da sind deine Brüder«.

Das Mädchen nahm das Beinchen, wickelte es wohl in ein Tüchlein und gieng wieder fort, so lange, bis es an den Glasberg kam, dessen Thor verschlossen war. Nun wollte es das Beinchen hervor holen, aber wie es das Tüchlein aufmachte, so war es leer, und es hatte das Geschenk der guten Sterne verloren. Was sollte es nun anfangen? seine

Brüder wollte es erretten und hatte keinen Schlüssel zum Glasberg. Das gute Schwesterchen nahm ein Messer, schnitt sich sein kleines Fingerchen ab, steckte es in das Thor und schloß glücklich auf. Als es hinein getreten war, kam ihm ein Zwerglein entgegen, das sprach »mein Kind, was suchst du?« »Ich suche meine Brüder, die sieben Raben«, antwortete es. Der Zwerg sprach »die Herren Raben sind nicht zu Haus, aber willst du hier so lang warten, bis sie kommen, so tritt ein«. Darauf brachte das Zwerglein die Speise der Raben getragen auf sieben Tellerchen und in sieben Becherchen, und von jedem Tellerchen aß das Schwesterchen ein Bröckchen, und aus jedem Becherchen trank es ein Schlückchen, in das letzte Becherchen aber ließ es das Ringlein fallen, das es mitgenommen hatte.

Auf einmal hörte es in der Luft ein Geschwirr und ein Geweh, da sprach das Zwerglein »jetzt kommen die Herren Raben heim geflogen«. Da kamen sie, wollten essen und trinken, und suchten ihre Tellerchen und Becherchen. Da sprach einer nach dem andern »wer hat von meinem Tellerchen gegessen? wer hat aus meinem Becherchen getrunken? das ist eines Menschen Mund gewesen«. Und wie der siebente auf den Grund des Bechers kam, rollte ihm das Ringlein entgegen. Da sah er es an und erkannte, daß es ein Ring von Vater und Mutter war, und sprach »Gott gebe, unser Schwesterlein wäre da, so wären wir erlöst«. Wie das Mädchen, das hinter der Thüre stand und lauschte, den Wunsch hörte, so trat es hervor, und da bekamen alle die Raben ihre menschliche Gestalt wieder. Und sie herzten und küßten einander und zogen fröhlich heim.

17.

Rothkäppchen.

Es war einmal eine kleine süße Dirne, die hatte jedermann lieb, der sie nur ansah, am allerliebsten aber die Großmutter, die wußte gar nicht, was sie alles dem Kinde geben sollte. Einmal schenkte sie ihm ein Käppchen von rothem Sammet, und weil ihm das so wohl stand und es nichts anders mehr tragen wollte, hieß es nur das *Rothkäppchen.* Da sagte einmal seine Mutter zu ihm »komm Rothkäppchen, da hast du ein Stück Kuchen und eine Flasche Wein, brings der Großmutter hinaus: sie ist krank und schwach und wird sich daran laben. Sei aber hübsch artig, guck nicht gleich in alle Ecken herum, wenn du in die Stube kommst, und vergiß nicht ›guten Morgen‹ zu sagen. Geh auch ordentlich und lauf nicht vom Weg ab, sonst fällst du und zerbrichst das Glas: dann hat die kranke Großmutter nichts«.

Rothkäppchen sagte »ich will schon alles gut ausrichten«, und gab der Mutter die Hand darauf. Die Großmutter aber wohnte draußen im Wald, eine halbe Stunde vom Dorf. Wie nun Rothkäppchen in den Wald kam, begegnete ihm der Wolf. Rothkäppchen aber wußte nicht, was das für ein böses Thier war, und fürchtete sich nicht vor ihm. »Guten Tag, Rothkäppchen«, sprach er. »Schönen Dank, Wolf.« »Wo hinaus so früh, Rothkäppchen?« »Zur Großmutter.« »Was trägst du unter der Schürze?« »Kuchen und Wein, gestern haben wir gebacken, da soll sich die kranke und schwache Großmutter etwas zu gut thun und sich damit stärken.« »Rothkäppchen, wo wohnt deine Großmutter?« »Noch eine gute Viertelstunde weiter im Wald, unter den drei großen Eichbäumen, da steht ihr Haus, unten sind die Nußhecken, das wirst du ja wissen«, sagte Rothkäppchen. Der Wolf dachte bei sich »das junge zarte Mädchen, das ist ein fetter Bissen, der wird noch besser schmecken als die Alte: du mußt es listig anfangen, damit du beide erschnappst«. Da gieng er ein Weilchen neben Rothkäppchen her, dann sprach er »Rotkäppchen, sieh einmal die schönen Blumen, die rings umher stehen, warum guckst du dich nicht um? ich glaube du hörst gar nicht, wie die Vöglein so lieblich singen? du gehst ja für dich hin, als wenn du zur Schule giengst, und ist so lustig haußen in dem Wald«.

Rothkäppchen schlug die Augen auf, und als es sah, wie die Sonnenstrahlen durch die Bäume hin und her hüpften, und alles voll schöner Blumen stand, dachte es »wenn ich der Großmutter einen frischen Strauß mitbringe, der wird ihr auch Freude machen; es ist so früh am Tag, daß ich doch zu rechter Zeit ankomme«, sprang in den Wald und suchte Blumen. Und wenn es eine gebrochen hatte, meinte es, weiter hinaus stände eine noch schönere, und lief danach und lief immer weiter in den Wald hinein. Der Wolf aber gieng geradeswegs nach dem Haus der Großmutter und klopfte an die Thüre. »Wer ist draußen?« »Rothkäppchen, das bringt Kuchen und Wein, mach auf.« »Drück nur auf die Klinke«, rief die Großmutter, »ich bin zu schwach und kann nicht aufstehen.« Der Wolf drückte auf die Klinke, trat hinein und gieng, ohne ein Wort zu sprechen, geradezu an das Bett der Großmutter und verschluckte sie. Dann nahm er ihre Kleider, that sie an, setzte ihre Haube auf, legte sich in ihr Bett und zog die Vorhänge vor.

Rothkäppchen aber war derweil nach den Blumen gelaufen, und als es so viel hatte, daß es keine mehr tragen konnte, fiel ihm die Großmutter wieder ein, und es machte sich auf den Weg zu ihr. Es wunderte sich, daß die Thüre aufstand, und wie es in die Stube trat, so kam es ihm so seltsam darin vor, daß es dachte »ei du mein Gott, wie ängstlich wird mirs heute zu Muth, und bin sonst so gerne bei der Großmutter!« Es sprach »guten Morgen«, bekam aber keine Antwort. Darauf gieng es zum Bett und zog die Vorhänge zurück: da lag die Großmutter und hatte die Haube tief ins Gesicht gezogen und sah so wunderlich aus. »Ei, Großmutter, was hast du für große Ohren!« »Daß ich dich besser hören kann.« »Ei, Großmutter, was hast du für große Augen!« »Daß ich dich besser sehen kann.« »Ei, Großmutter, was hast du für große Hände!« »Daß ich ich besser packen kann.« »Aber, Großmutter, was hast du für ein entsetzlich großes Maul!« »Daß ich dich besser fressen kann.« Und wie der Wolf das gesagt hatte, that er einen Satz aus dem Bett auf das arme Rothkäppchen und verschlang es.

Wie der Wolf sein Gelüsten gestillt hatte, legte er sich wieder ins Bett, schlief ein und fieng an überlaut zu schnarchen. Der Jäger gieng eben vorbei und dachte bei sich »wie kann die alte Frau so schnarchen, du mußt einmal nachsehen, ob ihr etwas fehlt«. Da trat er in die Stube, und wie er vor das Bette kam, so lag der Wolf darin. »Finde ich dich endlich, alter Graukopf«, sagte er, »ich habe dich lange gesucht.« Nun wollte er seine Büchse anlegen, da fiel ihm ein der Wolf könnte die Großmutter gefressen haben, und sie wäre noch zu retten, schoß nicht, sondern nahm eine Scheere und fieng an, dem schlafenden Wolf den Bauch aufzuschneiden. Wie er ein paar Schnitte gethan hatte, da sah er das rothe Käppchen leuchten, und noch ein paar Schnitte, da sprang das Mädchen heraus und rief »ach, wie war ich erschrocken, was wars so dunkel in dem Wolf seinem Leib!« Und dann kam die alte Groß-

mutter auch noch lebendig heraus und konnte kaum athmen. Rothkäppchen aber holte geschwind große Steine, damit füllten sie dem Wolf den Leib, und wie er aufwachte, wollte er fortspringen, aber die Steine waren so schwer, daß er gleich niedersank und sich todt fiel.

Da waren alle drei vergnügt; der Jäger nahm den Pelz vom Wolf: die Großmutter aß den Kuchen und trank den Wein, den Rothkäppchen gebracht hatte, und erholte sich wieder: Rothkäppchen aber dachte »du willst dein Lebtag nicht wieder allein vom Wege ab in den Wald laufen, wenn dirs die Mutter verboten hat«.

- -

Es wird auch erzählt, daß einmal, als Rothkäppchen der alten Großmutter wieder Gebackenes brachte, ein anderer Wolf ihm zugesprochen und es vom Wege habe ableiten wollen. Rothkäppchen aber hütete sich und gieng gerade fort seines Wegs und sagte der Großmutter, daß es dem Wolf begegnet wäre, der ihm guten Tag gewünscht, aber so bös aus den Augen geguckt hätte: »wenns nicht auf offner Straße gewesen wäre, er hätte mich gefressen«. »Komm«, sagte die Großmutter, »wir wollen die Thüre verschließen, daß er nicht herein kann.« Bald danach klopfte der Wolf an und rief »mach auf, Großmutter, ich bin das Rothkäppchen, ich bring dir Gebackenes«. Sie schwiegen aber still und machten die Thüre nicht auf: da schlich der Böse etlichemal um das Haus und sprang endlich aufs Dach und wollte warten, bis Rothkäppchen Abends nach Haus gienge, dann wollte er ihm nachschleichen und wollts in der Dunkelheit fressen. Aber die Großmutter merkte, was er im Sinn hatte. Nun stand vor dem Haus ein großer Steintrog: da sprach sie zu dem Kind »nimm den Eimer, Rothkäppchen, gestern hab ich Würste gekocht, da trag das Wasser, worin sie gekocht sind, in den

Trog«. Rothkäppchen trug so lange, bis der große große Trog ganz voll war. Da stieg der Geruch von den Würsten dem Wolf in die Nase, er schnupperte und guckte hinab, endlich machte er den Hals so lang, daß er sich nicht mehr halten konnte und anfieng zu rutschen: so rutschte er vom Dach herab und gerade in den großen Trog hinein und ertrank. Rothkäppchen aber gieng fröhlich nach Haus und that ihm niemand etwas zu Leid.

18.

Die Bremer Stadtmusikanten.

Es hatte ein Mann einen Esel, der schon lange Jahre die Säcke unverdrossen zur Mühle getragen hatte, dessen Kräfte aber nun zu Ende giengen, so daß er zur Arbeit immer untauglicher ward. Da dachte der Herr daran, ihn aus dem Futter zu schaffen, aber der Esel merkte, daß kein guter Wind wehte, lief fort und machte sich auf den Weg nach Bremen, dort, meinte er, könnte er ja Stadtmusikant werden. Als er ein Weilchen fortgegangen war, fand er einen Jagdhund auf dem Wege liegen, der jappte wie einer, der sich müde gelaufen hat. »Nun, was jappst du so, Packan?« fragte der Esel. »Ach«, sagte der Hund, »weil ich alt bin und jeden Tag schwächer werde und auf der Jagd nicht mehr fort kann, hat mich mein Herr wollen todt schlagen, da hab ich Reißaus genommen; aber womit soll ich nun mein Brot verdienen?« »Weißt du was«, sprach der Esel, »ich gehe nach Bremen und werde dort Stadtmusikant: geh mit und laß dich auch bei der Musik annehmen. Ich spiele die Laute, und du schlägst die Pauken.« Der Hund wars zufrieden, und sie giengen weiter. Es dauerte nicht lange, so saß da eine Katze an dem Weg und machte ein Gesicht wie drei Tage Regenwetter. »Nun, was ist dir in die Quere gekommen, alter Bartputzer?« sprach der Esel. »Wer kann da lustig sein, wenns einem an den Kragen geht«, antwortete die Katze, »weil ich nun zu Jahren komme, meine Zähne stumpf werden und ich lieber hinter dem Ofen sitze und spinne, als nach den Mäusen herum jage, hat mich meine Frau ersäufen wollen; ich habe mich zwar noch fortgemacht, aber nun ist guter Rath theuer: wo soll ich hin?« »Geh mit uns nach Bremen, du verstehst dich doch auf die Nachtmusik, da kannst du ein Stadtmusikant werden.« Die Katze hielt das für gut und gieng mit. Darauf kamen die drei Landesflüchtigen an einem Hof vorbei, da saß auf dem Thor der Haushahn und schrie aus Leibeskräften. »Du schreist einem durch Mark und Bein«, sprach der Esel, »was hast du vor?« »Da hab ich gut Wetter prophezeit«, sprach der Hahn, »weil unserer lieben Frauen Tag ist, wo sie dem Christkindlein die Hemdchen gewaschen hat und sie trocknen will: aber weil morgen zum Sonntag Gäste kommen, so hat die Hausfrau doch kein Erbarmen und hat der Köchin gesagt, sie wollte mich morgen in der Suppe essen, und da soll ich mir heut Abend den Kopf abschneiden lassen. Nun schrei ich aus vollem Hals, so lang ich noch kann.« »Ei was, du Rothkopf«, sagte der Esel, »zieh lieber mit uns fort nach Bremen, etwas besseres als den Tod findest du überall; du hast eine gute Stimme, und wenn wir zusammen musiciren, so muß es eine Art haben.« Der Hahn ließ sich den Vorschlag gefallen, und sie giengen alle vier zusammen fort.

Sie konnten aber die Stadt Bremen an einem Tag nicht erreichen und kamen Abends in einen Wald, wo sie übernachten wollten. Der Esel und der Hund legten sich unter einen großen Baum, die Katze und der Hahn machten sich in die Aeste, der Hahn aber flog bis in die Spitze, wo es am sichersten für ihn war. Ehe er einschlief, sah er sich noch einmal nach allen vier Winden um, da däuchte ihn, er sähe in der Ferne ein Fünkchen brennen, und rief seinen Gesellen zu, es müßte nicht gar weit ein Haus sein, denn es scheine ein Licht. Sprach der Esel »so müssen wir uns aufmachen und noch hingehen, denn hier ist die Herberge schlecht«. Der Hund meinte ein paar Knochen und etwas Fleisch dran, thäten ihm auch gut. Nun machten sie sich auf den Weg nach der Gegend, wo das Licht war, und sahen es bald heller schimmern, und es ward immer größer, bis sie vor ein hell erleuchtetes Räuberhaus kamen. Der Esel, als der größte, näherte sich dem Fenster und schaute hinein. »Was siehst du, Grauschimmel?« fragte der Hahn. »Was ich sehe?« antwortete der Esel, »einen gedeckten Tisch mit schönem Essen und Trinken, und Räuber sitzen daran und lassens sich wohl sein.« »Das wäre was für uns« sprach der Hahn. »Ja, ja, ach, wären wir da!« sagte der Esel. Da rathschlagten die Thiere, wie sie es anfangen müßten, um die Räuber hinaus zu jagen, und fanden endlich ein Mittel. Der Esel mußte sich mit den Vorderfüßen auf das Fenster stellen, der Hund auf des Esels Rücken springen, die Katze auf den Hund klettern, und endlich flog der Hahn hinauf und setzte sich der Katze auf den Kopf. Wie das geschehen war, fiengen sie auf ein Zeichen insgesammt an, ihre Musik zu machen: der Esel schrie, der Hund bellte, die Katze miaute und der Hahn krähte; dann stürzten sie durch das Fenster in die Stube hinein, daß die Scheiben klirrend niederfielen. Die Räuber fuhren bei dem entsetzlichen Geschrei in die Höhe, meinten nicht anders als ein Gespenst käme herein, und flohen in größter Furcht in den Wald hinaus. Nun setzten sich die vier Gesellen an den Tisch, nahmen mit dem vorlieb, was übrig geblieben war, und aßen, als wenn sie vier Wochen hungern sollten.

Wie die vier Spielleute fertig waren, löschten sie das Licht aus und suchten sich eine Schlafstätte, jeder nach seiner Natur und Bequemlichkeit. Der Esel legte sich auf den Mist, der Hund hinter die Thüre, die Katze auf den Herd in die warme Asche, und der Hahn setzte sich auf den Hahnenbalken: und weil sie müde waren von ihrem langen Weg, schliefen sie auch bald ein. Als Mitternacht vorbei war, und die Räuber von weitem sahen, daß kein Licht mehr im Haus brannte, auch alles ruhig schien, sprach der Hauptmann »wir hätten uns doch nicht sollen ins Bockshorn jagen lassen«, und hieß einen hingehen und das Haus untersuchen. Der Abgeschickte fand alles still, gieng in die Küche, wollte ein Licht anzünden, und weil er die glühenden, feurigen Augen der Katze für lebendige Kohlen ansah, hielt er ein Schwefelhölzchen daran, daß es Feuer fangen sollte. Aber die Katze verstand keinen Spaß, sprang ihm ins Gesicht, spie und kratzte. Da erschrak er gewaltig, lief und wollte zur Hinterthüre hinaus, aber der Hund, der da lag, sprang auf und biß ihn ins Bein; und als er über den Hof an dem Miste vorbei rennte, gab ihm der Esel noch einen tüchtigen Schlag mit dem Hinterfuß; der Hahn aber, der vom Lärmen aus dem Schlaf geweckt und munter geworden war, rief vom Balken herab »kikeriki!« Da lief der Räuber, was er konnte, zu seinem Hauptmann zurück und sprach »ach, in dem Haus sitzt eine gräuliche Hexe, die hat mich angehaucht und mit ihren langen Fingern mir das Gesicht zerkratzt: und vor der Thür steht ein Mann mit einem Messer, der hat mich ins Bein gestochen: und auf dem Hof liegt ein schwarzes Ungethüm, das hat mit einer Holzkeule auf mich losgeschlagen: und oben auf dem Dache, da sitzt der Richter, der rief ›bringt mir den Schelm her‹. Da machte ich, daß ich fortkam«. Von nun an getrauten sich die Räuber nicht weiter in das Haus, den vier Bremer Musikanten gefiels aber so wohl darin, daß sie nicht wieder heraus wollten. Und der das zuletzt erzählt hat, dem ist der Mund noch warm.

19.

Die kluge Else.

Es war ein Mann, der hatte eine Tochter, die hieß die *kluge Else.* Als sie nun erwachsen war, sprach der Vater »wir wollen sie heirathen lassen«. »Ja«, sagte die Mutter »wenn nur einer käme, der sie haben wollte.« Endlich kam von weither einer, der hieß *Hans*, und hielt um sie an, er machte aber die Bedingung, daß die kluge Else auch recht gescheidt wäre. »O«, sprach der Vater, »die hat Zwirn im Kopf«, und die Mutter sagte »ach, die sieht den Wind auf der Gasse laufen und hört die Fliegen husten.« »Ja«, sprach der Hans, »wenn sie nicht recht gescheidt ist, so nehm ich sie nicht.« Als sie nun zu Tisch saßen und gegessen hatten, sprach die Mutter »Else, geh in den Keller und hol Bier«. Da nahm die kluge Else den Krug von der Wand, gieng in den Keller und klappte unterwegs brav mit dem Deckel, damit ihr die Zeit ja nicht lang würde. Als sie unten war, holte sie ein Stühlchen und stellte es vors Faß, damit sie sich nicht zu bücken brauchte und ihrem Rücken etwa nicht weh thäte und unverhofften Schaden nähme. Dann schob sie die Kanne mit dem Fuße vor sich und drehte den Hahn auf, und während der Zeit, daß das Bier hinein lief, wollte sie doch ihre Augen nicht müssig lassen und sah oben an die Wand hinauf und erblickte nach vielem Hin- und Herschauen eine Kreuzhacke gerade über sich, welche die Maurer da aus Versehen hatten stecken lassen. Da fieng die kluge Else an zu weinen und sprach »wenn ich den Hans kriege, und wir kriegen ein Kind, und das ist groß, und wir schicken das Kind in den Keller, daß es hier soll Bier zapfen, so fällt ihm die Kreuzhacke auf den Kopf und schlägts todt«.

Da blieb sie sitzen und weinte aus Leibeskräften über das bevorstehende Unglück. Oben saßen sie und warteten auf den Trank, aber die kluge Else kam immer nicht. Da sprach die Frau zur Magd »geh doch hinunter in den Keller und sieh, wo die Else bleibt«. Die Magd gieng und fand sie vor dem Fasse sitzend und laut schreiend. »Else, was weinst du?« fragte die Magd. »Ach«, antwortete sie, »soll ich nicht weinen? wenn ich den Hans kriege, und wir kriegen ein Kind, und das ist groß und soll hier Trinken zapfen, so fällt ihm vielleicht die Kreuzhacke auf den Kopf und schlägt es todt.« Da sprach die Magd »was haben wir für eine kluge Else!« setzte sich zu ihr und fieng auch an über das Unglück zu weinen. Ueber eine Weile, als die Magd nicht wieder kam, und die droben durstig nach dem Trank waren, sprach der Mann zum Knecht »geh doch hinunter in den Keller und sieh, wo die Else und die Magd bleibt«. Der Knecht gieng hinab, da saß die kluge Else und die Magd, und weinten beide zusammen. Da fragte er »was weint ihr denn?« »Ach«, sprach die Else, »soll ich nicht weinen? wenn ich den Hans kriege, und wir kriegen ein Kind, und das ist groß und soll hier Trinken zapfen, so fällt ihm die Kreuzhacke auf den Kopf, und schlägts todt.« Da sprach der Knecht »was haben wir für eine kluge Else!« setzte sich zu ihr und fieng auch an laut zu heulen. Oben warteten sie auf den Knecht, als er aber immer nicht kam, sprach der Mann zur Frau »geh doch hinunter in den

Keller und sieh, wo die Else bleibt«. Die Frau gieng hinab und fand alle drei in Wehklagen, und fragte nach der Ursache, da erzählte ihr die Else auch, daß ihr zukünftiges Kind wohl würde von der Kreuzhacke todtgeschlagen werden, wenn es erst groß wäre und Bier zapfen sollte, und die Kreuzhacke fiele herab. Da sprach die Mutter gleichfalls »ach, was haben wir für eine kluge Else!« setzte sich hin und weinte mit. Der Mann oben wartete noch ein Weilchen, als aber seine Frau nicht wieder kam und sein Durst immer stärker ward, sprach er »ich muß nur selber in den Keller gehn und sehen, wo die Else bleibt«. Als er aber in den Keller kam, und alle da bei einander saßen und weinten, und er die Ursache hörte, daß das Kind der Else schuld wäre, das sie vielleicht einmal zur Welt brächte und von der Kreuzhacke könnte todtgeschlagen werden, wenn es gerade zur Zeit, wo sie herab fiele, darunter säße, Bier zu zapfen: da rief er »was für eine kluge Else!« setzte sich und weinte auch mit. Der Bräutigam blieb lange oben allein: da niemand wiederkommen wollte, dachte er »sie werden unten auf dich warten, du muß auch hingehen und sehen, was sie vorhaben«. Als er hinab kam, saßen da fünfe und schrien und jammerten ganz erbärmlich, einer immer besser als der andere. »Was für ein Unglück ist denn geschehen?« fragte er. »Ach, lieber Hans«, sprach die Else, »wann wir einander heirathen und haben ein Kind, und es ist groß, und wir schickens vielleicht hierher Trinken zu zapfen, da kann ihm ja die Kreuzhacke, die da oben ist stecken geblieben, wenn sie herabfallen sollte, den Kopf zerschlagen, daß es liegen bleibt! sollen wir da nicht weinen?« »Nun«, sprach der Hans, »mehr Verstand ist für meinen Haushalt nicht nöthig: weil du so eine kluge Else bist, so will ich dich haben«, packte sie bei der Hand und nahm sie mit hinauf und hielt Hochzeit mit ihr.

Als sie den Hans eine Weile hatte, sprach er »Frau ich will ausgehen arbeiten und uns Geld verdienen, geh du ins Feld und schneid das Korn, daß wir Brot haben«. »Ja, mein lieber Hans, das will ich thun.« Nachdem der Hans fort war, kochte sie sich einen guten Brei und nahm ihn mit ins Feld. Als sie vor den Acker kam, sprach sie zu sich selbst »was thu ich? schneid ich ehr, oder eß ich ehr? hei, ich will erst essen«. Nun aß sie ihren Topf mit Brei aus, und als sie dick satt war, sprach sie wieder »was thu ich? schneid ich ehr, oder schlaf ich ehr? hei, ich will erst schlafen«. Da legte sie sich ins Korn und schlief ein. Der Hans war längst zu Haus, aber die Else wollte nicht kommen: da sprach er »was hab ich für eine kluge Else, die ist so fleißig, daß sie nicht einmal nach Haus kommt und ißt«. Als sie aber noch immer ausblieb, und es Abend ward, gieng der Hans hinaus und wollte sehen, was sie geschnitten hätte: aber es war nichts geschnitten, sondern sie lag im Korn und schlief. Da eilte Hans geschwind heim und holte ein Vogelgarn mit kleinen Schellen und hängte es um sie herum; und sie schlief noch immer fort. Dann lief er heim, schloß die Hausthüre zu und setzte sich auf seinen Arbeitsstuhl nieder. Endlich, wie es schon ganz dunkel war, erwachte die kluge Else, und als sie aufstand, rappelte es um sie herum bei jedem Schritte, den sie that. Da erschrak sie, ward irre, ob sie auch wirklich die kluge Else wäre und sprach »bin ichs, oder bin ichs nicht?« Sie wußte aber nicht, was sie darauf antworten sollte und stand eine Zeitlang zweifelhaft: endlich dachte sie »ich will nach Haus gehen und fragen, ob ichs bin oder ob ichs nicht bin, die werdens ja wissen«. Sie lief vor ihre Hausthüre, aber die war verschlossen: da klopfte sie an das Fenster und rief »Hans, ist die Else drinnen?« »Ja«, antwortete der Hans, »sie ist drinnen.« Da erschrak sie und sprach »ach Gott, dann bin ichs nicht«, und ging vor eine andere Thür; als aber die Leute das Klingeln der Schellen hörten, wollten sie nicht aufmachen, und sie konnte nirgend unterkommen. Da lief sie fort zum Dorfe hinaus, und niemand hat sie wieder gesehen.

20.

Daumesdick.

Es war ein armer Bauersmann, der saß Abends beim Herd und schürte das Feuer, und die Frau saß und spann. Da sprach er »wie ists so traurig, daß wir keine Kinder haben! es ist so still bei uns, und in den andern Häusern gehts so laut und lustig her«. »Ja«, antwortete die Frau und seufzte, »wenns nur ein einziges wäre, und wenns auch ganz klein wäre, nur Daumes groß, so wollt ich schon zufrieden sein; wir hättens doch von Herzen lieb.« Nun geschah es, daß die Frau kränklich ward und nach sieben Monaten ein Kind gebar, das zwar an allen Gliedern vollkommen, aber nicht länger als ein Daumen war. Da sprachen sie »es ist, wie wir es gewünscht haben, und es soll unser liebes Kind sein«, und nannten es nach seiner Gestalt *Daumesdick*. Sie ließens nicht an Nahrung fehlen, aber das Kind ward nicht größer, sondern blieb, wie es in der ersten Stunde gewesen war; doch schaute es verständig aus den Augen und zeigte sich bald als ein kluges und behendes Ding, dem alles glückte, was es anfieng.

Der Bauer machte sich einmal fertig in den Wald zu gehen und Holz zu fällen; da sprach er so vor sich hin »nun wollt ich, daß einer da wäre, der mir den Wagen nachbrächte«. »O Vater«, rief Daumesdick, »den Wagen will ich schon bringen, verlaßt euch drauf, er soll zur bestimmten Zeit im Walde sein.« Da lachte der Mann und sprach »wie sollte das zugehen, du bist viel zu klein, um das Pferd mit dem Zügel zu leiten«. »Das thut nichts, Vater, wenn nur die Mutter anspannen will, ich setze mich dem Pferd ins Ohr und rufe ihm zu, wie es gehen soll.« »Nun«, antwortete der Vater, »einmal wollen wirs versuchen.« Als die Stunde kam, spannte die Mutter an und setzte den Daumesdick dem Pferd ins Ohr: da rief der Kleine, wie das Pferd gehen sollte, »jüh und joh! hott und har!« Da ging es ganz ordentlich als wie bei einem Meister, und der Wagen fuhr den rechten Weg nach dem Walde. Es trug sich zu, als er eben um eine Ecke bog, und der Kleine »har, har!« rief, daß zwei fremde Männer daher kamen. »Mein«, sprach der eine, »was ist das? da fährt ein Wagen, und ein Fuhrmann ruft dem Pferde zu und ist doch nicht zu sehen.« »Das geht nicht mit rechten Dingen zu«, sagte der andere, »wir wollen dem Karren folgen und sehen, wo er anhält.« Der Wagen aber fuhr vollends in den Wald hinein und richtig zu dem Platze, wo das Holz gehauen ward. Als Daumesdick seinen Vater erblickte, rief er ihm zu »siehst du, Vater, da bin ich mit dem Wagen, nun hol mich herunter«. Der Vater faßte das Pferd mit der linken und holte mit der rechten sein Söhnlein aus dem Ohr, das sich ganz lustig auf einen Strohhalm niedersetzte. Als die beiden fremden Männer den Daumesdick erblickten, wußten sie nicht, was sie vor Verwunderung sagen sollten. Da nahm der eine den andern beiseit und sprach »hör, der kleine Kerl könnte unser Glück machen, wenn wir ihn in einer großen Stadt für Geld sehen ließen: wir wollen ihn kaufen«. Sie giengen zu dem Bauer und sprachen »verkauft uns den kleinen Mann, er solls gut bei uns haben«. »Nein«, antwortete der Vater, »es ist mein Herzblatt und ist mir für alles Gold in der Welt nicht feil.« Daumesdick aber, als er von dem Handel hörte, kroch an den Rockfalten seines Vaters hinauf, stellte sich ihm auf die Schulter und sagte ihm ins Ohr »Vater, gib mich nur hin, ich will schon wieder zu dir kommen«. Da gab ihn der Vater für ein schönes Stück Geld den beiden Männern hin. »Wo willst du sitzen?« sprachen sie zu ihm. »Ach, setzt mich nur auf den Rand von eurem Hut, da kann ich auf und ab spazieren und die Gegend betrachten und falle doch nicht herunter.« Sie thaten ihm den Willen, und als Daumesdick Abschied von seinem Vater genommen hatte, machten sie sich mit ihm fort. So giengen sie, bis es dämmerig ward, da sprach der Kleine »hebt mich einmal herunter, es ist nöthig«. »Bleib nur droben«, sprach der Mann, auf dessen Kopf er saß, »ich will mir nichts draus machen, die Vögel lassen mir auch manchmal was drauf fallen.« »Nein«, sprach Daumesdick, »ich weiß auch, was sich schickt: hebt mich nur geschwind herab.« Der Mann nahm den Hut ab und setzte den Kleinen auf einen Acker am Weg, da sprang und kroch er ein wenig zwischen den Schollen hin und her und schlüpfte dann auf einmal in ein Mausloch das er sich ausgesucht hatte. »Guten Abend ihr Herren, geht nur ohne mich heim«, rief er ihnen zu und lachte sie aus. Sie liefen herbei und stachen mit Stöcken in das Mausloch, aber das war vergebliche Mühe, Daumesdick kroch immer weiter zurück; und da es bald ganz dunkel ward, so mußten sie mit Aerger und mit leerem Beutel wieder heim wandern.

Als Daumesdick merkte, daß sie fort waren, kroch er aus dem unterirdischen Gang wieder hervor. »Es ist hier auf dem Acker in der Finsterniß so gefährlich gehen«, sprach er, »wie leicht bricht einer Hals und Bein!« Zum Glück stieß er an ein leeres Schneckenhaus. »Gottlob«, sagte er,

»da kann ich die Nacht sicher zubringen«, und setzte sich hinein. Nicht lang, als er eben einschlafen wollte, so hörte er zwei Männer vorüber gehen, davon sprach der eine »wie wirs nur anfangen, um dem reichen Pfarrer sein Geld und sein Silber zu holen?« »Das könnt ich dir sagen«, rief Daumesdick dazwischen. »Was war das?« sprach der eine Dieb erschrocken, »ich hörte jemand sprechen.« Sie blieben stehen und horchten, da sprach Daumesdick wieder »nehmt mich mit, so will ich euch helfen«. »Wo bist du denn?« »Suchet nur hier auf der Erde und merkt, wo die Stimme herkommt«, antwortete er. Da fanden ihn endlich die Diebe und hoben ihn in die Höhe. »Du kleiner Wicht, was willst du uns helfen!« sprachen sie. »Seht«, antwortete er, »ich krieche zwischen den Eisenstäben in die Kammer des Pfarrers hinein und reiche euch heraus, was ihr haben wollt.« »Wohlan«, sagten sie, »wir wollen sehen, was du kannst.« Als sie bei dem Pfarrhaus kamen, kroch Daumesdick in die Kammer, schrie aber gleich aus Leibeskräften »wollt ihr alles haben, was hier ist?« Die Diebe erschraken und sagten »so sprich doch leise, damit niemand aufwacht«. Aber Daumesdick that, als hätte er sie nicht verstanden und schrie von neuem »was wollt ihr? wollt ihr alles haben, was hier ist?« Das hörte die Köchin, die in der Stube daran schlief, richtete sich im Bette auf und horchte. Die Diebe aber waren vor Schrecken ein Stück Wegs zurückgelaufen, endlich faßten sie wieder Muth, dachten »der kleine Kerl will uns necken«, kamen zurück und flüsterten ihm hinein »nun mach Ernst und reich uns etwas heraus«. Da schrie Daumesdick noch einmal, so laut er konnte, »ich will euch ja alles geben, reicht nur die Hände herein«. Das hörte die horchende Magd ganz deutlich, sprang aus dem Bett und stolperte zur Thür herein. Die Diebe liefen fort und rannten, als wäre der wilde Jäger hinter ihnen: die Magd aber, als sie nichts bemerken konnte, gieng ein Licht anzuzünden. Wie sie damit herbeikam, machte sich Daumesdick, ohne daß er gesehen wurde, hinaus in die Scheune: die Magd aber, nachdem sie alle Winkel durchgesucht und nichts gefunden hatte, legte sich endlich wieder zu Bett und glaubte, sie hätte mit offenen Augen und Ohren doch nur geträumt.

Daumesdick war in den Heuhälmchen herumgeklettert und hatte einen schönen Platz zum Schlafen gefunden: da wollte er sich ausruhen, bis es Tag wäre, und dann zu seinen Eltern wieder heim gehen. Aber er mußte andere Dinge erfahren! ja, es gibt viel Trübsal und Noth auf der Welt! Die Magd stieg, wie gewöhnlich, als der Tag graute, schon aus dem Bett und wollte das Vieh füttern. Ihr erster Gang war in die Scheune, wo sie einen Arm voll Heu packte und gerade dasjenige, worin der arme Daumesdick lag und schlief. Er schlief aber so fest, daß er nichts gewahr ward, auch nicht eher aufwachte als bis er in dem Maul der Kuh war, die ihn mit dem Heu aufgerafft hatte. »Ach Gott«, rief er, »wie bin ich in die Walkmühle gerathen!« merkte aber bald, wo er war. Da hieß es aufpassen, daß er nicht zwischen die Zähne kam und zermalmt ward, aber er mußte doch mit in den Magen hinabrutschen. »In dem Stübchen sind die Fenster vergessen«, sprach er, »und scheint keine Sonne hinein: ein Licht wird gar nicht zu haben sein!« Ueberhaupt gefiel ihm das Quartier schlecht, und was das schlimmste war, es kam immer mehr neues Heu zur Thür herein und der Platz ward immer enger. Da rief er endlich in der Angst, so laut er konnte, »bringt mir kein frisch Futter mehr, bringt mir kein frisch Futter mehr«. Die Magd melkte gerade die Kuh, und als sie sprechen hörte, ohne jemand zu sehen, und es dieselbe Stimme war, die sie auch in der Nacht gehört hatte, erschrak sie so, daß sie von ihrem Stühlchen herabglitschte und die Milch verschüttete. Sie lief in der größten Hast zu ihrem Herrn und rief »ach Gott, Herr Pfarrer, die Kuh hat geredet«. »Du bist verrückt«, antwortete der Pfarrer, gieng aber doch selbst in den Stall nachzusehen, was vor wäre. Aber kaum hatte er den Fuß hineingesetzt, so rief Daumesdick eben aufs neue »bringt mir kein frisch Futter mehr, bringt mir kein frisch Futter mehr«. Da erschrak der Pfarrer selbst, meinte, es wäre ein böser Geist und hieß die Kuh tödten. Nun ward sie geschlachtet, der Magen aber worin Daumesdick steckte, ward auf den Mist geworfen. Daumesdick suchte sich hindurch zu arbeiten, und hatte große Mühe damit, doch endlich brachte er es so weit, daß er Platz bekam, aber, als er eben sein Haupt herausstrecken wollte, kam ein neues Unglück. Ein hungriger Wolf sprang vorbei und verschlang den ganzen Magen mit einem Schluck. Daumesdick verlor den Muth nicht, »vielleicht«, dachte er, »läßt der Wolf mit sich reden«, und rief ihm aus dem Wanste zu »lieber Wolf, ich weiß dir einen herrlichen Fraß«. »Wo ist der zu holen?« sprach der Wolf. »In dem und dem Haus, da mußt du durch die Gosse hinein kriechen und wirst Kuchen, Speck und Wurst finden, so viel du essen willst«, und beschrieb ihm genau seines Vaters Haus. Der Wolf ließ sich das nicht zweimal sagen, drängte sich in der Nacht zur Gosse hinein und fraß in der Vorrathskammer nach Herzenslust. Als er satt war, wollte er wieder fort, aber er war so dick geworden, daß er denselben Weg nicht wieder hinaus konnte. Darauf hatte Daumesdick gerechnet und fieng nun an in dem Leib des Wolfs einen gewaltigen Lärmen zu machen, tobte und schrie, was er konnte. »Willst du stille sein«, sprach der Wolf, »du weckst die Leute auf.« »Ei was«, antwortete der Kleine, »du hast dich satt gefressen, ich will mich auch lustig machen«, und fieng von neuem an aus allen Kräften zu schreien. Davon erwachte endlich sein Vater und seine Mutter, liefen an die Kammer und schauten durch die Spalte hinein. Wie sie sahen, daß ein Wolf darin hauste, liefen sie davon, und der Mann holte die Axt, und die Frau die Sense. »Bleib dahinten«, sprach der Mann, als sie in die Kammer traten, »wenn ich ihm einen Schlag gegeben habe und er davon noch nicht todt ist, so mußt du auf ihn einhauen und ihm den Leib zerschneiden.« Da hörte Daumesdick die Stimme seines Vaters und rief »lieber Vater, ich bin hier, ich stecke im Leibe des Wolfs«. Sprach der Vater voll Freuden »gottlob, unser liebes Kind hat sich wieder gefunden«, und hieß der Frau die Sense wegthun, damit Daumesdick nicht beschädigt würde. Danach holte er aus und schlug dem Wolf einen Schlag auf den Kopf, daß er todt niederstürzte: dann suchten sie Messer und Scheere, schnitten ihm den Leib auf und zogen den Kleinen wieder hervor. »Ach«, sprach der Vater, »was haben wir für Sorge um dich ausgestanden!« »Ja, Vater, ich bin viel in der Welt herumgekommen; gottlob, daß ich wieder frische Luft schöpfe.« »Wo bist du denn all gewesen?« »Ach Vater, ich war in einem Mauseloch, in einer Kuh Bauch und in eines Wolfes Wanst: nun bleib ich bei euch.« »Und wir verkaufen dich um alle Reichthümer der Welt nicht wieder.« Da herzten und küßten sie ihren lieben Daumesdick, gaben ihm zu essen und trinken und ließen ihm neue Kleider machen, denn die seinigen waren ihm auf der Reise verdorben.

21.

Daumerlings Wanderschaft.

Ein Schneider hatte einen Sohn, der war klein gerathen und nicht größer als ein Daumen, darum hieß er auch der Daumerling. Er hatte aber Courage im Leibe und sagte zu seinem Vater »Vater, ich soll und muß in die Welt hinaus«. »Recht, mein Sohn«, sprach der Alte, nahm eine Stopfnadel und machte am Licht einen Knoten von Siegellack daran, »da hast du auch einen Degen mit auf den Weg.« Nun wollte das Schneiderlein noch einmal mit essen und hüpfte in die Küche, um zu sehen, was die Frau Mutter zu guter Letzt gekocht hätte. Es war aber eben angerichtet, und die Schüssel stand auf dem Herd. Da sprach es »Frau Mutter, was giebts heute zu essen?« »Sieh du selbst zu«, sagte die Mutter. Da sprang Daumerling auf den Herd und guckte in die Schüssel: weil er aber den Hals zu weit hineinsteckte, faßte ihn der Dampf von der Speise und trieb ihn zum Schornstein hinaus. Eine Weile ritt er auf dem Dampf in der Luft herum, bis er endlich wieder auf die Erde herabsank. Nun war das Schneiderlein draußen in der weiten Welt, zog umher, gieng auch bei einem Meister in die Arbeit, aber das Essen war ihm nicht gut genug. »Frau Meisterin, wenn sie uns kein besser Essen gibt«, sagte der Daumerling, »so gehe ich fort und schreibe morgen früh mit Kreide an ihre Hausthüre: Kartoffel zu viel, Fleisch zu wenig, Adies, Herr Kartoffelkönig.« »Was willst du wohl, Grashüpfer?« sagte die Meisterin, ward bös, ergriff einen Lappen und wollte nach ihm schlagen: mein Schneiderlein aber kroch behende unter den Fingerhut, guckte unten hervor und streckte der Frau Meisterin die Zunge heraus. Sie hob den Fingerhut auf und wollte ihn packen, aber der kleine Daumerling hüpfte in die Lappen, und wie die Meisterin die Lappen auseinander warf und ihn suchte, machte er sich in den Tischritz. »He, he, Frau Meisterin«, rief er und steckte den Kopf in die Höhe, und wenn sie zuschlagen wollte, sprang er in die Schublade hinunter. Endlich aber erwischte sie ihn doch und jagte ihn zum Haus hinaus.

Das Schneiderlein wanderte und kam in einen großen Wald: da begegnete ihm ein Haufen Räuber, die hatten vor, des Königs Schatz zu bestehlen. Als sie das Schneiderlein sahen, dachten sie »so ein kleiner Kerl kann durch ein Schlüsselloch kriechen und uns als Dietrich dienen«. »Heda«, rief einer, »du Riese Goliath, willst du mit zur Schatzkammer gehen? du kannst dich hineinschleichen und das Geld herauswerfen.« Der Daumerling besann sich, endlich sagte er ja und gieng mit zu der Schatzkammer. Da besah er die Thüre oben und unten, ob kein Ritz darin wäre. Nicht lange, so entdeckte er einen und wollte gleich einsteigen. Die eine Schildwache sprach zur andern »was kriecht da für eine garstige Spinne; ich will sie todt treten«. »Laß das arme Thier gehen«, sagte die andere, »es hat dir ja nichts gethan.« Nun kam der Daumerling durch den Ritz glücklich in die Schatzkammer, öffnete das Fenster, unter welchem die Räuber standen, und warf ihnen einen Thaler nach dem andern hinaus. Als das Schneiderlein in der besten Arbeit war, hörte es den König kommen, der seine Schatzkammer besehen wollte, und verkroch sich eilig. Der König merkte, daß viele harte Thaler fehlten, konnte aber nicht begreifen, wer sie sollte gestohlen haben, da Schlösser und Riegel in gutem Stand waren, und alles wohl verwahrt schien. Da gieng er wieder fort und sprach zu den zwei Wachen »habt Acht, es ist einer hinter dem Geld«. Als der Daumerling nun seine Arbeit von neuem anfieng, hörten sie das Geld drinnen sich regen und klingen klipp, klapp, klipp, klapp. Sie eilten hinein und wollten den Dieb greifen, aber das Schneiderlein, das sie kommen hörte, war noch geschwinder, sprang in eine Ecke und deckte einen Thaler über sich, so daß nichts von ihm zu sehen war; dabei neckte es noch die Wachen und rief »hier bin ich«. Die Wachen liefen dahin, wie sie aber ankamen, war es schon in eine andere Ecke unter einen Thaler gehüpft und rief »he, hier bin ich«. Die Wachen sprangen herbei, Daumerling war aber längst in einer dritten Ecke und rief »he, hier bin ich«. Und so hatte es sie zu Narren und trieb sie so lange in der Schatzkammer herum, bis sie müde waren und davon giengen. Nun warf es die Thaler nach und nach alle hinaus: den letzten schnellte es mit aller Macht, hüpfte dann selber noch behendiglich darauf und flog mit ihm durchs Fenster hinab. Die Räuber machten ihm große Lobsprüche, »du bist ein gewaltiger Held«, sagten sie; »willst du unser Hauptmann werden?« Daumerling bedankte sich aber und sagte, er müßte sich erst in der Welt umsehen. Sie theilten nun die Beute, das Schneiderlein aber verlangte nur einen Kreuzer, weil es nicht mehr tragen konnte.

Darauf schnallte es seinen Degen wieder um den Leib, sagte den Räubern guten Tag und nahm den Weg zwischen die Beine. Es versuchte zwar bei etlichen Meistern wieder die Schneiderarbeit, aber sie wollte ihm nicht schmecken, und endlich verdingte es sich als Hausknecht in einem Gasthof. Die Mägde konnten es nicht leiden, denn ohne gesehen zu werden, sah er alles, was sie heimlich thaten, und gab bei der Herrschaft an, was sie sich von den Tellern genommen und aus dem Keller für sich weggeholt hatten. Da sprachen sie »wart, wir wollen dirs eintränken«, und verabredeten unter einander ihm einen

Schabernack anzuthun. Als die eine Magd bald hernach im Garten mähte und den Daumerling da herumspringen und an den Kräutern auf und ab kriechen sah, mähte sie ihn mit dem Gras schnell zusammen, band alles in ein großes Tuch und warf es heimlich den Kühen vor. Nun war eine große schwarze darunter, die schluckte ihn mit hinab, ohne ihm weh zu thun. Unten gefiels ihm aber schlecht, denn es war ganz finster und brannte da kein Licht. Als die Kuh gemelkt wurde, da rief er

»strip, strap, stroll,
ist der Eimer bald voll?«

Doch bei dem Geräusch des Melkens wurde er nicht verstanden. Hernach trat der Hausherr in den Stall und sprach »morgen soll die Kuh da geschlachtet werden«. Da ward dem Daumerling angst, daß er mit heller Stimme rief »laßt mich erst heraus, ich sitze ja drin«. Der Herr hörte das wohl, wußte aber nicht, wo die Stimme herkam. »Wo bist du?« rief er. »In der schwarzen«, antwortete er, aber der Herr verstand nicht, was das heißen sollte, und gieng fort.

Am andern Morgen wurde die Kuh geschlachtet; glücklicherweise traf bei dem Zerhacken und Zerlegen den Daumerling kein Hieb, aber er gerieth unter das Wurstfleisch. Wie nun der Metzger herbeitrat und seine Arbeit anfieng, schrie er aus Leibeskräften »hackt nicht zu tief, hackt nicht zu tief, ich stecke ja drunter«. Vor dem Lärmen der Hackmesser hörte das kein Mensch. Nun hatte der arme Daumerling seine Noth, aber die Noth macht Beine, und da sprang er so behend zwischen den Hackmessern durch, daß ihn keins anrührte, und er mit heiler Haut davon kam. Aber entspringen konnte er auch nicht: es war keine andere Auskunft, er mußte sich mit den Speckbrocken in eine Blutwurst hinunter stopfen lassen. Da war das Quartier etwas enge, und dazu ward er noch in den Schornstein zum Räuchern aufgehängt, wo ihm Zeit und Weile gewaltig lang wurde. Endlich im Winter wurde er herunter geholt, weil die Wurst einem Gaste sollte vorgesetzt werden. Als nun die Frau Wirthin die Wurst in Scheiben schnitt, nahm er sich in acht, daß er den Kopf nicht zu weit vorstreckte, damit ihm nicht etwa der Hals mit abgeschnitten würde, endlich ersah er seinen Vortheil, machte sich Luft und sprang heraus.

In dem Hause aber, wo es ihm so übel ergangen war, wollte das Schneiderlein nicht länger mehr bleiben, sondern begab sich gleich wieder auf die Wanderung. Doch seine Freiheit dauerte nicht lange: auf dem offenen Feld kam es einem Fuchs in den Weg, der schnappte es in Gedanken auf. »Ei, Herr Fuchs«, riefs Schneiderlein, »ich bins ja, der in eurem Hals steckt, laßt mich wieder frei.« »Du hast recht«, antwortete der Fuchs, »an dir hab ich doch so viel als nichts; versprichst du mir die Hühner in deines Vaters Hof, so will ich dich loslassen.« »Von Herzen gern«, antwortete der Daumerling, »die Hühner sollst du alle haben, das gelobe ich dir.« Da ließ ihn der Fuchs wieder los und trug ihn selber heim. Als der Vater sein liebes Söhnlein wieder sah, gab er dem Fuchs gerne alle die Hühner, die er hatte. »Dafür bring ich dir auch ein schönes Stück Geld mit«, sprach der Daumerling, und reichte ihm den Kreuzer, den er auf seiner Wanderschaft erworben hatte.

»Warum hat aber der Fuchs die armen Piephühner zu fressen kriegt?« »Ei, du Narr, deinem Vater wird ja wohl ein Kind lieber sein als die Hühner auf dem Hof.«

22.

Fitchers Vogel.

Es war einmal ein Hexenmeister, der nahm die Gestalt eines armen Mannes an, gieng vor die Häuser und bettelte und fieng die schönen Mädchen. Kein Mensch wußte, wo er sie hinbrachte, denn sie kamen nie wieder zum Vorschein. Nun trat er auch einmal vor die Thüre eines Mannes, der drei schöne Töchter hatte, sah aus wie ein armer schwacher Bettler und trug eine Kötze auf dem Rücken, als wollte er milde Gaben darin sammeln. Er bat um ein bischen Essen, und als die älteste herauskam und ihm ein Stück Brot reichen wollte, rührte er sie nur an, und sie mußte in seine Kötze springen. Darauf eilte er mit starken Schritten fort und trug sie in einen finstern Wald zu seinem Haus, das mitten darin stand. In dem Haus war alles prächtig: er gab ihr, was sie nur wünschte und sprach »mein Schatz, es wird dir wohl gefallen bei mir, denn du hast alles, was dein Herz begehrt«. Das dauerte ein paar Tage, da sagte er »ich muß fortreisen und dich eine kurze Zeit allein lassen, da sind die Hausschlüssel: du kannst überall hingehen und alles betrachten, nur nicht in eine Stube, die dieser kleine Schlüssel da aufschließt, das verbiet ich dir bei Lebensstrafe«. Auch gab er ihr ein Ei und sprach »das Ei verwahre mir sorgfältig und trag es lieber beständig bei dir, denn gienge es verloren, so würde ein großes Unglück daraus entstehen«. Sie nahm die Schlüssel und das Ei, und versprach alles wohl auszurichten. Als er fort war, gieng sie in dem Haus herum von unten bis oben und besah alles: die Stuben glänzten von Silber und Gold und sie meinte, sie hätte nie so große Pracht gesehen. Endlich kam sie auch zu der verbotenen Thür, sie wollte vorüber gehen, aber die Neugierde ließ ihr keine Ruhe. Sie besah den Schlüssel, er sah aus wie ein anderer, sie steckte ihn ein und drehte ein wenig, da sprang die Thür auf. Aber was erblickte sie, als sie hinein trat: ein großes blutiges Becken stand in der Mitte, und darin lagen todte zerhauene Menschen: daneben stand ein Holzblock und ein blinkendes Beil lag darauf. Sie erschrak so sehr, daß das Ei, das sie in der Hand hielt, hineinplumpte. Sie holte es wieder heraus und wischte das Blut ab, aber vergeblich, es kam den Augenblick wieder zum Vorschein, sie wischte und schabte, aber sie konnte es nicht herunter kriegen.

Nicht lange, so kam der Mann von der Reise zurück, und das erste, was er forderte, war der Schlüssel und das Ei. Sie reichte es ihm hin, aber sie zitterte dabei, und er sah gleich an den rothen Flecken, daß sie in der Blutkammer gewesen war. »Bist du gegen meinen Willen in die Kammer gegangen«, sprach er, »so sollst du jetzt gegen deinen Willen wieder hinein. Dein Leben ist zu Ende.« Er warf sie nieder, schleifte sie an den Haaren hin, schlug ihr das Haupt auf dem Block ab und zerhackte sie, daß ihr rothes Blut auf dem Boden dahin floß. Dann warf er sie zu den übrigen ins Becken.

»Jetzt will ich mir die zweite holen«, sprach der Hexenmeister, gieng wieder in Gestalt eines armen Mannes vor das Haus und bettelte. Da brachte ihm die zweite ein Stück Brot, und er fieng sie wie die erste durch ein bloßes Anrühren und trug sie fort. Es ergieng ihr nicht besser als ihrer Schwester, sie ließ sich von ihrer Neugierde verleiten, öffnete die Blutkammer und mußte es bei seiner Rückkehr mit dem Leben büßen. Er gieng nun und holte die dritte. Die aber war klug und listig. Als er ihr Schlüssel und Ei gegeben hatte und fortgereist war, verwahrte sie das Ei erst sorgfältig, dann besah sie das Haus und gieng zuletzt in die verbotene Kammer. Ach, was erblickte sie! ihre beiden lieben Schwestern lagen, jämmerlich ermordet, in dem Becken. Aber sie hub an und suchte die Glieder zusammen und legte sie zurecht, Kopf, Leib, Arm und Beine. Und als nichts mehr fehlte, da fiengen die Glieder an sich zu regen und schlossen sich aneinander: und beide Mädchen öffneten die Augen und waren wieder lebendig. Wie freueten sie sich, küßten und herzten einander! Dann führte sie die beiden heraus und versteckte sie. Der Mann forderte bei seiner Ankunft Schlüssel und Ei und als er keine Spur von Blut daran entdecken konnte, sprach er, «du hast die Probe bestanden, du sollst meine Braut sein«. Er hatte aber jetzt keine Macht mehr über sie und mußte thun, was sie verlangte. »Wohlan«, antwortete sie, »du sollst vorher einen Korb voll Gold meinem Vater und meiner Mutter bringen und selbst auf deinem Rücken hintragen, dieweil will ich die Hochzeit hier bestellen.« Darauf gieng sie in ihr Kämmerlein, wo sie ihre Schwestern versteckt hatte. »Jetzt«, sprach sie, »ist der Augenblick gekommen, wo ich euch retten kann, der Bösewicht soll euch selbst wieder heimtragen: aber sobald ihr zu Hause seid, laßt mir Hilfe zukommen.« Dann setzte sie beide in einen Korb und deckte sie mit Gold ganz zu, daß nichts von ihnen zu sehen war, und rief den Hexenmeister herein und sprach »nun trag den Korb fort, aber daß du mir unterwegs nicht stehen bleibst und ruhest, ich schaue durch mein Fensterlein und habe acht«.

Der Hexenmeister hob den Korb auf seinen Rücken und gieng damit fort, er ward ihm aber so schwer, daß ihm der Schweiß über das Angesicht lief und er fürchtete todtgedrückt zu werden. Da setzte er sich nieder und wollte ein wenig ruhen, aber gleich rief eine im Korbe »ich schaue durch mein Fensterlein und sehe, daß du ruhst, willst du weiter«. Er meinte, die Braut rief ihm das zu und machte sich wieder auf. Nochmals wollte er sich setzen, da rief es abermals »ich schaue durch mein Fensterlein und sehe, daß du ruhst, willst du gleich weiter«. Und so oft er stillstand, rief es, und da mußte er fort, bis er endlich ganz außer Athem den Korb mit dem Gold und den beiden Mädchen in ihrer Eltern Haus brachte.

Daheim aber ordnete die Braut das Hochzeitsfest an. Sie nahm einen Todtenkopf mit grinsenden Zähnen und setzte ihm einen Schmuck auf und trug ihn oben vors Bodenloch und ließ ihn da herausschauen. Dann ladete sie die Freunde des Hexenmeisters zum Fest ein, und wie das geschehen war, steckte sie sich in ein Faß mit Honig, schnitt das Bett auf und wälzte sich darin, daß sie aussah wie ein wunderlicher Vogel und kein Mensch sie erkennen konnte. Da gieng sie zum Haus hinaus, und unterwegs begegnete ihr ein Theil der Hochzeitsgäste, die fragten

»Du Fitchers Vogel, wo kommst du her?«
»Ich komme von Fitze Fitchers Hause her.«
»Was macht denn da die junge Braut?«
»Hat gekehrt von unten bis oben das Haus
und guckt zum Bodenloch heraus.«

Darauf begegnete ihr der Bräutigam, der zurück kam: der fragte auch

»Du Fitchers Vogel, wo kommst du her?«
»Ich komme von Fitze Fitchers Hause her.«
»Was macht denn da meine junge Braut?«
»Hat gekehrt von unten bis oben das Haus
und guckt zum Bodenloch heraus.«

Der Bräutigam schaute hinauf und sah den geputzten Todtenkopf: da meinte er, es wäre seine Braut und nickte ihr zu und grüßte sie freundlich. Wie er aber sammt seinen Gästen ins Haus gegangen war, da kam die Hilfe von den Schwestern an. Sie schlossen alle Thüren des Hauses zu, daß niemand entfliehen konnte, und steckten es an, also daß der Hexenmeister mit sammt seinem Gesindel verbrennen mußte.

23.

Von dem Machandelboom.

Dat is nu all lang heer, wol twe dusend Johr, da wöör dar een ryk Mann, de hadd ene schöne frame Fru, un se hadden sik beyde sehr leef, hadden awerst kene Kinner, se wünschden sik awerst sehr welke, un de Fru bedd'd so veel dorüm Dag un Nacht, man se kregen keen un kregen keen. Vör erem Huse wöör een Hof, dorup stünn een Machandelboom, ünner dem stünn de Fru eens im Winter und schelld sik enen Appel, un as se sik den Appel so schelld, so sneet se sik in'n Finger, un dat Blood feel in den Snee. »Ach«, säd de Fru, un süft'd so recht hoog up un seeg dat Blood vör sik an un wöör so recht wehmödig, »hadd ik doch een Kind, so rood as Blood un so witt as Snee.« Un as se dat säd, so wurr ehr so recht frölich to Mode: ehr wöör recht, as schull dat wat warden. Do güng se to dem Huse, un't güng een Maand hen; de Snee vörgüng: un twe Maand, do wöör dat grön: un dre Maand, do kömen de Blömer uut der Eerd: un veer Maand, do drüngen sik alle Bömer in dat Holt, un de grönen Twyge wören all in eenanner wussen: door süngen de Vägelkens dat dat ganße

Holt schalld, un de Blöiten felen von den Bömern: do wöör de fofte Maand wech, un se stünn ünner dem Machandelboom, de röök so schöön, do sprüng ehr dat Hart vör Freuden, un se füll up ere Knee un kunn sik nich laten; un as de soste Maand vörby wöör, do wurren de Früchte dick un staark, do wurr se ganß still; un de söwde Maand, do greep se na den Machandelbeeren un eet se so nydsch, do wurr se trurig und krank; do güng de achte Maand hen, un se reep eren Mann un weend und säd »wenn ik staarw, so begraaf my ünner den Machandelboom«. Da wurr se ganß getrost und freude sik, bet de neegte Maand vörby wöör, do kreeg se een Kind so witt as Snee un so rood as Blood, un as se dat seeg, so freude se sik so, dat se stürw.

Da begroof ehr Mann se ünner den Machandelboom, un he füng an to wenen so sehr: ene Tyd lang, do wurr dat wat sachter, un do he noch wat weend hadd, do hüll he up, und noch een Tyd, do nöhm he sik wedder ene Fru.

Mit de tweden Fru kreeg he ene Dochter, dat Kind awerst von der eersten Fru wöör een lüttje Sähn un wöör so rood as Blood un so witt as Snee. Wenn de Fru ere Dochter so anseeg, so hadd se se so leef, awerst denn seeg se den lüttjen Jung an, un dat güng ehr so dorch't Hart, un ehr düchd as stünn he ehr allerwegen im Weg, un dachd denn man jümmer wo se ehr Dochter all dat Vörmägent towenden wull, un de Böse gaf ehr dat in, dat se dem lüttjen Jung ganß gramm wurr, un stödd em herüm von een Eck in de anner un buffd em hier und knuffd em door, so dat dat aarme Kind jümmer in Angst wöör. Wenn he denn uut de School köhm, so hadd he kene ruhige Städ.

Eens wöör de Fru up de Kamer gaan, do köhm de lüttje Dochter ook herup un säd »Moder, gif my enen Appel«. »Ja, myn Kind«, säd de Fru un gaf ehr enen schönen Appel uut der Kist; de Kist awerst hadd enen groten sworen

Deckel mit een groot schaarp ysern Slott. »Moder«, säd de lüttje Dochter, »schall Broder nich ook enen hebben?« Dat verdrööt de Fru, doch säd se »ja, wenn he uut de School kummt«. Un as se uut dat Fenster wohr wurr dat he köhm, so wöör dat recht, as wenn de Böse äwer ehr köhm, un se grappst to un nöhm erer Dochter den Appel wedder wech und säd »du schalst nich ehr enen hebben as Broder«. Do smeet se den Appel in de Kist un maakd de Kist to: do köhm de lüttje Jung in de Döhr, do gaf ehr de Böse in dat se fründlich to em säd »myn Sähn, wullt du enen Appel hebben?« un seeg em so hastig an. »Moder«, säd de lüttje Jung, »wat sühst du gräsig uut! ja, gif my enen Appel.« Do wörr ehr as schull se em toreden. »Kumm mit my«, säd se un maakd den Deckel up, »hahl dy enen Appel heruut.« Un as sik de lüttje Jung henin bückd, so reet ehr de Böse, bratsch! slöög se den Deckel to dat de Kopp afflög un ünner de roden Appel füll. Da äwerleep ehr dat in de Angst, un dachd »kunn ik dat von my bringen!« Da güng se bawen na ere Stuw na erem Draagkasten un hahl uut de bäwelste Schuuflad enen witten Dook un sett't den Kopp wedder up den Hals un bünd den Halsdook so üm dat'n niks sehn kunn, un sett't em vör de Döhr up enen Stohl un gaf em den Appel in de Hand.

Do köhm doorna Marleenken to erer Moder in de Kääk, de stünn by dem Führ un hadd enen Putt mit heet Water vör sik, den röhrd se jümmer üm. »Moder«, säd Marleenken »Broder sitt vör de Döhr un süht ganß witt uut un hett enen Appel in de Hand, ik hebb em beden he schull my den Appel gewen, awerst he andwöörd my nich, da wurr my ganß grolich.« »Gah nochmaal hen«, säd de Moder, »un wenn he dy nich andworden will, so gif em eens an de Oren.« Do güng Marleenken hen und säd »Broder, gyf my den Appel«; awerst he sweeg still. Do gaf se em eens up de

Oren, do feel de Kopp herünn, doräwer vörschrock se sik un füng an to wenen un to roren un löp to erer Moder un säd »ach, Moder, ik hebb mynem Broder den Kopp afslagen«, un weend un weend un wull sik nich tofreden gewen. »Marleenken«, säd de Moder, »wat hest du dahn! awerst swyg man still, dat et keen Mensch maarkt, dat is nu doch nich to ännern; wy willen em in Suhr kaken.« Do nöhm de Moder den lüttjen Jung un hackd em in Stücken, ded de in den Putt un kaakd em in Suhr. Marleenken awerst stünn darby un weend un weend, un de Tranen füllen all in den Putt, un se bruukden goor keen Solt.

Do köhm de Vader to Huus un sett't sik to Disch un säd »wo is denn myn Sähn?« Do droog de Moder ene groote groote Schöttel up mit Swartsuhr, un Marleenken weend un kunn sik nich hollen. Do säd de Vader wedder »wo is denn myn Sähn?« »Ach«, säd de Moder, »he is äwer Land gaan, na Mütten erer Grootöhm: he wull door wat blywen.« »Wat dait he denn door un heft my nich maal Adjüüs sechd?« »O he wull geern hen un bed my of he door wol sos Wäken blywen kunn; he is jo woll door uphawen.« »Ach«, säd de Mann, »my is so recht trurig, dat is doch nich recht, he hadd my doch Adjüüs seggen schullt.« Mit des füng he an to äten un säd »Marleenken, wat weenst du? Broder wart wol wedder kamen«. »Ach, Fru«, säd he do, »wat schmeckt my dat Aeten schöön! gif my mehr!« Un je mehr he eet, je mehr wull he hebben, un säd »geeft my mehr, gy schöhlt niks door af hebben, dat is as wenn dat all myn wöör.« Un he eet un eet, un de Knakens smeet he all ünner den Disch, bet he allens up hadd. Marleenken awerst güng hen na ere Commod un nöhm uut de ünnerste Schuuf eren besten syden Dook un hahl all de Beenkens un Knakens ünner den Disch heruut un bünd se in den syden Dook un droog se vör de Döhr un weend ere blödigen Tranen. Door läd se se ünner den Machandelboom in dat gröne Gras, un as se se door henlechd hadd, so war ehr mit eenmaal so recht licht, und weend nich mer. Do füng de Machandelboom an sik to bewegen, un de Twyge deden sik jümmer so recht von eenanner un denn wedder tohoop, so recht as wenn sik ener so recht freut un mit de Händ so dait. Mit des so güng dar so'n Newel von dem Boom, un recht in dem Newel dar brennd dat as Führ, un uut dem Führ dar flöög so'n schönen Vagel heruut, de süng so herrlich un flöög hoog in de Luft, un as he wech wöör, do wöör de Machandelboom as he vörhen west wöör, un de Dook mit de Knakens wöör wech. Marleenken awerst wöör so recht licht un vergnöögt, recht as wenn de Broder noch leewd. Do güng se wedder ganß lustig in dat Huus by Disch un eet.

De Vagel awerst flöög wech un sett't sik up enen Goldsmidt syn Huus und füng an to singen

»mein Mutter der mich schlacht,
mein Vater der mich aß,
mein Schwester der Marlenichen
sucht alle meine Benichen,
bindt sie in ein seiden Tuch,
legt's unter den Machandelbaum.
Kywitt, kywitt, wat vör'n schöön Vagel bün ik!«

De Goldsmidt seet in syn Waarkstäd un maakd ene gollne Kede, do höörd he den Vagel, de up syn Dack seet un süng, un dat dünkd em so schöön. Do stünn he up, un as he äwer den Süll güng, do vörlöör he enen Tüffel. He güng awer so recht midden up de Strat hen, enen Tüffel un een Sock an: syn Schortfell hadd he vör, un in de een Hand hadd he de golln Kede un in de anner de Tang; un de Sünn schynd so hell up de Strat. Door güng he recht so staan un seeg den Vagel an. »Vagel«, secht he do, »wo schöön kannst du singen? Sing my dat Stück nochmaal.« »Ne«, secht de Vagel, »twemaal sing ik nich umsünst. Gif my de golln Kede, so will ik dy't nochmaal singen.« »Door«, secht de Goldsmidt, »hest du de gollne Kede, un sing my dat nochmaal.« Do köhm de Vagel un nöhm de golln Kede so in de rechte Poot un güng vör den Goldsmidt sitten un süng

»mein Mutter der mich schlacht,
mein Vater der mich aß,
mein Schwester der Marlenichen
sucht alle meine Benichen,
bindt sie in ein seiden Tuch,
legts unter den Machandelbaum.
Kywitt, kywitt, wat vör'n schöön Vagel bün ik!«

Do flöög de Vagel wech na enem Schooster un sett't sik up den syn Dach un süng

»mein Mutter der mich schlacht,
mein Vater der mich aß,
mein Schwester der Marlenichen
sucht alle meine Benichen,
bindt sie in ein seiden Tuch,
legts unter den Machandelbaum.
Kywitt, kywitt, wat vör'n schöön Vagel bün ik!«

De Schooster höörd dat un leep vör syn Döhr in Hemdsaarmels un seeg na syn Dack un mussd de Hand vör de Ogen hollen, dat de Sünn em nich blend't. »Vagel«, secht he, »wat kannst du schöön singen.« Do rööp he in syn Döhr henin »Fru, kumm mal heruut, dar is en Vagel: süh mal den Vagel, de kann mal schöön singen.« Do rööp he syn Dochter un Kinner un Gesellen, Jung un Maagd, un se kömen all up de Strat un segen den Vagel an, wo schöön he wöör, un he hadd so recht rode un gröne Feddern, un üm den Hals wöör dat as luter Gold, un de Ogen blünken em im Kopp as Steern. »Vagel«, säd de Schooster, »nu sing my dat Stück nochmaal.« »Ne«, secht de Vagel, »twemaal sing ik nich umsünst, du must my wat schenken.« »Fru«, säd de Mann, »ga na dem Bähn, up dem bäwelsten Boord door staan een Poor rode Schö, de bring herünn.« Do güng de Fru hen un hahl de Schö. »Door, Vagel«, säd de Mann, »nu sing my dat Stück nochmaal.« Do köhm de Vagel un nöhm de Schö in de linke Klau un flöög wedder up dat Dack un süng

»mein Mutter der mich schlacht,
mein Vater der mich aß,
mein Schwester der Marlenichen
sucht alle meine Benichen,
bindt sie in ein seiden Tuch,
legts unter den Machandelbaum.
Kywitt, kywitt, wat vör'n schöön Vagel bün ik!«

Un as he uutsungen hadd, so flöög he wech: de Kede hadd he in de rechte un de Schö in de linke Klau. Un he flöög wyt wech na ene Mähl, un de Mähl güng »klippe klappe, klippe klappe, klippe klappe«: un in de Mähl door seeten twintig Mählenburßen, de hauden enen Steen un hackden »hick hack, hick hack, hick hack«, un de Mähl güng »klippe klappe, klippe klappe, klippe klappe«. Do güng de Vagel up enen Lindenboom sitten, de vor de Mähl stünn un süng

»mein Mutter der mich schlacht«,

do höörd en up,

»mein Vater der mich aß«,

do höörden noch twe up un höörden dat,

»mein Schwester der Marlenichen«,

do höörden wedder veer up,

»sucht alle meine Benichen,
bindt sie in ein seiden Tuch«,

nu hackden noch man acht,

»legts unter«

nu noch man fyw,

»den Machandelbaum.«

nu noch man een,

»Kywitt, kywitt, wat vör'n schöön Vagel bün ik!«

Do hüll de lezte ook up un hadd dat lezte noch höörd. »Vagel«, secht he, »wat singst du schöön! laat my dat ook hören, sing my dat nochmaal.« »Ne«, secht de Vagel, »twemaal sing ik nich umsünst, gif my den Mählensteen, so will ick dat nochmaal singen.« »Ja«, secht he, »wenn he my alleen tohöörd, so schullst du em hebben.« »Ja«, säden de annern, »wenn he nochmaal singt, so schall he em hebben.« Do köhm de Vagel herünn, und de Möllers faat'n all twintig mit Böhm an un böhrden den Steen up »hu uh uhp, hu uh uhp, hu uh uhp!« Do stöök de Vagel den Hals döör dat Lock un nöhm em üm as enen Kragen, un flöög wedder up den Boom un süng

»mein Mutter der mich schlacht,
mein Vater der mich aß,
mein Schwester der Marlenichen
sucht alle meine Benichen,
bindt sie in ein seiden Tuch,
legts unter den Machandelbaum.
Kywitt, kywitt, wat vör'n schöön Vagel bün ik!«

Un as he dat uutsungen hadd, do deed he de Flünk von eenanner, un he hadd in de rechte Klau de Kede un in de linke de Schö un üm den Hals den Mählensteen, un floog wyt wech na synes Vaders Huse.

In de Stuw seet de Vader, de Moder un Marleenken by Disch, un de Vader säd »ach, wat waart my licht, my is recht so good to Mode«. »Ne«, säd de Moder, »my is recht so angst, so recht as wenn en swoor Gewitter kummt.« Marleenken awerst seet un weend un weend. Do köhm de Vagel anflegen, un as he sik up dat Dack sett't, »ach«, säd de Vader, »my is so recht freudig, un de Sünn schynt buten so schöön, my is recht, as schull ik enen olen Bekannten weddersehen«. »Ne«, säd de Fru, »my is so angst, de Täne klappern my, un dat is my as Führ in den Adern.« Un se reet sik ehr Lyfken up un so mehr, awer Marleenken seet in en Eck un weend un hadd eren Platen vör de Ogen un weend den Platen ganß meßnatt. Do sett't sik de Vagel up den Machandelboom un süng

»mein Mutter der mich schlacht«,

Do hüll de Moder de Oren to un kneep de Ogen to un wull nich sehen un hören, awer dat bruusde ehr in de Oren as de allerstaarkste Storm, un de Ogen brennden ehr un zackden as Blitz.

»mein Vater der mich aß«,

»Ach, Moder«, secht de Mann, »door is en schöön Vagel, de singt so herrlich, de Sünn schynt so warm, un dat rückt as luter Zinnemamen.«

»mein Schwester der Marlenichen«

Do läd Marleenken den Kopp up de Knee un weend in eens wech, de Mann awerst säd »ik ga henuut, ik mutt den Vagel dicht by sehn«. »Ach, gah nich«, säd de Fru, »my is as beewd dat ganße Huus un stünn in Flammen.« Awerst de Mann güng henuut un seeg den Vagel an.

»sucht alle meine Benichen,
bindt sie in ein seiden Tuch,
legts unter den Machandelbaum.
Kywitt, kywitt, wat vör'n schöön Vagel bün ik!«

Mit des leet de Vagel de gollne Kede fallen, un se feel dem Mann jüst üm'n Hals, so recht hier herüm, dat se recht so schöön passd. Do güng he herin un säd »süh, wat is dat vör'n schöön Vagel, hett my so 'ne schöne gollne Kede schenkd, un süht so schöön uut«. De Fru awerst wöhr so angst un füll langs in de Stuw hen, un de Mütz füll ehr von dem Kopp. Do süng de Vagel wedder

»mein Mutter der mich schlacht«,

»Ach, dat ik dusend Föder ünner de Eerd wöör, dat ik dat nich hören schull!«

»mein Vater der mich aß«,

Do füll de Fru vör dood nedder.

»mein Schwester der Marlenichen«

»Ach«, säd Marleenken, »ik will ook heruut gahn und sehn of de Vagel my wat schenkt!« Do güng se henuut.

»sucht alle meine Benichen,
bindt sie in ein seiden Tuch«,

Do smeet he ehr de Schö herünn.

»legts unter den Machandelbaum.
Kywitt, kywitt, wat vör'n schöön Vagel bün ik!«

Do wöör ehr so licht und frölich. Do truck se de neen roden Schö an un danßd un sprüng herin. »Ach«, säd se, »ik wöör so trurig, as ik henuut güng, un nu is my so licht. Dat is mal en herrlichen Vagel, hett my en Poor rode Schö schenkd.« »Ne«, säd de Fru un sprüng up, un de Hoor stünnen ehr to Baarg as Führsflammen, »my is as schull de Welt ünnergahn, ik will ook henuut, of my lichter warden schull.« Un as se uut de Döhr köhm, bratsch! smeet ehr de Vagel den Mählensteen up den Kopp, dat se ganß tomatscht wurr. De Vader un Marleenken höörden dat un güngen henuut: do güng en Damp un Flamm un Führ up von der Städ, un as dat vörby wöör, do stünn de lüttje Broder door, un he nöhm synen Vader un Marleenken by der Hand, un wören all dre so recht vergnöögt un güngen in dat Huus by Disch un eeten.

24.

Dornröschen.

Vor Zeiten war ein König und eine Königin, die sprachen jeden Tag »ach, wenn wir doch ein Kind hätten!« und kriegten immer keins. Da trug sich zu, als die Königin einmal im Bade saß, daß ein Frosch aus dem Wasser ans Land kroch und zu ihr sprach »dein Wunsch soll erfüllt werden, ehe ein Jahr vergeht, wirst du eine Tochter zur Welt bringen«. Was der Frosch gesagt hatte, das geschah, und die Königin gebar ein Mädchen, das war so schön, daß der König vor Freude sich nicht zu lassen wußte und ein großes Fest anstellte. Er ladete nicht blos seine Verwandte, Freunde und Bekannte, sondern auch die weisen Frauen dazu ein, damit sie dem Kind hold und gewogen wären. Es waren ihrer dreizehn in seinem Reiche, weil er aber nur zwölf goldene Teller hatte, von welchen sie essen sollten, so mußte eine von ihnen daheim bleiben. Das Fest ward mit aller Pracht gefeiert, und als es zu Ende war, beschenkten die weisen Frauen das Kind mit ihren Wundergaben: die eine mit Tugend, die andere mit Schönheit, die dritte mit Reichthum, und so mit allem, was auf der Welt nur zu wünschen ist. Als elfe ihre Sprüche eben gethan hatten, trat plötzlich die dreizehnte herein. Sie wollte sich dafür rächen, daß sie nicht eingeladen war, und ohne jemand zu grüßen oder nur anzusehen, rief sie mit lauter Stimme »die

Königstocher soll sich in ihrem funfzehnten Jahr an einer Spindel stechen und todt hinfallen«. Und ohne ein Wort weiter zu sprechen, kehrte sie sich um und verließ den Saal. Alle waren erschrocken, da trat die zwölfte hervor, die ihren Wunsch noch übrig hatte, und weil sie den bösen Spruch nicht aufheben, sondern nur ihn mildern konnte, so sagte sie »es soll aber kein Tod sein, sondern ein hundertjähriger tiefer Schlaf, in welchen die Königstochter fällt«.

Der König, der sein liebes Kind vor so großem Unglück gern bewahren wollte, ließ den Befehl ausgeben, daß die Spindeln im ganzen Königreiche sollten verbrannt werden. An dem Mädchen aber wurden die Gaben der weisen Frauen sämmtlich erfüllt, denn es war so schön, sittsam, freundlich und verständig, daß es jedermann, der es ansah, lieb haben mußte. Es geschah, daß an dem Tage, wo es gerade funfzehn Jahr alt ward, der König und die Königin nicht zu Haus waren, und das Mädchen ganz allein im Schloß zurückblieb. Da ging es aller Orten herum, besah Stuben und Kammern, wie es Lust hatte, und kam endlich auch an einen alten Thurm. Es stieg die enge Wendeltreppe hinauf und gelangte zu einer kleinen Thüre. In dem Schloß steckte ein verrosteter Schlüssel, und als es umdrehte, sprang die Thür auf, und saß da in einem kleinen Stübchen eine alte Frau mit einer Spindel und spann emsig ihren Flachs. »Guten Tag, du altes Mütterchen«, sprach die Königstochter, »was machst du da?« »Ich spinne«, sagte die Alte und nickte mit dem Kopf. »Was ist das für ein Ding, das so lustig herumspringt?« sprach das Mädchen, nahm die Spindel und wollte auch spinnen. Kaum hatte sie aber die Spindel angerührt, so ging der Zauberspruch in Erfüllung, und sie stach sich damit in den Finger.

In dem Augenblick aber, wo sie den Stich empfand, fiel sie auf das Bett nieder, das da stand, und lag in einem tiefen Schlaf. Und dieser Schlaf verbreitete sich über das ganze Schloß: der König und die Königin, die eben heim gekommen und in den Saal getreten waren, sanken nieder und schliefen ein und der ganze Hofstaat mit ihnen. Da schliefen auch die Pferde im Stall, die Hunde im Hofe, die Tauben auf dem Dache, die Fliegen an der Wand, ja, das Feuer, das auf dem Heerde flackerte, ward still und schlief ein, und der Braten hörte auf zu brutzeln, und der Koch, der den Küchenjungen, weil er etwas versehen hatte, in den Haaren ziehen wollte, ließ ihn los und schlief. Und der Wind legte sich, und auf den Bäumen vor dem Schloß regte sich kein Blättchen mehr.

Rings um das Schloß aber begann eine Dornenhecke zu wachsen, die jedes Jahr höher ward und endlich das ganze Schloß umzog und darüber hinaus wuchs, daß gar nichts mehr davon zu sehen war, selbst nicht die Fahne auf dem Dach. Es gieng aber die Sage in dem Land von dem schönen schlafenden Dornröschen, denn so ward die Königstochter genannt, also daß von Zeit zu Zeit Königssöhne kamen und durch die Hecke in das Schloß dringen wollten. Es war aber alle Mühe vergeblich, denn die Dornen, als hätten sie Hände, hielten fest zusammen, und die Jünglinge blieben darin hängen, konnten sich nicht wieder los machen und starben eines jämmerlichen Todes. Nach langen langen Jahren kam wieder einmal ein Königssohn in das Land und hörte, wie ein alter Mann von der Dornenhecke erzählte, es sollte ein Schloß dahinter stehen, in welchem eine wunderschöne Königstochter, Dornröschen genannt, schon seit hundert Jahren schliefe, und mit ihr schliefe der König und die Königin und der ganze Hofstaat. Er wußte auch von seinem Großvater, daß schon viele Königssöhne gekommen wären und versucht hätten, durch die Dornenhecke zu dringen, aber sie wären darin hängen geblieben und eines traurigen Todes gestorben. Da sprach der Jüngling »ich fürchte mich nicht, ich will hinaus und das schöne Dornröschen sehen«. Der gute Alte rieth ihm ab, aber er hörte nicht auf seine Worte.

Nun waren gerade die hundert Jahre verflossen, und der Tag war gekommen, wo Dornröschen wieder erwachen sollte. Als der Königssohn sich der Hecke näherte, waren es lauter große schöne Blumen, die thaten sich von selbst auseinander und ließen ihn unbeschädigt hindurch: und hinter ihm thaten sie sich wieder als eine Hecke zusammen. Im Schloßhof sah er die Pferde und scheckigen Jagdhunde liegen und schlafen: auf dem Dache saßen die Tauben und hatten das Köpfchen unter den Flügel gesteckt. Und als er ins Haus kam, schliefen die Fliegen an der Wand, der Koch in der Küche hielt noch die Hand, als wollte er den Jungen anpacken, und die Magd saß vor dem schwarzen Huhn, das sollte gerupft werden. Da gieng er weiter und sah im Saale den ganzen Hofstaat liegen und schlafen, und oben bei dem Throne lag der König und die Königin. Da gieng er noch weiter, und alles war so still, daß einer seinen Athem hören konnte, und endlich kam er zu dem Thurm und öffnete die Thüre zu der kleinen Stube, in welcher Dornröschen schlief. Da lag es und war so schön, daß er die Augen nicht abwenden konnte, und er konnte es auch nicht lassen, bückte sich und gab ihm einen Kuß. Kaum hatte er es mit dem Kuß berührt, so schlug Dornröschen die Augen auf, erwachte und blickte ihn ganz freundlich an. Da giengen sie zusammen herab, und der König erwachte und die Königin und der ganze Hofstaat, und sahen einander mit großen Augen an. Und die Pferde im Hof standen auf und rüttelten sich: die Jagdhunde sprangen und wedelten: die Tauben auf dem Dach zogen das Köpfchen unterm Flügel hervor, sahen umher und flogen ins Feld: die Fliegen an den Wänden krochen weiter: das Feuer in der Küche erhob sich, flackerte und kochte das Essen: der Braten fieng wieder an zu brutzeln, und der Koch gab dem Jungen eine Ohrfeige, daß er schrie: und die Magd rupfte das Huhn fertig. Und da ward die Hochzeit des Königssohnes mit dem Dornröschen in aller Pracht gefeiert, und sie lebten vergnügt bis an ihr Ende.

25.

Fundevogel.

Es war einmal ein Förster, der gieng in den Wald auf die Jagd, und wie er in den Wald kam, hörte er schreien, als obs ein kleines Kind wäre. Er gieng dem Schreien nach und kam endlich zu einem hohen Baum und oben darauf saß ein kleines Kind. Es war aber die Mutter mit dem Kinde unter dem Baum eingeschlafen, und ein Raubvogel hatte das Kind in ihrem Schooße gesehen: da war er hinzu geflogen, hatte es mit dem Schnabel weggenommen und auf den hohen Baum gesetzt.

Der Förster stieg hinauf, holte das Kind herunter und dachte »du willst das Kind mit nach Haus nehmen und mit deinem Lenchen zusammen aufziehn«. Er brachte es also heim, und die zwei Kinder wuchsen mit einander auf. Das aber, das auf dem Baum gefunden worden war, und weil es ein Vogel weggetragen hatte, ward *Fundevogel* geheißen. Fundevogel und Lenchen hatten sich so lieb, nein so lieb, daß wenn eins das andere nicht sah, war es traurig.

Der Förster hatte aber eine alte Köchin, die nahm eines Abends zwei Eimer und fieng an Wasser zu schleppen, und gieng nicht einmal sondern vielemale hinaus an den Brunnen. Lenchen sah es und sprach »hör einmal, alte Sanne, was trägst du denn so viel Wasser zu?« »Wenn du's keinem Menschen wieder sagen willst, so will ich dirs wohl sagen«. Da sagte Lenchen nein, sie wollte es keinem Menschen wieder sagen, so sprach die Köchin »morgen früh, wenn der Förster auf die Jagd ist, da koche ich das Wasser, und wenns im Kessel siedet, werf ich den Fundevogel hinein und will ihn darin kochen«.

Des andern Morgens in aller Frühe stieg der Förster auf und gieng auf die Jagd, und als er weg war, lagen die Kinder noch im Bett. Da sprach Lenchen zum Fundevogel »verläßt du mich nicht, so verlaß ich dich auch nicht«. Antwortete der Fundevogel »nun und nimmermehr«. Da sprach Lenchen »ich will es dir nur sagen, die alte Sanne schleppte gestern Abend so viel Eimer Wasser ins Haus, da fragte ich sie, warum sie das thäte, so sagte sie, wenn ichs keinem Menschen sagen wollte, so wollte sie es mir wohl sagen: sprach ich, ich wollte es gewiß keinem Menschen sagen, da sagte sie, morgen früh, wenn der Vater auf die Jagd wäre, wollte sie den Kessel voll Wasser sieden und dich hinein werfen und kochen. Wir wollen aber geschwind aufsteigen, uns anziehen und zusammen fortgehen«.

Also standen die beiden Kinder auf, zogen sich geschwind an und giengen fort. Wie nun das Wasser im Kessel kochte, gieng die Köchin in die Schlafkammer und wollte den Fundevogel holen und ihn hineinwerfen. Aber, als sie hinein kam und zu den Betten trat, waren die Kinder alle beide fort: da wurde ihr grausam angst, und sie sprach vor sich »was will ich nun sagen, wenn der Förster heim kommt und sieht, daß die Kinder weg sind? Geschwind hinten nach, daß wir sie wieder kriegen«.

Da schickte die Köchin drei Knechte nach, die sollten laufen und die Kinder einlangen. Die Kinder aber saßen vor dem Wald, und als sie die drei Knechte von weitem laufen sahen, sprach Lenchen zum Fundevogel »verläßt du mich nicht, so verlaß ich dich auch nicht«. Sprach Fundevogel »nun und nimmermehr«. Da sagte Lenchen »werde du zum Rosenstöckchen und ich zum Röschen darauf«. Wie nun die drei Knechte vor den Wald kamen, so war nichts da als ein Rosenstrauch und ein Röschen oben drauf, die Kinder aber nirgend. Da sprachen sie »hier ist nichts zu machen« und giengen heim und sagten der Köchin, sie hätten nichts in der Welt gesehen als nur ein Rosenstöckchen mit einem Röschen oben drauf. Da schalt die alte Köchin, »ihr Einfaltspinsel, ihr hättet das Rosenstöckchen sollen entzwei schneiden und das Röschen abbrechen und mit nach Haus bringen; geschwind und thuts«. Sie mußten also zum zweitenmal hinaus und suchen. Die Kinder sahen sie aber von weitem kommen, da sprach Lenchen »Fundevogel, verläßt du mich nicht, so verlaß ich dich auch nicht«. Fundevogel sagte »nun und nimmermehr«. Sprach Lenchen »so werde du eine Kirche und ich die Krone darin«. Wie nun die drei Knechte dahin kamen, war nichts da als eine Kirche und eine Krone darin. Sie sprachen also zu einander »was sollen wir hier machen, laßt uns nach Hause gehen«. Wie sie nach Haus kamen, fragte die Köchin, ob sie nichts gefunden hätten, so sagten sie nein, sie hätten nichts gefunden als eine Kirche, da wäre eine Krone darin gewesen. »Ihr Narren«, schalt die Köchin, »warum habt ihr nicht die Kirche zerbrochen und die Krone mit heim gebracht?« Nun machte sich die alte Köchin selbst auf die Beine und gieng mit den drei Knechten den Kindern nach. Die Kinder sahen aber die drei Knechte von weitem kommen, und die Köchin wackelte hinten nach. Da sprach Lenchen »Fundevogel, verläßt du mich nicht, so verlaß ich dich auch nicht«. Da sprach der Fundevogel »nun und nimmermehr«. Sprach Lenchen »werde du zum Teich und ich die Ente drauf«. Die Köchin aber kam herzu, und als sie den Teich sahe, legte sie sich darüber hin und wollte ihn aussaufen. Aber die Ente kam schnell geschwommen, faßte sie mit ihrem Schnabel beim Kopf und zog sie ins Wasser hinein: da mußte die alte Hexe ertrinken. Da giengen die Kinder zusammen nach Haus und waren herzlich froh; und wenn sie nicht gestorben sind, leben sie noch.

26.

König Drosselbart.

Ein König hatte eine Tochter, die war über alle Maßen schön, aber dabei so stolz und übermüthig, daß ihr kein Freier gut genug war. Sie wies einen nach dem andern ab und trieb noch dazu Spott mit ihnen. Einmal ließ der König ein großes Fest anstellen und ladete dazu aus der Nähe und Ferne die heirathslustigen Männer ein. Sie wurden alle in eine Reihe nach Rang und Stand geordnet: erst kamen die Könige, dann die Herzöge, die Fürsten, Grafen und Freiherrn, zuletzt die Edelleute. Nun ward die Königstochter durch die Reihen geführt, aber an jedem hatte sie etwas auszusetzen. Der eine war ihr zu dick, »das Weinfaß!« sprach sie. Der andere zu lang, »lang und schwank hat keinen Gang«. Der dritte zu kurz, »kurz und dick hat kein Geschick«. Der vierte zu blaß, »der bleiche

Tod!« Der fünfte zu roth, »der Zinshahn!« Der sechste war nicht grad genug, »grünes Holz, hinterm Ofen getrocknet«. Und so hatte sie an einem jeden etwas auszusetzen, besonders aber machte sie sich über einen guten König lustig, der ganz oben stand, und dem das Kinn ein wenig krumm gewachsen war. »Ei«, rief sie und lachte, »der hat ein Kinn, wie die Drossel einen Schnabel«; und seit der Zeit bekam er den Namen *Drosselbart*. Der alte König aber, als er sah, daß seine Tochter nichts that als über die Leute spotten und alle Freier, die da versammelt waren, verschmähte, ward er zornig und schwur sie sollte den ersten besten Bettler zum Mann nehmen, der vor seine Thüre käme.

Ein paar Tage darauf hub ein Spielmann an unter dem Fenster zu singen, um damit ein geringes Almosen zu verdienen. Als es der König hörte, sprach er »laßt ihn herauf kommen«. Da trat der Spielmann in seinen schmutzigen Kleidern herein, sang vor dem König und seiner Tochter, und bat, als er fertig war, um eine milde Gabe. Der König sprach »dein Gesang hat mir so wohl gefallen, daß ich dir meine Tochter da zur Frau geben will«. Die Königstochter erschrak, aber der König sagte »ich habe den Eid gethan, dich dem ersten besten Bettelmann zu geben, den will ich auch halten«. Es half keine Einrede, der Pfarrer ward geholt, und sie mußte sich gleich mit dem Spielmann trauen lassen. Als das geschehen war, sprach der König »nun schickt sich nicht, daß du als ein Bettelweib noch länger in meinem Schloß bleibst, du kannst nun mit deinem Manne weiter ziehen«.

Der Bettelmann führte sie an der Hand hinaus, und sie mußte mit ihm zu Fuß fortgehen. Als sie da in einen großen Wald kamen, fragte sie

»ach, wem gehört der schöne Wald?«
»Der gehört dem König Drosselbart;
hättst du'n genommen, so wär er dein.«
»Ich arme Jungfer zart,
ach, hätt ich genommen den König Drosselbart!«

Darauf kamen sie über eine Wiese, da fragte sie wieder

»wem gehört die schöne grüne Wiese?«
»Sie gehört dem König Drosselbart;
hättst du'n genommen, so wär sie dein.«
»Ich arme Jungfer zart,
ach, hätt ich genommen den König Drosselbart!«

Dann kamen sie durch eine große Stadt, da fragte sie wieder

»wem gehört diese schöne große Stadt?«
»Sie gehört dem König Drosselbart,
hättst du'n genommen, so wär sie dein.«
»Ich arme Jungfer zart,
ach, hätt ich genommen den König Drosselbart!«

»Es gefällt mir gar nicht«, sprach der Spielmann, »daß du dir immer einen andern zum Mann wünschest, bin ich dir nicht gut genug?« Endlich kamen sie an ein ganz kleines Häuschen, da sprach sie

»ach, Gott, was ist das Haus so klein!
wem mag das elende winzige Häuschen sein?«

Der Spielmann antwortete »das ist mein und dein Haus, wo wir zusammen wohnen«. Sie mußte sich bücken, damit sie zu der niedrigen Thür hinein kam. »Wo sind die Diener?« sprach die Königstochter. »Was Diener!« antwortete der Bettelmann, »du mußt selber thun, was du willst gethan haben. Mach nur gleich Feuer an und stell Wasser auf, daß du mir mein Essen kochst; ich bin ganz müde.« Die Königstochter verstand aber nichts vom Feueranmachen und Kochen, und der Bettelmann mußte selber mit Hand anlegen, daß es noch so leidlich gieng. Als sie die schmale Kost verzehrt hatten, legten sie sich zu Bett, aber am Morgen trieb er sie schon ganz früh heraus, weil sie das Haus besorgen sollte. Ein paar Tage lebten sie auf diese Art schlecht und recht, und zehrten ihren Vorrath auf. Da sprach der Mann »Frau, so gehts nicht länger, daß wir hier zehren und nichts verdienen. Du sollst Körbe flechten.« Er gieng aus, schnitt Weiden und brachte sie heim: da fieng sie an zu flechten, aber die harten Weiden stachen ihr die zarten Hände wund. »Ich sehe das geht nicht«, sprach der Mann, »spinn lieber, vielleicht kannst du das besser.« Sie setzte sich hin und versuchte zu spinnen, aber der harte Faden schnitt ihr bald in die weichen Finger, daß das Blut daran herunter lief. »Siehst du«, sprach der Mann, »du taugst zu keiner Arbeit, mit dir bin ich schlimm angekommen. Nun will ichs versuchen und einen Handel mit Töpfen und irdenem Geschirr anfangen: du sollst dich auf den Markt setzen und die Waare feil halten«. »Ach«, dachte sie, »wenn auf den Markt Leute aus meines Vaters Reich kommen und sehen mich da sitzen und feil halten, wie werden sie mich verspotten!« Aber es half nichts, sie mußte sich fügen, wenn sie nicht Hungers sterben wollten. Das erstemal giengs gut, denn die Leute kauften der Frau, weil sie schön war, gern ihre Waare ab und bezahlten, was sie forderte: ja, viele gaben ihr das Geld und ließen ihr die Töpfe noch dazu. Nun lebten sie von dem Erworbenen, so lang es dauerte, da handelte der Mann wieder eine Menge neues Geschirr ein. Sie setzte sich an eine Ecke des Marktes und stellte es um sich her und hielt feil. Da kam plötzlich ein trunkener Husar daher gejagt und ritt gerade zu in die Töpfe hinein, daß alles in tausend Scherben zersprang. Sie fieng an zu weinen und wußte vor Angst nicht, was sie anfangen sollte. »Ach, wie wird mirs ergehen!« rief sie, »was wird mein Mann dazu sagen!« Sie lief heim und erzählte ihm das Unglück. »Wer setzt sich auch an die Ecke des Marktes mit irdenem Geschirr!« sprach der Mann, »laß nur das Weinen, ich sehe wohl, du bist zu keiner ordentlichen Arbeit zu gebrauchen. Da bin ich in unsers Königs Schloß gewesen und habe gefragt, ob sie nicht eine Küchenmagd brauchen könnten, und sie haben mir versprochen, sie wollten dich dazu nehmen: dafür bekommst du freies Essen.«

Nun ward die Königstochter eine Küchenmagd, mußte dem Koch zur Hand gehen und die sauerste Arbeit thun. Sie machte sich in beiden Seitentaschen ein Töpfchen fest, darin trug sie nach Haus, was ihr von dem übrig gebliebenen zu Theil ward, und davon nährten sie sich. Einstmals sollte die Hochzeit des ältesten Königssohnes gefeiert werden, da gieng die arme Frau hinauf, stellte sich vor die Saalthüre und wollte zusehen. Als nun die Lichter angezündet waren, und immer einer schöner als der andere hereintrat, und alles voll Pracht und Herrlichkeit war, da dachte sie mit betrübtem Herzen an ihr Schicksal und verwünschte ihren Stolz und Uebermuth, der sie erniedrigt und in so große Armuth gestürzt hatte. Von den köstlichen Speisen, die da ein- und ausgetragen wurden, warfen ihr die Diener manchmal ein paar Brocken zu, die that sie in ihr Töpfchen und wollte sie heim tragen. Auf einmal trat der Königssohn heran, war in Sammt und Seide gekleidet und hatte goldene Ketten um den Hals, und als er die schöne Frau in der Thüre stehen sah, ergriff er sie schnell bei der Hand und wollte mit ihr tanzen: aber sie weigerte sich und erschrak, denn sie sah, daß es der König Drosselbart war, der um sie gefreit und den sie mit Spott abgewiesen hatte. Ihr Sträuben half nichts, er zog sie in den Saal: da zerriß das Band, an welchem die Taschen hiengen, und die Töpfe fielen heraus, daß die Suppe floß und die Brocken umher sprangen. Und wie das die Leute sahen, entstand ein allgemeines Gelächter und Spotten, und sie war so beschämt, daß sie sich lieber tausend Klafter unter die Erde gewünscht hätte. Sie sprang zur Thüre hinaus und wollte entfliehen, aber auf der Treppe holte sie ein Mann ein und brachte sie zurück: und wie sie ihn ansah, war es wieder der König Drosselbart. Er sprach ihr freundlich zu, »fürchte dich nicht, ich und der Spielmann, der mit dir in dem elenden Häuschen gewohnt hat, sind eins: dir zu Liebe habe ich mich so verstellt, und der Husar, der dir die Töpfe entzwei geritten hat, bin ich auch gewesen. Das alles ist geschehen, um deinen stolzen Sinn zu beugen und dich für den Hochmuth zu strafen, womit du mich verspottet hast«. Da weinte sie bitterlich und sagte, »ich habe großes Unrecht gethan und bin nicht werth deine Frau zu sein«. Er aber sprach »tröste dich, die bösen Tage sind vorüber: jetzt wollen wir unsere Hochzeit feiern«. Da kamen die Kammerfrauen und thaten ihr die prächtigsten Kleider an, und ihr Vater kam und der ganze Hof, und wünschten ihr Glück zu ihrer Vermählung mit dem König Drosselbart, und die rechte Freude fieng jetzt erst an. Ich wollte du und ich, wir wären auch dabei gewesen.

27.

Sneewittchen.

Es war einmal mitten im Winter, und die Schneeflocken fielen wie Federn vom Himmel herab, da saß eine Königin an einem Fenster, das einen Rahmen von schwarzem Ebenholz hatte, und nähte. Und wie sie so nähte und nach dem Schnee aufblickte, stach sie sich mit der Nadel in den Finger, und es fielen drei Tropfen Blut in den Schnee. Und weil das Rothe im weißen Schnee so schön aussah, dachte sie bei sich »hätt ich ein Kind so weiß wie Schnee, so roth wie Blut und so schwarz wie das Holz an dem Rahmen«. Bald darauf bekam sie ein Töchterlein, das war so weiß wie Schnee, so roth wie Blut und so schwarzhaarig wie Ebenholz, und ward darum das Sneewittchen (Schneeweißchen) genannt. Und wie das Kind geboren war, starb die Königin.

Ueber ein Jahr nahm sich der König eine andere Gemahlin. Es war eine schöne Frau, aber sie war stolz und übermüthig und konnte nicht leiden, daß sie an Schönheit von jemand sollte übertroffen werden. Sie hatte einen wunderbaren Spiegel, wenn sie vor den trat und sich darin beschaute, sprach sie

»Spieglein, Spieglein an der Wand,
wer ist die schönste im ganzen Land?«

und da antwortete der Spiegel

»Frau Königin, ihr seid die schönste im Land.«

Nun war sie zufrieden, denn sie wußte, daß der Spiegel die Wahrheit sagte.

Sneewittchen aber wuchs heran und ward immer schöner, und als es sieben Jahr alt war, war es so schön, wie der klare Tag, und schöner als die Königin selbst. Als diese einmal ihren Spiegel fragte

»Spieglein, Spieglein an der Wand,
wer ist die schönste im ganzen Land?«

so antwortete er

»Frau Königin, ihr seid die schönste hier,
aber Sneewittchen ist tausendmal schöner als ihr.«

Da erschrak die Königin und ward gelb und grün vor Neid. Von Stund an, wenn sie Sneewittchen erblickte, kehrte sich ihr das Herz im Leibe herum, so haßte sie das Mädchen. Und der Neid und Hochmuth wuchsen wie ein Unkraut in ihrem Herzen, immer höher, so daß sie Tag und Nacht keine Ruhe hatte. Da rief sie einen Jäger und sprach »bring das Kind hinaus in den Wald, ich wills nicht mehr vor meinen Augen sehen. Du sollst es tödten und mir Lunge und Leber zum Wahrzeichen mitbringen«. Der Jäger gehorchte und führte es hinaus, und als er den Hirschfänger gezogen hatte und Sneewittchens unschuldiges Herz durchbohren wollte, fieng es an zu weinen und sprach »ach, lieber Jäger, laß mir mein Leben, ich will in den Wald laufen und nimmermehr wieder heim kommen«. Und weil es so schön war, hatte der Jäger Mitleiden und sprach »so lauf hin, du armes Kind«. »Die wilden Thiere werden dich bald gefressen haben«, dachte er, und doch wars ihm, als wäre ein Stein von seinem Herzen gewälzt, weil er es nicht zu tödten brauchte. Und als gerade ein junger Frischling daher gesprungen kam, stach er ihn ab, nahm Lunge und Leber heraus und brachte sie als Wahrzeichen der Königin mit. Der Koch mußte sie in Salz kochen, und das boshafte Weib aß sie auf und meinte, sie hätte Sneewittchens Lunge und Leber gegessen.

Nun war das arme Kind in dem großen Wald mutterselig allein, und ward ihm so angst, daß es alle Blätter an den Bäumen ansah, und nicht wußte, wie es sich helfen sollte. Da fieng es an zu laufen und lief über die spitzen Steine und durch die Dornen, und die wilden Thiere sprangen an ihm vorbei, aber sie thaten ihm nichts. Es lief so lange nur die Füße noch fort konnten, bis es bald Abend werden wollte, da sah es ein kleines Häuschen und gieng hinein, sich zu ruhen. In dem Häuschen war alles klein, aber so zierlich und reinlich, daß es nicht zu sagen ist. Da stand ein weiß gedecktes Tischlein mit sieben kleinen Tellern, jedes Tellerlein mit seinem Löffelein, ferner sieben Messerlein und Gäblein und sieben Becherlein. An der Wand waren sieben Bettlein neben einander aufgestellt und schneeweiße Lacken darüber gedeckt. Sneewittchen, weil es so hungrig und durstig war, aß von jedem Tellerlein ein wenig Gemüs und Brot, und trank aus jedem Becherlein einen Tropfen Wein; denn es wollte nicht einem allein alles wegnehmen. Hernach, weil es so müde war, legte es sich in ein Bettchen, aber keins paßte: das eine war zu lang, das andere zu kurz, bis endlich das siebente recht war, und darin blieb es liegen, befahl sich Gott und schlief ein.

Als es ganz dunkel geworden war, kamen die Herren von dem Häuslein, das waren sieben Zwerge, die in den Bergen nach Erz hackten und gruben. Sie zündeten ihre sieben Lichtlein an, und wie es nun hell im Häuslein ward, sahen sie, daß Jemand darin gewesen war, denn es stand nicht alles so in der Ordnung, wie sie es verlassen hatten. Der erste sprach »wer hat auf meinem Stühlchen gesessen?« Der zweite »wer hat von meinem Tellerchen gegessen?« Der dritte »wer hat von meinem Brötchen genommen?« Der vierte »wer hat von meinem Gemüschen gegessen?« Der fünfte »wer hat mit meinem Gäbelchen gestochen?« Der sechste »wer hat mit meinem Messerchen geschnitten?« Der siebente »wer hat aus meinem Becherlein getrunken?« Dann sah sich der erste um und sah, daß auf seinem Bett eine kleine Dälle war, da sprach er »wer hat in mein Bettchen getreten?« Die andern kamen gelaufen und riefen »in meinem hat auch Jemand gelegen«. Der siebente aber, als er in sein Bett sah, erblickte Sneewittchen, das lag darin und schlief. Nun rief er die andern, die kamen herbeigelaufen und schrien vor Verwunderung, holten ihre sieben Lichtlein und beleuchteten Sneewittchen. »Ei, du mein Gott! ei, du mein Gott!« riefen sie, »was ist das Kind schön!« und hatten so große Freude, daß sie es nicht aufweckten, sondern im Bettlein fortschlafen ließen. Der siebente Zwerg aber schlief bei seinen Gesellen, bei jedem eine Stunde, da war die Nacht herum.

Als es Morgen war, erwachte Sneewittchen, und wie es die sieben Zwerge sah, erschrak es. Sie waren aber freundlich und fragten »wie heißt du?« »Ich heiße Sneewittchen«, antwortete es. »Wie bist du in unser Haus gekommen?« sprachen weiter die Zwerge. Da erzählte es ihnen, daß seine Stiefmutter es hätte wollen umbringen lassen, der Jäger hätte ihm aber das Leben geschenkt, und da wär es gelaufen den ganzen Tag, bis es endlich ihr Häuslein gefunden hätte. Die Zwerge sprachen »willst du unsern Haushalt versehen, kochen, betten, waschen, nähen und stricken, und willst du alles ordentlich und reinlich halten, so kannst du bei uns bleiben, und es soll dir an nichts fehlen«. »Ja«, sagte Sneewittchen, »von Herzen gern«, und blieb bei ihnen. Es hielt ihnen das Haus in Ordnung: Morgens giengen sie in die Berge und suchten Erz und Gold, Abends kamen sie wieder, und da mußte das Essen bereit sein. Den Tag über war das Mädchen allein, da warnten es die guten Zwerglein und sprachen »hüte dich vor deiner Stiefmutter, die wird bald wissen, daß du hier bist; laß ja niemand herein«.

Die Königin aber, nachdem sie Sneewittchens Lunge und Leber glaubte gegessen zu haben, dachte nicht anders als sie wäre wieder die erste und allerschönste, trat vor ihren Spiegel und sprach

»Spieglein, Spieglein an der Wand,
Wer ist die schönste im ganzen Land?«

Da antwortete der Spiegel

»Frau Königin, ihr seid die schönste hier,
aber Sneewittchen über den Bergen
bei den sieben Zwergen
ist noch tausendmal schöner als ihr.«

Da erschrak sie, denn sie wußte, daß der Spiegel keine Unwahrheit sprach, und merkte, daß der Jäger sie betrogen hatte und Sneewittchen noch am Leben war. Und da sann und sann sie aufs neue, wie sie es umbringen wollte; denn so lange sie nicht die schönste war im ganzen Land, ließ ihr der Neid keine Ruhe. Und als sie sich endlich etwas ausgedacht hatte, färbte sie sich das Gesicht und kleidete sich wie eine alte Krämerin und war ganz unkenntlich. In dieser Gestalt gieng sie über die sieben Berge zu den sieben Zwergen, klopfte an die Thüre und rief »schöne Waare feil! feil!« Sneewittchen guckte zum Fenster heraus und rief »guten Tag, liebe Frau, was habt ihr zu verkaufen?« »Gute Waare, schöne Waare«, antwortete sie, »Schnürriemen von allen Farben«, und holte einen hervor, der aus bunter Seide geflochten war. »Die ehrliche Frau kann ich herein lassen« dachte Sneewittchen, riegelte die Thüre auf und kaufte sich den hübschen Schnürriemen. »Kind«, sprach die Alte, »wie du aussiehst! komm, ich will dich einmal ordentlich schnüren.« Sneewittchen hatte kein Arg, stellte sich vor sie und ließ sich mit dem neuen Schnürriemen schnüren: aber die Alte schnürte geschwind und schnürte so fest, daß dem Sneewittchen der Athem vergieng, und es für todt hinfiel. »Nun bist du die schönste gewesen«, sprach sie und eilte hinaus.

Nicht lange darauf, zur Abendzeit, kamen die sieben Zwerge nach Haus, aber wie erschraken sie, als sie ihr liebes Sneewittchen auf der Erde liegen sahen; und es regte und bewegte sich nicht, als wäre es todt. Sie hoben es in die Höhe, und weil sie sahen, daß es zu fest geschnürt war, schnitten sie den Schnürriemen entzwei: da fieng es an ein wenig zu athmen und ward nach und nach wieder lebendig. Als die Zwerge hörten, was geschehen war, sprachen sie »die alte Krämerfrau war niemand als die gottlose Königin: hüte dich und laß keinen Menschen herein, wenn wir nicht bei dir sind«.

Das böse Weib aber, als es nach Haus gekommen war, gieng vor den Spiegel und fragte

»Spieglein, Spieglein an der Wand,
wer ist die schönste im ganzen Land?«

Da antwortete er wie sonst

»Frau Königin, ihr seid die schönste hier,
aber Sneewittchen über den Bergen
bei den sieben Zwergen
ist noch tausendmal schöner als ihr!«

Als sie das hörte, lief ihr alles Blut zum Herzen, so erschrak sie, denn sie sah wohl, daß Sneewittchen wieder lebendig geworden war. »Jetzt«, sprach sie, »will ich etwas aussinnen, das dich zu Grunde richten soll«, und mit Hexenkünsten, die sie verstand, machte sie einen giftigen Kamm. Dann verkleidete sie sich und nahm die Gestalt eines andern alten Weibes an. So gieng sie hin über die sieben Berge zu den sieben Zwergen, klopfte an die Thüre und rief »gute Waare feil! feil!« Sneewittchen schaute heraus und sprach »geht nur weiter, ich darf niemand hereinlassen«. »Das Ansehen wird dir doch erlaubt sein«, sprach die Alte, zog den giftigen Kamm heraus und hielt ihn in die Höhe. Da gefiel er dem Kinde so gut, daß es sich bethören ließ und die Thüre öffnete. Als sie des Kaufs einig waren, sprach die Alte »nun will ich dich einmal ordentlich kämmen«. Das arme Sneewittchen dachte an nichts und ließ die Alte gewähren, aber kaum hatte sie den Kamm in die Haare gesteckt, als das Gift darin wirkte und das Mädchen ohne Besinnung niederfiel. »Du Ausbund von Schönheit«, sprach das boshafte Weib, »jetzt ists um dich geschehen«, und gieng fort. Zum Glück aber war es bald Abend, wo die sieben Zwerglein nach Haus kamen. Als sie Sneewittchen wie todt auf der Erde liegen sahen, hatten sie gleich die Stiefmutter in Verdacht, suchten nach und fanden den giftigen Kamm, und kaum hatten sie ihn heraus gezogen, so kam Sneewittchen wieder zu sich und erzählte, was vorgegangen war. Da warnten sie es noch einmal, auf seiner Hut zu sein und niemand die Thüre zu öffnen.

Die Königin stellte sich daheim vor den Spiegel und sprach

»Spieglein, Spieglein an der Wand,
wer ist die schönste im ganzen Land?«

Da antwortete er, wie vorher,

»Frau Königin, ihr seid die schönste hier,
aber Sneewittchen über den Bergen
bei den sieben Zwergen
ist noch tausendmal schöner als ihr.«

Als sie den Spiegel so reden hörte, zitterte und bebte sie vor Zorn. »Sneewittchen soll sterben«, rief sie, »und wenn es mein eigenes Leben kostet.« Darauf gieng sie in eine ganz verborgene einsame Kammer, wo niemand hinkam, und machte da einen giftigen giftigen Apfel. Aeußerlich sah er schön aus, weiß mit rothen Backen, daß jeder, der ihn erblickte, Lust danach bekam, aber wer ein Stückchen davon aß, der mußte sterben. Als der Apfel fertig war, färbte sie sich das Gesicht und verkleidete sich in eine Bauersfrau, und so gieng sie über die sieben Berge zu den sieben Zwergen. Sie klopfte an, Sneewittchen streckte den Kopf zum Fenster heraus und sprach »ich darf keinen Menschen einlassen, die sieben Zwerge haben mirs verboten«. »Mir auch recht«, antwortete die Bäuerin, »meine Aepfel will ich schon los werden. Da, einen will ich dir schenken.« »Nein«, sprach Sneewittchen, »ich darf nichts annehmen.« »Fürchtest du dich vor Gift?« sprach die Alte, »siehst du, da schneide ich den Apfel in zwei Theile; den rothen Backen iß du, den weißen will ich essen.« Der Apfel war aber so künstlich gemacht, daß der rothe Backen allein vergiftet war. Sneewittchen lusterte den schönen Apfel an, und als es sah, daß die Bäuerin davon aß, so konnte es nicht länger widerstehen, streckte die Hand hinaus und nahm die giftige Hälfte. Kaum aber hatte es einen Bissen davon im Mund, so fiel es todt zur Erde nieder. Da betrachtete es die Königin mit grausigen Blicken und lachte überlaut und sprach »weiß wie Schnee, roth wie Blut, schwarz wie Ebenholz! diesmal können dich die Zwerge nicht wieder erwecken«. Und als sie daheim den Spiegel fragte

»Spieglein, Spieglein an der Wand,
wer ist die schönste im ganzen Land?«

So antwortete er endlich

»Frau Königin, ihr seid die schönste im Land.«

Da hatte ihr neidisches Herz Ruhe, so gut ein böses und neidisches Herz Ruhe haben kann.

Die Zwerglein, wie sie Abends nach Haus kamen, fanden Sneewittchen auf der Erde liegen, und gieng kein Athem mehr aus seinem Mund, und es war todt. Sie hoben es auf, suchten, ob sie was giftiges fänden, schnürten es auf, kämmten ihm die Haare, wuschen es mit Wasser und Wein, aber es half alles nichts: das liebe Kind war todt und blieb todt. Sie legten es auf eine Bahre und setzten sich alle siebene daran und beweinten es, und weinten drei Tage lang. Da wollten sie es begraben, aber es sah noch frisch so aus wie ein lebender Mensch, und hatte noch seine schönen rothen Backen. Sie sprachen »das können wir nicht in die schwarze Erde versenken«, und ließen einen Sarg von Glas machen, daß man von allen Seiten hindurch sehen konnte, legten Sneewittchen hinein und schrieben mit goldenen Buchstaben seinen Namen darauf, und daß es

eine Königstochter wäre. Dann setzten sie den Sarg hinaus auf den Berg, und einer von ihnen blieb immer dabei und bewachte ihn. Und die Thiere kamen auch und beweinten Sneewittchen, erst eine Eule, dann ein Rabe, zuletzt ein Täubchen.

Nun lag Sneewittchen lange lange Zeit in dem Sarg und verweste nicht, sondern sah aus, als wenn es schliefe, denn es war noch so weiß als Schnee, so roth als Blut und so schwarzhaarig wie Ebenholz. Es geschah aber, daß ein Königssohn in den Wald gerieth und zu dem Zwergenhaus kam, da zu übernachten. Er sah auf dem Berg den Sarg und das schöne Sneewittchen darin, und las, was mit goldenen Buchstaben darauf geschrieben war. Da sprach er zu den Zwergen »laßt mir den Sarg, ich will euch geben, was ihr dafür haben wollt«. Aber die Zwerge antworteten »wir geben ihn nicht um alles Gold in der Welt«. Da sprach er »so schenkt mir ihn, denn ich kann nicht leben ohne Sneewittchen zu sehen, ich will es in Ehren halten wie mein Liebstes«. Wie er so sprach, empfanden die guten Zwerglein Mitleiden mit ihm und gaben ihm den Sarg. Der Königssohn ließ ihn nun von seinen Dienern auf den Schultern forttragen. Da geschah es, daß sie über einen Strauch stolperten, und von dem Schüttern fuhr der giftige Apfelgrütz, den Sneewittchen abgebissen hatte, aus dem Hals. Und nicht lange, so öffnete es die Augen, hob den Deckel vom Sarg in die Höhe, richtete sich auf und war wieder lebendig. »Ach Gott, wo bin ich?« rief es. Der Königssohn sagte voll Freude »du bist bei mir«, und erzählte, was sich zugetragen hatte, und sprach »ich habe dich lieber, als alles auf der Welt: komm mit mir in meines Vaters Schloß, du sollst meine Gemahlin werden«. Da war ihm Sneewittchen gut und gieng mit ihm, und ihre Hochzeit ward mit großer Pracht und Herrlichkeit angeordnet.

Zu dem Feste ward aber auch Sneewittchens gottlose Stiefmutter eingeladen. Wie sie sich nun mit schönen Kleidern angethan hatte, trat sie vor den Spiegel und sprach

»Spieglein, Spieglein an der Wand,
wer ist die schönste im ganzen Land?«

Der Spiegel antwortete

»Frau Königin ihr seid die schönste hier,
aber die junge Königin ist tausendmal schöner als ihr.«

Da stieß das böse Weib einen Fluch aus, und ward ihr so angst, so angst, daß sie sich nicht zu lassen wußte. Sie wollte zuerst gar nicht auf die Hochzeit kommen: doch ließ es ihr keine Ruhe, sie mußte fort und die junge Königin sehen. Und wie sie in den königlichen Saal trat, erkannte sie Sneewittchen, und vor Angst und Schrecken stand sie da und konnte sich nicht regen. Aber es waren schon eiserne Pantoffeln über Kohlenfeuer gestellt, die wurden mit eisernen Zangen hereingetragen und vor sie hingestellt. Da mußte sie in die rothglühenden Schuhe treten und mußte darin tanzen, bis sie todt zur Erde fiel.

28.

Rumpelstilzchen.

Es war einmal ein Müller, der war arm, aber er hatte eine schöne Tochter. Nun traf es sich, daß er mit dem Könige zu sprechen kam, und um sich ein Ansehen zu geben, sagte er zu ihm »ich habe eine Tochter, die kann

Stroh zu Gold spinnen«. Der König sprach zum Müller »das ist eine Kunst, die mir wohl gefällt, wenn deine Tochter so geschickt ist, wie du sagst, so bring sie morgen in mein Schloß, da will ich sie auf die Probe stellen«. Als das Mädchen kam, führte er es in eine Kammer, die ganz voll Stroh lag, gab ihm Rad und Haspel und sprach »jetzt mach dich an die Arbeit, und wenn du diese Nacht durch bis morgen früh dieses Stroh nicht zu Gold versponnen hast, so mußt du sterben«. Darauf schloß er die Kammer selbst zu, und sie blieb allein darin.

Da saß nun die arme Müllerstochter und wußte um ihr Leben keinen Rath, sie verstand gar nichts davon, wie man Stroh zu Gold spinnen konnte, und ihre Angst ward immer größer, daß sie endlich zu weinen anfieng. Da gieng auf einmal die Thüre auf, und trat ein kleines Männchen herein und sprach »guten Abend, Jungfer Müllerin, warum weint sie so sehr?« »Ach«, antwortete das Mädchen, »ich soll Stroh zu Gold spinnen und verstehe das nicht.« Sprach das Männchen »was giebst du mir, wenn ich dirs spinne?« »Mein Halsband«, sagte das Mädchen. Das Männchen nahm das Halband, setzte sich vor das Rädchen, und schnurr, schnurr, schnurr, dreimal gezogen, war die Spule voll. Dann steckte es eine andere auf, und schnurr, schnurr, schnurr, dreimal gezogen, war auch die zweite voll: und so giengs fort bis zum Morgen, da war alles Stroh versponnen, und alle Spulen waren voll Gold. Bei Sonnenaufgang kam schon der König, und als er all das Gold erblickte, erstaunte er und freute sich: aber sein Herz ward nur noch goldgieriger. Er ließ die Müllerstochter in eine andere Kammer voll Stroh bringen, die noch viel größer war, und befahl ihr das auch in einer Nacht zu spinnen, wenn ihr das Leben lieb wäre. Das Mädchen wußte sich nicht zu helfen und weinte, da gieng abermals die Thüre auf, und das kleine Männchen erschien und sprach »was gibst du mir, wenn ich dir das Stroh zu Gold spinne?« »Meinen Ring von dem Finger« antwortete das Mädchen. Das Männchen nahm den Ring, fieng wieder an zu schnurren mit dem Rade und hatte bis zum Morgen alles Stroh zu glänzendem Gold gesponnen. Der König freute sich über die Maßen bei dem Anblick, war aber noch nicht Goldes satt, sondern ließ die Müllerstochter in eine noch größere Kammer voll Stroh bringen und sprach »die mußt du noch in dieser Nacht verspinnen, gelingt dirs aber, so sollst du meine Gemahlin werden«. »Wenns auch eine Müllerstochter ist«, dachte er, »eine reichere Frau finde ich auf der Welt nicht.« Als das Mädchen allein war, kam das Männlein zum drittenmal wieder und sprach »was gibst du mir, wenn ich dir noch diesmal das Stroh spinne?« »Ich habe nichts mehr, das ich geben könnte«, antwortete das Mädchen. »So versprich mir, wenn du Königin wirst, dein erstes Kind.« »Wer weiß, wie das noch geht« dachte die Müllerstochter und wußte sich auch in der Noth nicht anders zu helfen: sie versprach also dem Männchen, was es verlangte, und das spann dafür noch einmal das Stroh zu Gold. Und als am Morgen der König kam und alles fand, wie er gewünscht hatte, so hielt er Hochzeit mit ihr, und die schöne Müllerstochter ward eine Königin.

Ueber ein Jahr brachte sie ein schönes Kind zur Welt und dachte gar nicht mehr an das Männchen: da trat es plötzlich in ihre Kammer und sprach »nun gib mir, was du versprochen hast«. Die Königin erschrak und bot dem Männchen alle Reichthümer des Königreichs an, wenn es ihr das Kind lassen wollte: aber das Männlein sprach »nein, etwas Lebendes ist mir lieber als alle Schätze der Welt«. Da fieng die Königin so an zu jammern und zu weinen, daß das Männchen Mitleiden mit ihr hatte: »drei

Tage will ich dir Zeit lassen«, sprach er, »wenn du bis dahin meinen Namen weißt, so sollst du dein Kind behalten«.

Nun besann sich die Königin die ganze Nacht über auf alle Namen, die sie jemals gehört hatte, und schickte einen Boten über Land, er sollte sich erkundigen weit und breit, was es sonst noch für Namen gäbe. Als am andern Tage das Männchen kam, fieng sie an mit Caspar, Melchior, Balzer, und sagte alle Namen, die sie wußte, nach der Reihe her, aber bei jedem sprach das Männlein »so heiß ich nicht«. Den zweiten Tag ließ sie in der Nachbarschaft herumfragen, wie die Leute genannt würden, und sagte dem Männlein die ungewöhnlichsten und seltsamsten vor, »heißt du vielleicht Rippenbiest oder Hammelswade oder Schnürbein?« aber es antwortete immer »so heiß ich nicht«. Am dritten Tag kam der Bote wieder zurück und erzählte »neue Namen hab ich keinen einzigen finden können, aber wie ich an einen hohen Berg um die Waldecke kam, wo Fuchs und Has sich gute Nacht sagen, so sah ich da ein kleines Haus, und vor dem Haus brannte ein Feuer, und um das Feuer sprang ein gar zu lächerliches Männchen, hüpfte auf einem Bein und schrie

»heute back ich, morgen brau ich,
übermorgen hol ich der Königin ihr Kind;
ach, wie gut ist, daß niemand weiß,
daß ich Rumpelstilzchen heiß!«

Da könnt ihr denken, wie die Königin froh war, als sie den Namen hörte, und als bald hernach das Männlein herein trat und sprach »nun, Frau Königin, wie heiß ich?« so fragte sie »heißest du Kunz?« »Nein.« »Heißest du Heinz?« »Nein.«

»Heißest du etwa Rumpelstilzchen?«

»Das hat dir der Teufel gesagt, das hat dir der Teufel gesagt« schrie das Männlein und stieß mit dem rechten Fuß vor Zorn so heftig auf die Erde, daß er bis an den Leib hinein fuhr, dann packte es in seiner Wuth den linken Fuß mit beiden Händen und riß sich selbst mitten entzwei.

29.

Der Hund und der Sperling.

Ein Schäferhund hatte keinen guten Herrn, sondern einen, der ihn Hunger leiden ließ. Wie ers nicht länger bei ihm aushalten konnte, gieng er ganz traurig fort. Auf der Straße begegnete ihm ein Sperling, der sprach »Bruder Hund, warum bist du so traurig?« Antwortete der Hund »ich bin hungrig und habe nichts zu fressen«. Da sprach der Sperling »lieber Bruder, komm mit in die Stadt, so will ich dich satt machen«. Also giengen sie zusammen in die Stadt, und als sie vor einen Fleischerladen kamen, sprach der Sperling zum Hund »da bleib stehen, ich will dir ein Stück Fleisch herunter picken«, setzte sich auf den Laden, schaute sich um, ob ihn auch niemand bemerkte, und pickte, zog und zerrte so lang an einem Stück, das am Rande lag, bis es herunter rutschte. Da packte es der Hund, lief in eine Ecke und fraß es auf. Sprach der Sperling »nun komm mit zu einem andern Laden, da will ich dir noch ein Stück herunterholen, damit du satt wirst«. Als der Hund auch das zweite Stück gefressen hatte, fragte der Sperling »Bruder Hund, bist du nun satt?« »Ja, Fleisch bin ich satt«, antwortete er, »aber ich habe noch kein Brot gekriegt.« Sprach der Sperling »das sollst du auch haben, komm nur mit«. Da führte er ihn an einen Bäckerladen und pickte an ein paar Brötchen, bis sie herunter rollten, und als der Hund noch mehr wollte, führte er ihn zu einem andern und holte ihm noch einmal Brot herab. Wie das verzehrt war, sprach der Sperling »Bruder Hund, bist du nun satt?« »Ja«, antwortete er, »nun wollen wir ein bischen vor die Stadt gehen.«

Da giengen sie beide hinaus auf die Landstraße. Es war aber warmes Wetter, und als sie ein Eckchen gegangen waren, sprach der Hund »ich bin müde und möchte gerne schlafen«. »Ja, schlaf nur«, antwortete der Sperling, »ich will mich derweil auf einen Zweig setzen.« Der Hund legte sich also auf die Straße und schlief fest ein. Während er da lag und schlief, kam ein Fuhrmann heran gefahren, der hatte einen Wagen mit drei Pferden, und hatte zwei Fässer Wein geladen. Der Sperling aber sah, daß er nicht ausbiegen wollte, sondern in der Fahrgleise blieb, in welcher der Hund lag: da rief er »Fuhrmann, thus nicht, oder ich mache dich arm«. Der Fuhrmann aber brummte vor sich »du wirst mich nicht arm machen«, knallte mit der Peitsche und trieb den Wagen über den Hund, daß ihn die Räder todt fuhren. Da rief der Sperling »du hast mir meinen Bruder Hund todt gefahren, das soll dich Karre und Gaul kosten«. »Ja, Karre und Gaul«, sagte der Fuhrmann, »was könntest du mir schaden!« und fuhr weiter. Da kroch der Sperling unter das Wagentuch und pickte an dem einen Spuntloch so lange, bis er den Spunt losbrachte: da lief der ganze Wein heraus, ohne daß es der Fuhrmann merkte. Und als er einmal hinter sich blickte, sah er, daß der Wagen tröpfelte, untersuchte die Fässer und fand, daß eins leer war. »Ach, ich armer Mann!« rief er. »Noch nicht arm genug« sprach der Sperling und flog dem einen Pferd auf den Kopf und pickte ihm die Augen aus. Als der Fuhrmann das sah, zog er seine Hacke heraus und wollte den Sperling treffen: aber der Sperling flog in die Höhe, und der Fuhrmann traf seinen Gaul auf den Kopf, daß er todt hinfiel. »Ach, ich armer Mann!« rief er. »Noch nicht arm genug« sprach der Sperling, und als der Fuhrmann mit den zwei Pferden weiter fuhr, kroch der Sperling wieder unter das Tuch und pickte auch den Spunt am zweiten Faß los, daß aller Wein heraus schwankte. Als es der Fuhrmann gewahr wurde, rief er wieder: »ach, ich armer Mann!« aber der Sperling antwortete »noch nicht arm genug«, setzte sich dem zweiten Pferd auf den Kopf und pickte ihm die Augen aus. Der Fuhrmann lief herbei, und holte mit seiner Hacke aus, aber der Sperling flog in die Höhe, da traf der Schlag das Pferd, daß es hinfiel. »Ach, ich armer Mann!« »Noch nicht arm genug!« sprach der Sperling, setzte sich auch dem dritten Pferd auf den Kopf und pickte ihm nach den Augen. Der Fuhrmann schlug in seinem Zorn, ohne umzusehen, auf den Sperling los, traf ihn aber nicht, sondern schlug auch sein drittes Pferd todt. »Ach, ich armer Mann!« rief er. »Noch nicht arm genug« antwortete der Sperling, »jetzt will ich dich daheim arm machen« und flog fort.

Der Fuhrmann mußte den Wagen stehen lassen und gieng voll Zorn und Aerger heim. »Ach«, sprach er zu seiner Frau, »was hab ich Unglück gehabt! der Wein ist ausgelaufen, und die Pferde sind alle drei todt.« »Ach, Mann«, antwortete sie, »was für ein böser Vogel ist ins Haus gekommen! er hat die Vögel aus der ganzen Welt zusammen gebracht, und die sind droben über unsern Waizen hergefallen und fressen ihn auf.« Da stieg er hinauf, und tausend und abermal tausend Vögel saßen auf dem Boden und hatten den Waizen aufgefressen, und der

Sperling saß mitten darunter. Da rief der Fuhrmann »ach, ich armer Mann!« »Noch nicht arm genug«, antwortete der Sperling, »Fuhrmann, es kostet dir noch dein Leben« und flog hinaus.

Da hatte der Fuhrmann all sein Gut verloren, gieng hinab in seine Stube und setzte sich hinter den Ofen, und war ganz bös und giftig. Der Sperling aber saß draußen vor dem Fenster und rief »Fuhrmann, es kostet dir dein Leben«. Da ergriff der Fuhrmann die Hacke und warf sie nach dem Sperling: aber er schlug nur die Fensterscheiben entzwei und traf den Vogel nicht. Der Sperling hüpfte durch das zerbrochene Fenster herein, setzte sich auf den Ofen und rief »Fuhrmann, es kostet dir dein Leben«. Dieser, ganz toll und blind vor Wuth, schlägt den Ofen entzwei, und so fort, wie der Sperling von einem Ort zum andern fliegt, sein ganzes Hausgeräth, Spieglein, Bänke, Tisch und zuletzt die Wände seines Hauses, und kann ihn nicht treffen. Endlich erwischte er ihn mit der Hand. Da sprach seine Frau »soll ich ihn todt schlagen?« »Nein«, rief er, »das wäre zu gelind, der soll viel mörderlicher sterben, ich will ihn verschlingen«, und nimmt ihn und verschlingt ihn auf einmal. Der Sperling aber fängt an in seinem Leibe zu flattern, flattert wieder herauf, dem Mann in den Mund: da streckt er den Kopf heraus und ruft »Fuhrmann, es kostet dir doch dein Leben«. Der Fuhrmann reicht seiner Frau die Hacke und spricht »Frau, schlag mir den Vogel im Munde todt«. Die Frau schlägt zu, schlägt aber fehl, und schlägt den Fuhrmann gerade auf den Kopf, so daß er todt hinfällt. Der Sperling aber fliegt auf und davon.

30.

Der Frieder und das Catherlieschen.

Es war ein Mann, der hieß Frieder, und eine Frau, die hieß Catherlieschen, die hatten einander geheirathet und lebten zusammen als junge Eheleute. Eines Tages sprach der Frieder »ich will jetzt zu Acker, Catherlieschen, wann ich wiederkomme, muß etwas Gebratenes auf dem Tisch stehen für den Hunger, und ein frischer Trunk dabei für den Durst«. »Geh nur, Friederchen«, antwortete die Catherlies, »geh nur, will dirs schon recht machen.« Als nun die Essenszeit herbeirückte, holte sie eine Wurst aus dem Schornstein, that sie in eine Bratpfanne, legte Butter dazu und stellte sie übers Feuer. Die Wurst fing an zu braten und zu brutzeln, Catherlieschen stand dabei, hielt den Pfannenstiel und hatte so seine Gedanken: da fiel ihm ein »bis die Wurst fertig wird, derweil könntest du ja im Keller den Trunk zapfen!« Also stellte es den Pfannenstiel fest, nahm eine Kanne, gieng hinab in den Keller und zapfte Bier. Das Bier lief in die Kanne, und Catherlieschen sah ihm zu, da fiel ihm ein »holla, der Hund oben ist nicht beigethan, der könnte die Wurst aus der Pfanne holen: du kämst mir recht!« und im Hui war es die Kellertreppe hinauf; aber der Spitz hatte die Wurst schon im Maul und schleifte sie auf der Erde mit sich fort. Doch Catherlieschen, nicht faul, setzte ihm nach und jagte ihn ein gut Stück ins Feld; aber der Hund war geschwinder als Catherlieschen, ließ auch die Wurst nicht fahren, sondern sie mußte mit ihm über die Äcker hüpfen. »Hin ist hin!« sprach Catherlieschen, kehrte um, und weil es sich müde gelaufen hatte, gieng es hübsch langsam und kühlte sich ab. Während der Zeit lief das Bier aus dem Faß immer zu, denn Catherlieschen hatte den Hahn nicht umgedreht, und als die Kanne voll und sonst kein Platz da war, so lief es in den Keller und hörte nicht eher auf, als bis das ganze Faß leer war. Catherlieschen sah schon auf der Treppe das Unglück. »Spuk«, rief es, »was fängst du jetzt an, daß es der Frieder nicht merkt!« Es besann sich ein Weilchen, endlich fiel ihm ein von der letzten Kirmes stände noch ein Sack mit schönem Waizenmehl auf dem Boden, das wollte es herabholen und in das Bier streuen. »Ja«, sprach es, »wer zu rechter Zeit was spart, der hats hernach in der Noth«, stieg auf den Boden und trug den Sack herab, und warf ihn gerade auf die Kanne voll Bier, daß sie umstürzte und der Trunk des Frieders auch im Keller schwamm. »Das ist ganz recht, wo eins ist, muß das andere auch sein«, sprach Catherlieschen, zerstreute danach das Mehl im ganzen Keller, freute sich am Ende gewaltig über seine Arbeit und sagte »wies so reinlich und sauber hier aussieht!«

Um Mittagszeit kam der Frieder heim. »Nun, Frau, was hast du mir zurecht gemacht?« »Ach, Friederchen«, antwortete sie, »ich wollte dir ja eine Wurst braten, aber während ich das Bier dazu zapfte, hat sie der Hund aus der Pfanne weggeholt, und während ich dem Hund nachsprang, ist das Bier ausgelaufen, und als ich das Bier mit dem Waizenmehl auftrocknen wollte, habe ich die Kanne auch noch umgestoßen: aber sei nur zufrieden, der Keller ist wieder ganz in Ordnung.« Sprach der Frieder »Catherlieschen, Catherlieschen, das hättest du nicht thun müssen! läßt die Wurst wegholen und das Bier aus dem Faß laufen, und verschüttest obendrein unser feines Mehl!« »Ja, Friederchen, das habe ich nicht gewußt, hättest mirs sagen müssen.«

Der Mann dachte »geht das so mit deiner Frau, so mußt du dich besser vorsehen«. Nun hatte er eine hübsche

Summe Thaler zusammen gebracht, die wechselte er in Gold ein und sprach zum Catherlieschen »siehst du, das sind gelbe Gickelinge, die will ich in einen Topf thun und im Stall unter der Kuhkrippe vergraben: aber daß du mir ja davon bleibst, sonst geht dirs schlimm«. Sprach sie »nein, Friederchen, wills gewiß nicht thun«. Nun, als der Frieder fort war, da kamen Krämer, die irdene Näpfe und Töpfe feil hatten, ins Dorf und fragten bei der jungen Frau an, ob sie nichts zu handeln hätte. »O, ihr lieben Leute«, sprach Catherlieschen, »ich hab kein Geld und kann nichts kaufen; aber könnt ihr gelbe Gickelinge brauchen, so will ich wohl kaufen.« »Gelbe Gickelinge, warum nicht? laßt sie einmal sehen.« »So geht in den Stall und grabt unter der Kuhkrippe, da werdet ihr die gelben Gickelinge finden: ich darf nicht dabei gehen.« Die Spitzbuben giengen hin, gruben und fanden eitel Gold. Da packten sie auf damit, liefen fort und ließen Töpfe und Näpfe im Hause stehen. Catherlieschen meinte, sie müßte das neue Geschirr auch brauchen: weil nun in der Küche ohnehin kein Mangel daran war, schlug sie jedem Topf den Boden aus und steckte sie insgesammt zum Zierrath auf die Zaunpfähle rings ums Haus herum. Wie der Frieder kam und den neuen Zierrath sah, sprach er »Catherlieschen, was hast du gemacht?« »Habs gekauft, Friederchen, für die gelben Gickelinge, die unter der Kuhkrippe steckten: bin selber nicht dabei gegangen, die Krämer haben sichs heraus graben müssen.« »Ach, Frau«, sprach der Frieder, »was hast du gemacht! das waren keine Gickelinge, es war eitel Gold, und war all unser Vermögen; das hättest du nicht thun sollen.« »Ja, Friederchen«, antwortete sie, »das hab ich nicht gewußt, hättest mirs vorher sagen sollen.«

Catherlieschen stand ein Weilchen und besann sich, da sprach sie »hör, Friederchen, das Gold wollen wir schon wieder kriegen, wollen hinter den Dieben herlaufen«. »So komm«, sprach der Frieder, »wir wollens versuchen; nimm aber Butter und Käse mit, daß wir auf dem Weg was zu essen haben.« »Ja, Friederchen, wills mitnehmen.« Sie machten sich auf den Weg, und weil der Frieder besser zu Fuß war, gieng Catherlieschen hinten nach. »Ist mein Vortheil«, dachte es, »wenn wir umkehren, hab ich ja ein Stück voraus.« Nun kam es an einen Berg, wo auf beiden Seiten des Wegs tiefe Fahrgleisen waren. »Da sehe einer«, sprach Catherlieschen, »was sie das arme Erdreich zerrissen, geschunden und gedrückt haben! das wird sein Lebtag nicht wieder heil.« Und aus mitleidigem Herzen nahm es seine Butter und bestrich die Gleisen, rechts und links, damit sie von den Rädern nicht so gedrückt würden: und wie es sich bei seiner Barmherzigkeit so bückte, rollte ihm ein Käse aus der Tasche fort, den Berg hinab. Sprach das Catherlieschen »ich habe den Weg schon einmal herauf gemacht, ich gehe nicht wieder hinab, es mag ein anderer hinlaufen und ihn wieder holen«. Also nahm es einen andern Käs und rollte ihn herab. Die Käse aber kamen beide nicht wieder, da ließ es noch einen dritten hinablaufen und dachte »vielleicht warten sie auf Gesellschaft und gehen nicht gern allein«. Als sie alle drei ausblieben, sprach es »ich weiß nicht, was das vorstellen soll! doch kanns ja sein, der dritte hat den Weg nicht gefunden und sich verirrt, ich will nur den vierten schicken, daß er sie herbeiruft«. Der vierte machte es aber nicht besser als er dritte. Da ward das Catherlieschen ärgerlich und warf noch den fünften und sechsten hinab, und das waren die letzten. Eine Zeit lang blieb es stehen und lauerte, daß sie kämen, als sie aber immer nicht kamen, sprach es »o, ihr seid gut nach dem Tod schicken, ihr bleibt fein lange aus; meint ihr ich wollt noch länger auf euch warten? ich gehe meiner

Wege, ihr könnt mir nachlaufen, ihr habt jüngere Beine als ich«. Catherlieschen gieng fort und fand den Frieder, der war stehen geblieben und hatte gewartet, weil er gerne was essen wollte. »Nun gib einmal her, was du mitgenommen hast.« Sie reichte ihm das trockene Brot. »Wo ist Butter und Käse?« fragte der Mann. »Ach, Friederchen«, sagte Catherlieschen, »mit der Butter hab ich die Fahrgleisen beschmiert, und die Käse werden bald kommen: einer lief mir fort, da hab ich die andern nachgeschickt, sie sollten ihn rufen.« Sprach der Frieder, »das hättest du nicht thun sollen, Catherlieschen, die Butter an den Weg schmieren, und die Käse den Berg hinabrollen«. »Ja, Friederchen, hättest mirs sagen müssen.«

Da aßen sie das trockne Brot zusammen, und der Frieder sagte »Catherlieschen, hast du auch unser Haus verwahrt, wie du fort gegangen bist?« »Nein, Friederchen, hättest mirs vorher sagen sollen.« »So geh wieder heim und bewahr erst das Haus, ehe wir weiter gehen; bring auch etwas anderes zu essen mit, ich will hier auf dich warten.« Catherlieschen gieng zurück und dachte »Friederchen will etwas anderes zu essen, Butter und Käse schmeckt ihm wohl nicht, so will ich ein Tuch voll Hutzeln und einen Krug Essig zum Trunk mitnehmen«. Danach riegelte es die Oberthüre zu, aber die Unterthüre hob es aus, nahm sie auf die Schulter, und glaubte, wenn es die Thüre in Sicherheit gebracht hätte, müßte das Haus wohl bewahrt sein. Catherlieschen nahm sich Zeit zum Weg und dachte »desto länger ruht sich Friederchen aus«. Als es ihn wieder erreicht hatte, sprach es »da, Friederchen, hast du die Hausthüre, da kannst du das Haus selber verwahren«. »Ach Gott«, sprach er, »was habe ich für eine kluge Frau! hebt die Thüre unten aus, daß alles hineinlaufen kann, und riegelt sie oben zu. Jetzt ists zu spät noch einmal nach

Haus zu gehen, aber hast du die Thüre hierher gebracht, so sollst du sie auch ferner tragen.« »Die Thüre will ich tragen, Friederchen, aber die Hutzeln und der Essigkrug werden mir zu schwer: ich hänge sie an die Thüre, die mag sie tragen.«

Nun giengen sie in den Wald und suchten die Spitzbuben, aber sie fanden sie nicht. Weils endlich dunkel ward, stiegen sie auf einen Baum und wollten da übernachten. Kaum aber saßen sie oben, so kamen die Kerle daher, die forttragen, was nicht mitgehen will, und Dinge finden, ehe sie verloren sind. Sie ließen sich gerade unter dem Baum nieder, auf dem Frieder und Catherlieschen saßen, machten sich ein Feuer an und wollten ihre Beute theilen. Der Frieder stieg von der andern Seite herab und sammelte Steine in seine Tasche, stieg wieder hinauf und wollte die Diebe todt werfen. Die Steine aber trafen nicht, und die Spitzbuben riefen »es ist bald Morgen, der Wind schüttelt die Tannäpfel herunter«. Catherlieschen hatte die Thür noch immer auf der Schulter, und weil sie so schwer drückte, dachte es die Hutzeln wären schuld und sprach »Friederchen, ich muß die Hutzeln hinab werfen«. »Nein, Catherlieschen, jetzt nicht«, antwortete er, »sie könnten uns verrathen.« »Ach, Friederchen, ich muß, sie drücken mich gar zu sehr.« »Nun so thus in Henkers Namen!« Da rollten die Hutzeln zwischen den Aesten herab, und die Kerle unten sprachen »die Vögel misten«. Eine Weile hernach, weil die Thüre noch immer drückte, sprach Catherlieschen »ach, Friederchen, ich muß den Essig ausschütten«. »Nein, Catherlieschen, das darfst du nicht, es könnte uns verrathen.« »Ach, Friederchen, ich muß, es drückt mich gar zu sehr.« »Nun so thus ins Henkers Namen!« Da schüttelte es den Essig aus, daß er die Kerle bespritzte. Sie sprachen untereinander »der Thau tröpfelt schon herunter«. Endlich dachte Catherlieschen »sollte es wohl die Thüre sein, was mich so drückt?« und sprach »Friederchen, ich muß die Thüre hinabwerfen«. »Nein, Catherlieschen, jetzt nicht, sie könnte uns verrathen.« »Ach, Friederchen, ich muß, sie drückt mich gar zu sehr.« »Nein, Catherlieschen, halt sie ja fest.« »Ach, Friederchen, ich laß sie fallen.« »Ei«, antwortete Frieder ärgerlich, »so laß sie fallen ins Teufels Namen!« Da fiel sie herunter mit starkem Gepolter, die Kerle unten riefen voll Schrecken »der Teufel kommt vom Baum herab«, rissen aus und ließen alles in Stich. Frühmorgens, wie die zwei herunter kamen, fanden sie all ihr Gold wieder und trugens heim.

Als sie wieder zu Haus waren, sprach der Frieder »Catherlieschen, nun mußt du aber auch fleißig sein und arbeiten«. »Ja, Friederchen, wills schon thun, will ins Feld gehen, Frucht schneiden.« Als Catherlieschen im Feld war, sprachs mit sich selber »eß ich, eh ich schneid, oder schlaf ich, eh ich schneid? hei, ich will ehr essen!« Da aß Catherlieschen, und ward überm Essen schläfrig, und fieng an zu schneiden und schnitt halb träumend alle seine Kleider entzwei, Schürze, Rock und Hemd. Wie Catherlieschen nach langem Schlaf wieder erwachte, stand es halb nackigt da und sprach zu sich selber »bin ichs, oder bin ichs nicht? ach ich bins nicht!« Unterdessen wards Nacht, da lief Catherlieschen ins Dorf hinein, klopfte an ihres Mannes Fenster und rief »Friederchen?« »Was ist denn?« »Möcht gern wissen, ob Catherlieschen drinnen ist.« »Ja, ja«, antwortete der Frieder, »es wird wohl drin liegen und schlafen.« Sprach sie »gut, dann bin ich schon zu Haus« und lief fort.

Draußen fand Catherlieschen Spitzbuben, die wollten stehlen. Da gieng es zu ihnen und sprach »ich will euch helfen stehlen«. Die Spitzbuben meinten, es wüßte die

Gelegenheit des Orts und warens zufrieden. Catherlieschen gieng vor die Häuser, und rief »ihr Leute, habt ihr was? wir wollen stehlen«. Dachten die Spitzbuben »das wird gut werden« und wünschten sie wären Catherlieschen wieder los. Da sprachen sie zu ihm »vorm Dorf hat der Pfarrer Rüben auf dem Feld, geh hin und rupf uns Rüben«. Catherlieschen gieng hinaus aufs Land und fieng an zu rupfen, war aber so faul und hob sich nicht in die Höhe. Da kam ein Mann vorbei, sahs und stand still, und dachte das wäre der Teufel, der so in den Rüben wühlte. Lief fort ins Dorf zum Pfarrer und sprach »Herr Pfarrer, in eurem Rübenland ist der Teufel und rupft«. »Ach Gott«, antwortete der Pfarrer, »ich habe einen lahmen Fuß, ich kann nicht hinaus und ihn wegbannen.« Sprach der Mann »so will ich euch hockeln« und hockelte ihn hinaus. Und wie sie bei das Land kamen, machte sich das Catherlieschen auf und reckte sich in die Höhe. »Ach, der Teufel!« rief der Pfarrer, und beide eilten fort, und der Pfarrer konnte vor großer Angst mit seinem lahmen Fuß gerader laufen, als der Mann, der ihn gehockelt hatte, mit seinen gesunden Beinen.

31.

Allerleirauh.

Es war einmal ein König, der hatte eine Frau mit goldenen Haaren, und sie war so schön, daß sich ihres Gleichen nicht mehr auf Erden fand. Es geschah, daß sie krank lag, und als sie fühlte, daß sie bald sterben würde, rief sie den König und sprach, »wenn du nach meinem Tod dich wieder vermählen willst, so nimm keine, die nicht eben so schön ist, als ich bin, und die nicht solche goldene Haare hat, wie ich habe; das mußt du mir versprechen«. Nachdem es ihr der König versprochen hatte, that sie die Augen zu und starb.

Der König war lange Zeit nicht zu trösten und dachte nicht daran, eine zweite Frau zu nehmen. Endlich sprachen seine Räthe »es geht nicht anders, der König muß sich wieder vermählen, damit wir eine Königin haben«. Nun wurden Boten weit und breit umhergeschickt, eine Braut zu suchen, die an Schönheit der verstorbenen Königin ganz gleich käme. Es war aber in der ganzen Welt keine zu finden, und wenn man sie auch gefunden hätte, so war doch keine da, die solche goldene Haare gehabt hätte. Also kamen die Boten unverrichteter Sache wieder heim.

Nun hatte der König eine Tochter, die war gerade so schön, wie ihre verstorbene Mutter, und hatte auch solche goldene Haare. Als sie herangewachsen war, sah sie der König einmal an, und sah, daß sie in allem seiner verstorbenen Gemahlin ähnlich war und fühlte plötzlich eine heftige Liebe zu ihr. Da sprach er zu seinen Räthen »ich will meine Tochter heirathen, denn sie ist das Ebenbild meiner verstorbenen Frau, und sonst kann ich doch keine Braut finden, die ihr gleicht«. Als die Räthe das hörten, erschraken sie und sprachen »Gott hat verboten, daß der Vater seine Tochter heirathe, aus der Sünde kann nichts Gutes entspringen, und das Reich wird mit ins Verderben gezogen«. Die Tochter erschrak nicht weniger, als sie den Entschluß ihres Vaters vernahm, hoffte aber ihn von seinem Vorhaben noch abzubringen. Da sagte sie zu ihm »eh ich euren Wunsch erfülle, muß ich drei Kleider haben, eins so golden wie die Sonne, eins so silbern wie der Mond, und eins so glänzend wie die Sterne; ferner verlange ich einen Mantel von tausenderlei Pelz- und Rauhwerk zusammengesetzt, und ein jedes Thier in eurem Reich muß ein Stück von seiner Haut dazu geben«. Sie dachte aber »das anzuschaffen ist ganz unmöglich, und ich bringe damit meinen Vater von seinen bösen Gedanken«. Der König ließ aber nicht ab, und die geschicktesten Jungfrauen in seinem Reiche mußten die drei Kleider weben, eins so golden wie die Sonne, eins so silbern wie der Mond, und eins so glänzend wie die Sterne: und seine Jäger mußten alle Thiere im ganzen Reich auffangen und ihnen ein Stück von ihrer Haut abziehen, daraus ward ein Mantel von tausenderlei Rauhwerk gemacht. Endlich als alles fertig war, befahl der König den Mantel herbei zu holen, breitete ihn vor ihr aus und sprach »morgen soll die Hochzeit sein«.

Als nun die Königstochter sah, daß keine Hoffnung mehr war, ihres Vaters Herz umzuwenden, so faßte sie den Entschluß zu entfliehen. In der Nacht, während alles schlief, stand sie auf und nahm von ihren Kostbarkeiten dreierlei, einen goldenen Ring, ein goldenes Spinnrädchen und ein goldenes Haspelchen: die drei Kleider von Sonne, Mond und Sternen that sie in eine Nußschale, zog den Mantel von allerlei Rauhwerk an und machte sich Gesicht und Hände mit Ruß schwarz. Dann befahl sie sich Gott und gieng fort und gieng die ganze Nacht, bis sie in einen großen Wald kam. Und weil sie so müde war, setzte sie sich in einen hohlen Baum und schlief ein.

Die Sonne gieng auf, und sie schlief fort und schlief noch immer, als es schon hoher Tag war. Da trug es sich zu, daß der König, dem dieser Wald gehörte, darin jagte. Als seine Hunde zu dem Baum kamen, schnupperten sie, liefen rings herum und bellten. Sprach der König zu den Jägern »seht zu was dort für ein Wild sich versteckt hat«. Die Jäger giengen hin und kamen wieder und sprachen »in dem hohlen Baum liegt ein wunderliches Thier, das wir nicht kennen und wie wir noch niemals eins gesehen haben: an seiner Haut ist tausenderlei Pelz; es liegt aber und schläft«. Sprach der König »seht zu ob ihrs lebendig fangen könnt, dann bindets auf den Wagen und nehmts mit«. Als die Jäger das Mädchen anpackten, erwachte es, erschrak und rief ihnen zu »ich bin ein armes Kind, das Vater und Mutter verlassen haben, erbarmt euch mein und nehmt mich mit«. Da sprachen sie »*Allerleirauh*, du bist gut für die Küche, komm nur mit, da kannst du die Asche zusammen kehren«. Also setzten sie es auf den Wagen und fuhren heim in das königliche Schloß. Dort wiesen sie ihm ein Ställchen unter der Treppe an, wo kein Tageslicht hinkam, und sagten »Rauhthierchen, da kannst du wohnen und schlafen«. Dann ward es in die Küche geschickt, da trug es Holz und Wasser, schürte das Feuer, rupfte das Federvieh, belas das Gemüs, kehrte die Asche zusammen, und that alle schlechte Arbeit.

Da lebte Allerleirauh lange Zeit recht armselig. Ach, du schöne Königstochter, wie solls mit dir noch werden! Es geschah aber einmal, daß ein Fest im Schloß gefeiert wurde, da sprach sie zum Koch »darf ich ein wenig hinauf gehen und zusehen? ich will mich außen vor die Thüre stellen«. Antwortete der Koch »ja geh nur hin, aber in einer halben Stunde mußt du wieder hier sein und die Asche zusammen tragen«. Da nahm sie ihr Oellämpchen, gieng in ihr Ställchen, zog den Pelzrock aus und wusch sich den Ruß von dem Gesicht und den Händen ab, daß ihre Schönheit hervor kam und es war als käme ein Sonnenstrahl nach dem andern aus schwarzen Wolken hervor. Dann machte sie die Nuß auf und holte ihr Kleid heraus, das wie die Sonne glänzte. Und wie das geschehen war, gieng sie hinauf zum Fest, und alle traten ihr aus dem

Wege, denn niemand kannte sie, und meinten nicht anders, als daß es eine Königstochter wäre. Der König aber kam ihr entgegen, reichte ihr die Hand und tanzte mit ihr und dachte in seinem Herzen »so schön haben meine Augen noch keine gesehen«. Als der Tanz zu Ende war, verneigte sie sich, und wie sich der König umsah, war sie verschwunden, und niemand wußte wohin. Die Wächter, die vor dem Schlosse standen, wurden gerufen und ausgefragt, aber niemand hatte sie erblickt.

Sie war aber in ihr Ställchen gelaufen, hatte geschwind ihr Kleid ausgezogen, Gesicht und Hände schwarz gemacht und den Pelzmantel umgethan, und war wieder Allerleirauh. Als sie nun in die Küche kam und an ihre Arbeit gehen und die Asche zusammen kehren wollte, sprach der Koch »laß das gut sein bis morgen und koche mir da die Suppe für den König, ich will auch einmal ein bischen oben zugucken: aber laß mir kein Haar hineinfallen, sonst kriegst du in Zukunft nichts mehr zu essen«. Da gieng der Koch fort, und Allerleirauh kochte die Suppe für den König und kochte eine Brotsuppe, so gut es konnte, und wie sie fertig war, holte es in dem Ställchen seinen goldenen Ring und legte ihn in die Schüssel, in welche die Suppe angerichtet ward. Als der Tanz zu Ende war, ließ sich der König die Suppe bringen und aß sie, und sie schmeckte ihm so gut, daß er meinte niemals eine bessere Suppe gegessen zu haben. Wie er aber auf den Grund kam, sah er da einen goldnen Ring liegen und konnte nicht begreifen, wie er dahin gerathen war. Da befahl er, der Koch solle vor ihn kommen. Der Koch erschrak, wie er den Befehl hörte, und sprach zu Allerleirauh »gewiß hast du ein Haar in die Suppe fallen lassen; wenns wahr ist, so kriegst du Schläge«. Als er vor den König kam, fragte dieser, wer die Suppe gekocht hätte. Antwortete der Koch

»ich habe sie gekocht«. Der König aber sprach »das ist nicht wahr, denn sie war auf andere Art und viel besser gekocht als sonst«. Antwortete er »ich muß es gestehen, daß ich sie nicht gekocht habe, sondern das Rauhthierchen«. Sprach der König »geh und laß es herauf kommen«. Als Allerleirauh kam, fragte der König »wer bist du?« »Ich bin ein armes Kind, das keinen Vater und Mutter mehr hat.« Fragte er weiter »wozu bist du in meinem Schloß?« Antwortete es »ich bin zu nichts gut, als daß mir die Stiefeln um den Kopf geworfen werden«. Fragte er weiter »wo hast du den Ring her, der in der Suppe war?« Antwortete es »von dem Ring weiß ich nichts«. Also konnte der König nichts erfahren und mußte es wieder fortschicken.

Ueber eine Zeit war wieder ein Fest, da bat Allerleirauh den Koch wie vorigesmal um Erlaubniß zusehen zu dürfen. Antwortete er »ja, aber komm in einer halben Stunde wieder und koch dem König die Brotsuppe, die er so gerne ißt«. Da lief es in sein Ställchen, wusch sich geschwind und nahm aus der Nuß das Kleid, das so silbern war wie der Mond, und that es an. Da gieng sie hinauf und glich einer Königstochter: und der König trat ihr entgegen und freute sich, daß er sie wiedersah, und weil eben der Tanz anhub, so tanzten sie zusammen. Als aber der Tanz zu Ende war, verschwand sie wieder so schnell, daß der König nicht bemerken konnte, wo sie hingieng. Sie sprang aber in ihr Ställchen und machte sich wieder zum Rauhthierchen, und gieng in die Küche, die Brotsuppe zu kochen. Als der Koch oben war, holte es das goldene Spinnrad und that es in die Schüssel, so daß die Suppe darüber angerichtet wurde. Danach ward sie dem König gebracht, der aß sie, und sie schmeckte ihm so gut wie das vorigemal, und ließ den Koch kommen, der mußte auch diesmal gestehen, daß Allerleirauh die Suppe gekocht hätte. Allerleirauh kam da wieder vor den König, aber sie sagte, sie wäre nur dazu da, daß ihr die Stiefeln an den Kopf geworfen würden, und daß sie von dem goldnen Spinnrädchen gar nichts wüßte.

Als der König zum drittenmal ein Fest anstellte, da gieng es nicht anders als die vorigenmale. Der Koch sprach zwar »du bist eine Hexe, Rauhthierchen, und thust immer etwas in die Suppe, davon sie so gut wird und dem König besser schmeckt als was ich koche«: doch weil es so bat, so ließ er es auf die bestimmte Zeit hingehen. Nun zog es sein Kleid an, das wie die Sterne glänzte, und trat damit in den Saal. Der König tanzte wieder mit der schönen Jungfrau und meinte, daß sie noch niemals so schön gewesen wäre. Und während er tanzte, steckte er ihr, ohne daß sie es merkte, einen goldenen Ring an den Finger, und hatte befohlen, daß der Tanz recht lange währen sollte. Wie er zu Ende war, wollte er sie an den Händen fest halten, aber sie riß sich los und sprang so geschwind unter die Leute, daß sie vor seinen Augen verschwand. Sie lief, was sie konnte, in ihr Ställchen unter der Treppe: weil sie aber zu lange und über eine halbe Stunde geblieben war, so konnte sie das schöne Kleid nicht ausziehen, sondern warf nur den Mantel von Pelz darüber, und in der Eile machte sie sich auch nicht ganz rußig, sondern ein Finger blieb weiß. Allerleirauh lief nun in die Küche und kochte dem König die Brotsuppe und legte, wie der Koch fort war, den goldenen Haspel hinein. Der König, als er den Haspel auf dem Grunde fand, ließ Allerleirauh wieder rufen, da bemerkte er den weißen Finger und sah den Ring, den er im Tanze ihr angesteckt hatte. Da ergriff er sie an der Hand und hielt sie fest, und als sie sich losmachen und fortspringen wollte, that sich der Pelzmantel ein wenig auf und das Sternenkleid schimmerte hervor. Der

König faßte den Mantel und riß ihn ab. Da kamen die goldenen Haare hervor, und sie stand da in voller Pracht und konnte sich nicht mehr verbergen. Und als sie Ruß und Asche aus ihrem Gesicht gewischt hatte, war sie schöner als man noch jemand auf Erden gesehen hat. Der König aber sprach »du bist meine liebe Braut, und wir scheiden nimmermehr von einander«. Darauf ward die Hochzeit gefeiert, und sie lebten vergnügt bis an ihren Tod.

32.

Jorinde und Joringel.

Es war einmal ein altes Schloß mitten in einem großen dicken Wald, darinnen wohnte eine alte Frau ganz allein, das war eine Erzzauberin. Am Tage machte sie sich zur Katze oder zur Nachteule, des Abends aber war sie wieder ordentlich wie ein Mensch gestaltet. Sie konnte das Wild und die Vögel herbei locken, und dann schlachtete sies, kochte und briet es. Wenn jemand auf hundert Schritte dem Schloß nahe kam, so mußte er stille stehen, und konnte sich nicht von der Stelle bewegen, bis sie ihn los sprach: wenn aber eine keusche Jungfrau in diesen Kreis kam, so verwandelte sie dieselbe in einen Vogel, und sperrte sie dann in einen Korb ein und trug den Korb in eine Kammer des Schlosses. Sie hatte wohl sieben tausend solcher Körbe mit so raren Vögeln im Schlosse.

Nun war einmal eine Jungfrau, die hieß Jorinde: sie war schöner als andere Mädchen. Die, und dann ein gar schöner Jüngling, Namens Joringel, hatten sich zusammen versprochen. Sie waren in den Brauttagen und sie hatten ihr größtes Vergnügen eins am andern. Damit sie nun einsmalen vertraut zusammen reden könnten, giengen sie in den Wald spazieren. »Hüte dich«, sagte Joringel, »daß du nicht so nahe ans Schloß kommst.« Es war ein schöner Abend, die Sonne schien zwischen den Stämmen der Bäume hell ins dunkle Grün des Waldes, und die Turteltaube sang kläglich auf den alten Maibuchen.

Jorinde weinte zuweilen, setzte sich hin im Sonnenschein und klagte: Joringel klagte auch. Sie waren so bestürzt, als wenn sie hätten sterben sollen: sie sahen sich um, waren irre und wußten nicht, wohin sie nach Haus gehen sollten. Noch halb stand die Sonne über dem Berg, und halb war sie unter. Joringel sah durchs Gebüsch und sah die alte Mauer des Schlosses nah bei sich: er erschrak und wurde todtbang. Jorinde sang

»mein Vöglein mit dem Ringlein roth
singt Leide, Leide, Leide:
es singt dem Täublein seinen Tod,
singt Leide, Lei–zicküth zicküth zicküth«.

Joringel sah nach Jorinde. Jorinde war in eine Nachtigall verwandelt, die sang »zicküth, zicküth«. Eine Nachteule mit glühenden Augen flog dreimal um sie herum und schrie dreimal »schu, hu, hu, hu«. Joringel konnte sich nicht regen: er stand da wie ein Stein, konnte nicht weinen, nicht reden, nicht Hand noch Fuß regen. Nun war die Sonne unter: die Eule flog in einen Strauch, und gleich darauf kam eine alte krumme Frau aus diesem hervor, gelb und mager, hatte große rothe Augen und krumme Nase, die mit der Spitze ans Kinn reichte. Sie murmelte, fing die Nachtigall und trug sie auf der Hand fort. Joringel konnte nichts sagen, nicht von der Stelle kommen, die Nachtigall war fort. Endlich kam das Weib wieder und sagte mit dumpfer Stimme »grüß dich, Zachiel, wenns Möndel ins Körbel scheint, bind los, Zachiel, zu guter Stund«. Da wurde Joringel los. Er fiel vor dem Weib auf die Knie und bat sie möchte ihm seine Jorinde wieder geben, aber sie sagte, er sollte sie nie wieder haben und gieng fort. Er rief, er weinte, er jammerte, aber alles umsonst. »Uu, was soll mir geschehen?« Joringel gieng fort und kam endlich in ein fremdes Dorf: da hütete er die Schafe lange Zeit. Oft gieng er rund um das Schloß herum, aber nicht zu nahe dabei. Endlich träumte er einmal des Nachts er fänd eine blutrothe Blume, in deren Mitte eine schöne große Perle war. Die Blume brach er ab, gieng damit zum Schlosse: alles, was er mit der Blume berührte, ward von der Zauberei frei; auch träumte er, er hätte seine Jorinde dadurch wieder bekommen. Des Morgens, als er erwachte, fieng er an durch Berg und Thal zu suchen, ob er eine solche Blume fände: er suchte bis an den neunten Tag, da fand er die blutrothe Blume am Morgen früh. In der Mitte war ein großer Thautropfen, so groß wie die schönste Perle. Diese Blume trug er Tag und Nacht bis zum Schloß. Wie er auf hundert Schritte nahe zum Schloß kam, da ward er nicht fest, sondern gieng fort bis ans Thor. Joringel freute sich hoch, berührte die Pforte mit der Blume, und sie sprang auf. Er gieng hinein, durch den Hof, horchte, wo er die vielen Vögel vernähme: endlich hörte ers. Er gieng und fand den Saal, darauf war die Zauberin und fütterte die Vögel in den sieben tausend Körben. Wie sie den Joringel sah, ward sie bös, sehr bös, schalt, spie Gift und Galle gegen ihn aus, aber sie konnte auf zwei Schritte nicht an ihn kommen. Er kehrte sich nicht an sie und ging, besah die Körbe mit den Vögeln: da waren aber viele hundert Nachtigallen, wie sollte er nun seine Jorinde wieder finden? Indem er zusieht, merkt er, daß die Alte heimlich ein

Körbchen mit einem Vogel nimmt und damit nach der Thüre geht. Flugs sprang er hinzu, berührte das Körbchen mit der Blume und auch das alte Weib: nun konnte sie nichts mehr zaubern, und Jorinde stand da, hatte ihn um den Hals gefaßt, so schön wie sie ehemals war. Da machte er auch alle die andern Vögel wieder zu Jungfrauen, und da gieng er mit seiner Jorinde nach Hause und sie lebten lange vergnügt zusammen.

33.

Hans im Glück.

Hans hatte sieben Jahre bei seinem Herrn gedient, da sprach er zu ihm »Herr, meine Zeit ist herum, nun wollte ich gerne wieder heim zu meiner Mutter, gebt mir meinen Lohn«. Der Herr antwortete »du hast mir treu und ehrlich gedient, wie der Dienst war, so soll der Lohn sein«, und gab ihm ein Stück Gold, das so groß als Hannsens Kopf war. Hans zog sein Tüchlein aus der Tasche, wickelte den Klumpen hinein, setzte ihn auf die Schulter und machte sich auf den Weg nach Haus. Wie er so dahin gieng und immer ein Bein vor das andere setzte, kam ihm ein Reiter in die Augen, der frisch und fröhlich auf einem muntern Pferde vorbei trabte. »Ach«, sprach Hans ganz laut, »was ist das Reiten ein schönes Ding! da sitzt einer wie auf einem Stuhl, stößt sich an keinen Stein, spart die Schuh und kommt fort, er weiß nicht wie.« Der Reiter, der das gehört hatte, hielt an und rief »ei Hans, warum läufst du auch zu Fuß?« »Ich muß ja wohl, da habe ich einen Klumpen heim zu tragen, es ist zwar Gold, aber ich kann den Kopf dabei nicht gerad halten: auch drückt mirs auf die Schulter.« »Weißt du was«, sagte der Reiter, »wir wollen tauschen, ich gebe dir mein Pferd, und du gibst mir deinen Klumpen.« »Von Herzen gern«, sprach Hans, »aber ich sage euch, ihr müßt euch damit schleppen.« Der Reiter stieg ab, nahm das Gold und half dem Hans hinauf, gab ihm die Zügel fest in die Hände und sprach »wenns nun recht geschwind soll gehen, so mußt du mit der Zunge schnalzen und ›hopp hopp‹ rufen«.

Hans war seelenfroh, als er auf dem Pferde saß und so frank und frei dahin ritt. Ueber ein Weilchen fiels ihm ein, es sollte noch schneller gehen, und fing an mit der Zunge zu schnalzen und »hopp hopp« zu rufen. Das Pferd setzte sich in starken Trab, und ehe sichs Hans versah, war er abgeworfen, und lag in einem Graben, der die Äcker von der Landstraße trennte. Das Pferd wäre auch durchgegangen, wenn es nicht ein Bauer aufgehalten hätte, der des Weges kam und eine Kuh vor sich her trieb. Hans suchte seine Glieder zusammen und machte sich wieder auf die Beine. Er war aber verdrießlich und sprach zu dem Bauer »es ist ein schlechter Spaß, das Reiten, zumal wenn man auf so eine Mähre geräth wie diese, die stößt und einen herab wirft, daß man den Hals brechen kann, ich setze mich nun und nimmermehr wieder auf. Da lob ich mir eure Kuh, da kann einer mit Gemächlichkeit hinter her gehen und hat obendrein seine Milch, Butter und Käse jeden Tag gewiß. Was gäb ich darum, wenn ich so eine Kuh hätte!« »Nun«, sprach der Bauer, »geschieht euch so ein großer Gefallen, so will ich euch wohl die Kuh für das Pferd vertauschen.« Hans willigte mit tausend Freuden ein: der Bauer schwang sich aufs Pferd und ritt eilig davon.

Hans trieb seine Kuh ruhig vor sich her und bedachte den glücklichen Handel. »Hab ich nur ein Stück Brot, und daran wird mirs doch nicht fehlen, so kann ich, so oft mirs beliebt, Butter und Käse dazu essen: hab ich Durst, so melk ich meine Kuh und trinke Milch. Herz, was verlangst du mehr?« Als er zu einem Wirthshaus kam, machte er Halt, aß in der großen Freude alles, was er bei sich hatte, sein Mittag- und Abendbrot, rein auf und ließ sich für seine letzten paar Heller ein halbes Glas Bier einschenken. Dann trieb er seine Kuh weiter, immer nach dem Dorfe seiner Mutter zu. Die Hitze war drückender, je näher der Mittag kam, und Hans befand sich in einer Heide, die wohl noch eine Stunde dauerte. Da ward es ihm ganz heiß, so daß ihm vor Durst die Zunge am Gaumen klebte. »Dem Ding ist zu helfen«, dachte Hans, »jetzt will ich meine Kuh melken und mich an der Milch laben.« Er band sie an einen dürren Baum, und stellte, da er keinen Eimer hatte, seine Ledermütze unter: aber so sehr er sich auch bemühte, es kam kein Tropfen Milch zum Vorschein. Und weil er sich ungeschickt dabei anstellte, so gab ihm das ungeduldige Thier endlich mit einem der Hinterfüße einen solchen Schlag vor den Kopf, daß er zu Boden taumelte und eine zeitlang sich gar nicht besinnen konnte, wo er war. Glücklicher Weise kam gerade ein Metzger des Weges, der auf einem Schubkarren ein junges Schwein liegen hatte. »Was sind das für Streiche!« rief er und half dem guten Hans auf. Hans erzählte, was vorgefallen war. Der Metzger reichte ihm seine Flasche und sprach »da trinkt einmal, und erholt euch. Die Kuh will wohl keine Milch geben, das ist ein altes Thier, das höchstens noch zum Ziehen taugt oder zum Schlachten«. »Ei, ei«, sprach Hans, und strich sich die Haare über den Kopf, »wer hätte das gedacht! es ist freilich gut, wenn man so ein Thier ins Haus abschlachten kann, was gibts für Fleisch! aber ich mache mir aus dem Kuhfleisch nicht viel, es ist mir nicht saftig genug. Ja, wer so ein junges Schwein hätte! das schmeckt anders, dabei noch die Würste.« »Hört, Hans«, sprach der Metzger, »euch zu Liebe will ich tauschen und will euch das Schwein für die Kuh lassen.« »Gott lohn euch eure Freundschaft« sprach Hans und übergab ihm die Kuh, und ließ sich das Schweinchen vom Karren losmachen und den Strick, woran es gebunden war, in die Hand geben.

Hans zog weiter und überdachte, wie ihm doch alles nach Wunsch gienge: begegnete ihm ja eine Verdrießlichkeit, so würde sie doch gleich wieder gut gemacht. Es gesellte sich danach ein Bursch zu ihm, der trug eine schöne weiße Gans unter dem Arm. Sie boten einander die Zeit, und Hans fieng an von seinem Glück zu erzählen und wie er immer so vortheilhaft getauscht hätte. Der Bursch sagte ihm, daß er die Gans zu einem Kindtaufschmaus brächte. »Hebt einmal«, fuhr er fort und packte sie bei den Flügeln, »wie schwer sie ist, die ist aber auch acht Wochen lang genudelt worden. Wer in den Braten beißt, muß sich das Fett von beiden Seiten abwischen.« »Ja«, sprach Hans und wog sie mit der einen Hand, »die hat ihr Gewicht, aber mein Schwein ist auch keine Sau.« Indessen sah sich der Bursch nach allen Seiten ganz bedenklich um, schüttelte auch wohl mit dem Kopf. »Hört«, fieng er darauf an, »mit eurem Schweine mags nicht so ganz richtig sein. In dem Dorfe, durch das ich gekommen bin, ist eben dem Schulzen eins aus dem Stall gestohlen worden; ich fürchte, ich fürchte ihr habts da in der Hand. Sie haben Leute ausgeschickt, und es wäre ein schlimmer Handel, wenn sie euch mit dem Schweine erwischten: das geringste ist, daß ihr ins finstere Loch gesteckt werdet.« Dem guten Hans ward bang, »ach Gott«, sprach er, »helft mir aus der Noth, ihr wißt hier herum besser Bescheid, nehmt mein Schwein da und laßt mir eure Gans«. »Ich muß schon etwas aufs Spiel setzen«, antwortete der Bursche, »aber ich will doch nicht

Schuld sein, daß ihr ins Unglück gerathet.« Er nahm also das Seil in die Hand und trieb das Schwein schnell auf einem Seitenweg fort: der gute Hans aber gieng, seiner Sorgen entledigt, mit der Gans unter dem Arme der Heimat zu. »Wenn ichs recht überlege«, sprach er mit sich selbst, »habe ich noch Vortheil bei dem Tausch: erstlich den guten Braten, hernach die Menge von Fett, die heraustraufeln wird, das gibt Gänsefettbrot auf ein Vierteljahr: und endlich die schönen weißen Federn, die laß ich mir in mein Kopfkissen stopfen und darauf will ich wohl ungewiegt einschlafen. Was wird meine Mutter eine Freude haben!«

Als er durch das letzte Dorf gekommen war, stand da ein Scheerenschleifer mit seinem Karren: sein Rad schnurrte und er sang dazu

»ich schleife die Scheere und drehe geschwind,
und hänge mein Mäntelchen nach dem Wind.«

Hans blieb stehen und sah ihm zu; endlich redete er ihn an und sprach »euch gehts wohl, weil ihr so lustig bei eurem Schleifen seid«. »Ja«, antwortete der Scheerenschleifer, »das Handwerk hat einen güldenen Boden. Ein rechter Schleifer ist ein Mann, der, so oft er in die Tasche greift, auch Geld darin findet. Aber wo habt ihr die schöne Gans gekauft?« »Die hab ich nicht gekauft, sondern für mein Schwein eingetauscht.« »Und das Schwein?« »Das hab ich für eine Kuh gekriegt.« »Und die Kuh?« »Die hab ich für ein Pferd bekommen.« »Und das Pferd?« »Dafür hab ich einen Klumpen Gold, so groß als mein Kopf, gegeben.« »Und das Gold?« »Ei, das war mein Lohn für sieben Jahre Dienst.« »Ihr habt euch jederzeit zu helfen gewußt«, sprach der Schleifer, »könnt ihrs nun dahin bringen, daß ihr das

Geld in der Tasche springen hört, wenn ihr aufsteht, so habt ihr euer Glück gemacht.« »Wie soll ich das anfangen?« sprach Hans. »Ihr müßt ein Schleifer werden, wie ich; dazu gehört eigentlich nichs als ein Wetzstein, das andere findet sich schon von selbst. Da hab ich einen, der ist zwar ein wenig schadhaft, dafür sollt ihr mir aber auch weiter nichts als eure Gans geben; wollt ihr das?« »Wie könnt ihr noch fragen«, antwortete Hans, »ich werde ja zum glücklichsten Menschen auf Erden: habe ich Geld, so oft ich in die Tasche greife, was brauche ich da länger zu sorgen?« reichte ihm die Gans hin und nahm den Wetzstein in Empfang. »Nun«, sprach der Schleifer und hob einen gewöhnlichen schweren Feldstein, der neben ihm lag, auf, »da habt ihr noch einen tüchtigen Stein dazu, auf dem sichs gut schlagen läßt und ihr eure alten Nägel gerade klopfen könnt. Nehmt hin und hebt ihn ordentlich auf.«

Hans lud den Stein auf und gieng mit vergnügtem Herzen weiter; seine Augen leuchteten vor Freude, »ich muß in einer Glückshaut geboren sein«, rief er aus, »alles was ich wünsche, trifft mir ein, wie einem Sonntagskind.« Indessen, weil er seit Tagesanbruch auf den Beinen gewesen war, begann er müde zu werden: auch plagte ihn der Hunger, da er allen Vorrath auf einmal in der Freude über die erhandelte Kuh aufgezehrt hatte. Er konnte endlich nur mit Mühe weiter gehen und mußte jeden Augenblick Halt machen; dabei drückten ihn die Steine ganz erbärmlich. Da konnte er sich des Gedankens nicht erwehren, wie gut es wäre, wenn er sie gerade jetzt nicht zu tragen brauchte. Wie eine Schnecke kam er zu einem Feldbrunnen geschlichen, wollte da ruhen und sich mit einem frischen Trunk laben; damit er aber die Steine im Niedersitzen nicht beschädigte, legte er sie bedächtig neben sich auf den Rand des Brunnens. Darauf setzte er sich nieder und wollte sich zum Trinken bücken, da versah ers, stieß ein klein wenig an, und beide Steine plumpten hinab. Hans, als er sie mit seinen Augen in die Tiefe hatte versinken sehen, sprang vor Freuden auf, kniete dann nieder und dankte Gott mit Thränen in den Augen, daß er ihm auch diese Gnade noch erwiesen und ihm auf eine so gute Art und ohne daß er sich einen Vorwurf zu machen brauchte, von den schweren Steinen befreit hätte: das einzige wäre ihm nur noch hinderlich gewesen. »So glücklich wie ich«, rief er aus, »gibt es keinen Menschen unter der Sonne.« Mit leichtem Herzem und frei von aller Last sprang er nun fort, bis er daheim bei seiner Mutter war.

34.

Der Arme und der Reiche.

Vor alten Zeiten, als der liebe Gott noch selber auf Erden unter den Menschen wandelte, trug es sich zu, daß er eines Abends müde war und ihn die Nacht überfiel, ehe er zu einer Herberge kommen konnte. Nun standen auf dem Wege vor ihm zwei Häuser einander gegenüber, das eine groß und schön, das andere klein und ärmlich anzusehen, und gehörte das große einem reichen, das kleine einem armen Manne. Da dachte unser Herr Gott »dem Reichen werde ich nicht beschwerlich fallen, bei ihm will ich anklopfen«. Der Reiche, als er an seine Thür klopfen hörte, machte das Fenster auf und fragte den Fremdling, was er suchte? Der Herr antwortete »ich bitte nur um ein Nachtlager«. Der Reiche guckte den Wandersmann an vom Haupt bis zu den Füßen, und weil der liebe

Gott schlichte Kleider trug und nicht aussah wie einer, der viel Geld in der Tasche hat, schüttelte er mit dem Kopf und sprach »ich kann euch nicht aufnehmen, meine Kammern liegen voll Kräuter und Samen, und sollte ich einen jeden beherbergen, der an meine Thüre klopfte, so könnte ich selber den Bettelstab in die Hand nehmen. Sucht anderswo ein Auskommen«. Schlug damit sein Fenster zu und ließ den lieben Gott stehen. Also kehrte ihm der liebe Gott den Rücken, gieng hinüber zu dem kleinen Haus und klopfte an. Kaum hatte er angeklopft, klinkte der Arme schon sein Thürchen auf, bat den Wandersmann einzutreten und bei ihm die Nacht über zu bleiben. »Es ist schon finster«, sagte er, »und heute könnt ihr doch nicht weiter kommen.« Das gefiel dem lieben Gott und er trat zu ihm ein. Die Frau des Armen reichte ihm die Hand, hieß ihn willkommen und sagte, er möchte sichs bequem machen und vorlieb nehmen, sie hätten nicht viel, aber was es wäre, gäben sie von Herzen gern. Dann setzte sie Kartoffeln ans Feuer, und derweil sie kochten, melkte sie ihre Ziege, damit sie ein bischen Milch dazu hätten. Und als der Tisch gedeckt war, setzte sich der liebe Gott zu ihnen und aß mit, und schmeckte ihm die schlechte Kost gut, denn es waren vergnügte Gesichter dabei. Wie sie gegessen hatten und Schlafenszeit war, rief die Frau heimlich ihren Mann und sprach »hör, lieber Mann, wir wollen uns heut Nacht eine Streu machen, damit der arme Wanderer sich in unser Bett legen und ausruhen kann: er ist den ganzen Tag über gegangen, da wird einer müde«. »Von Herzen gern«, antwortete er, »ich wills ihm anbieten«, gieng zu dem lieben Gott und bat ihn, wenns ihm recht wäre, möcht er sich in ihr Bett legen und seine Glieder ordentlich ausruhen. Der liebe Gott aber wollte den beiden Alten ihr Lager nicht nehmen, doch ließen sie nicht ab, bis er es endlich that und sich in ihr Bett legte: sich selbst aber machten sie eine Streu auf die Erde. Am andern Morgen standen sie vor Tag schon auf und kochten dem Gast ein ärmliches Frühstück. Als nun die Sonne durchs Fensterlein herein schien, und der liebe Gott aufgestanden war, aß er wieder mit ihnen und wollte dann seines Weges ziehen. Doch als er in der Thüre stand, kehrte er sich um und sprach »weil ihr so mitleidig und fromm seid, so wünscht euch dreierlei, das will ich erfüllen«. Da sagte der Arme »was soll ich mir sonst wünschen als die ewige Seligkeit, und daß wir zwei, so lang wir leben, gesund dabei bleiben und täglich unser nothdürftiges Brot haben; fürs Dritte weiß ich mir nichts zu wünschen«. Der liebe Gott sprach »willst du dir nicht ein neues Haus für das alte wünschen?« Da sagte der Mann »ja, wenn er das noch dazu erhalten könnte, wärs ihm wohl lieb«. Nun erfüllte der Herr ihre Wünsche und verwandelte ihr altes Haus in ein neues, und als das geschehen war, verließ er sie und zog weiter.

Es war schon voller Tag, da stand der Reiche auf und legte sich ins Fenster. Da sah er gegenüber ein schönes neues Haus mit rothen Ziegeln und hellen Fenstern, wo sonst eine alte Hütte gestanden hatte. Er machte große Augen, rief seine Frau und sprach »sieh einmal, wie ist das zugegangen? Gestern Abend stand noch die alte elende Hütte, und heute ists ein schönes neues Haus; lauf geschwind hinüber und höre, wie das gekommen ist«. Die Frau gieng hin und fragte den Armen aus, der erzählte ihr »gestern Abend kam ein Wanderer, der suchte Nachtherberge, und heute Morgen beim Abschied hat er uns drei Wünsche gewährt, die ewige Seligkeit, Gesundheit in diesem Leben und das nothdürftige tägliche Brot, und noch dazu statt unserer alten Hütte ein schönes neues Haus«.

Als die Frau des Reichen das gehört hatte, lief sie zurück und erzählte ihrem Manne, wie das gekommen war. Der Mann sprach »ich möcht mich zerreißen und zerschlagen. Hätt ich nur das gewußt! der Fremde ist auch bei mir gewesen, ich habe ihn aber abgewiesen«. »Eil dich«, sprach die Frau, »und setz dich auf dein Pferd, so kannst du den Mann noch einholen, und dir auch drei Wünsche gewähren lassen.«

Da setzte sich der Reiche auf und holte den lieben Gott ein: redete fein und lieblich zu ihm und sprach, er möchts doch nicht übel nehmen, daß er nicht gleich wäre eingelassen worden, er hätte den Schlüssel zur Hausthüre gesucht, derweil wäre er weggegangen: wenn er des Weges zurück käme, müßte er bei ihm einkehren. »Ja«, sprach der liebe Gott, »wenn ich einmal zurück komme, will ich es thun.« Da fragte der Reiche, ob er nicht auch drei Wünsche thun dürfte, wie sein Nachbar. »Ja«, sagte der liebe Gott, das dürfte er wohl, es wäre aber nicht gut für ihn, und er sollte sich lieber nichts wünschen. Der Reiche aber meinte, er wollte sich schon etwas aussuchen, was zu seinem Glück gereiche, wenn er nur wüßte, daß es erfüllt würde. Sprach der liebe Gott »reit heim und drei Wünsche, die du thust, die sollen in Erfüllung gehen«.

Nun hatte der Reiche, was er wollte: ritt heimwärts und fieng an nachzusinnen, was er sich wünschen sollte. Wie er sich so bedachte und die Zügel fallen ließ, fieng das Pferd an zu springen, so daß er immerfort in seinen Gedanken gestört wurde und sie gar nicht zusammen bringen konnte. Er klopfte ihm an den Hals und sagte »sei ruhig, Liese«, aber das Pferd machte aufs neue Männerchen. Da ward er zuletzt ärgerlich, und als das Pferd wieder in die Höhe stieg, rief er ganz ungeduldig »so wollt ich, daß du den Hals zerbrächst!« Wie er das Wort ausgesprochen hatte, plump, fiel er auf die Erde, und lag das Pferd todt und regte sich nicht mehr. Da war der erste Wunsch erfüllt. Weil er aber von Natur geizig war, wollte er das Sattelzeug nicht im Stich lassen, schnitts ab, hiengs auf seinen Rücken, und mußte nun zu Fuß nach Haus gehen. »Du hast noch zwei Wünsche übrig«, dachte er und tröstete sich damit. Wie er nun langsam durch den Sand dahin gieng, und zu Mittag die Sonne heiß brannte, wards ihm so warm und verdrießlich zu Muth: der Sattel drückte ihn auf den Rücken, auch war ihm noch immer nicht eingefallen, was er sich wünschen sollte. »Wenn ich mir auch alle Reiche der Welt und alle Schätze wünsche«, sprach er zu sich selbst, »so fällt mir hernach noch allerlei ein, dieses und jenes, das weiß ich im voraus: ich wills aber so einrichten, daß mir gar nichts mehr zu wünschen übrig bleibt.« Dann seufzte er und sprach »ja wenn ich der bairische Bauer wäre, der auch drei Wünsche frei hatte, der wußte sich zu helfen, der verlangte zum ersten recht viel Bier, und zweitens Bier, so viel er trinken könnte, und drittens noch ein Faß Bier dazu«. Manchmal meinte er, jetzt hätte er es gefunden, aber hernach schiens ihm doch zu wenig und zu gering. Da kam ihm so in die Gedanken, was es seine Frau jetzt gut hätte, die säße daheim in einer kühlen Stube und ließe sichs wohl schmecken. Das ärgerte ihn ordentlich, und ohne daß ers wußte, sprach er so hin »ich wollte, die säße daheim auf dem Sattel und könnt nicht herunter, statt daß ich ihn da auf meinem Rücken schleppe«. Und wie das letzte Wort aus seinem Munde kam, so war der Sattel von seinem Rücken verschwunden, und er merkte, daß sein zweiter Wunsch auch in Erfüllung gegangen war. Da ward ihm erst recht heiß, und er fieng an zu laufen und wollte sich daheim ganz einsam in seine Kammer setzen und auf etwas Großes für den letzten Wunsch nachdenken. Wie er aber ankommt und die Stubenthür aufmacht, sitzt da seine Frau mittendrin auf dem Sattel und kann nicht herunter, jammert und schreit. Da sprach er »gib dich zufrieden, ich will dir alle Reichthümer der Welt herbei wünschen, nur bleib da sitzen«. Sie antwortete aber »was helfen mir alle Reichthümer der Welt, wenn ich auf dem Sattel sitze; du hast mich darauf gewünscht, du mußt mir auch wieder herunter helfen«. Er mochte wollen oder nicht, er mußte den dritten Wunsch thun, daß sie vom Sattel ledig wäre und herunter steigen könnte; und der ward alsbald erfüllt. Als die Frau wieder auf ihren Beinen stand, stellte sie die Arme in die Seite und sprach zu dem Mann »du bist ein Schafskopf, ich hätte es besser gemacht«. Also hatte er nichts davon als Aerger, Mühe, Scheltworte und ein verlorenes Pferd: die Armen aber lebten vergnügt, still und fromm bis an ihr seliges Ende.

35.

Die Gänsemagd.

Es lebte einmal eine alte Königin, der war ihr Gemahl schon lange Jahre gestorben, und sie hatte eine schöne Tochter. Wie die erwuchs, wurde sie weit über Feld auch an einen Königssohn versprochen. Als nun die Zeit kam, wo sie vermählt werden sollten, und das Kind in das fremde Reich abreisen mußte, packte ihr die Alte gar viel köstliches Geräth und Geschmeide ein, Gold und Silber, Becher und Kleinode, kurz alles, was nur zu einem königlichen Brautschatz gehörte, denn sie hatte ihr Kind von Herzen lieb. Auch gab sie ihr eine Kammerjungfer bei, welche mitreiten und die Braut in die Hände des Bräutigams überliefern sollte, und jede bekam ein Pferd zur Reise, aber das Pferd der Königstochter hieß *Falada* und konnte sprechen. Wie nun die Abschiedsstunde da war, begab sich die alte Mutter in ihre Schlafkammer, nahm ein Messerlein und schnitt damit in ihre Finger, daß sie bluteten: darauf hielt sie ein weißes Läppchen unter und ließ drei Tropfen Blut hineinfallen, gab sie der Tochter und sprach »liebes Kind, verwahr sie wohl, sie werden dir unterweges noth thun«.

Also nahmen die beiden von einander betrübten Abschied: das Läppchen steckte die Königstochter in ihren Busen vor sich, setzte sich aufs Pferd und zog nun fort zu ihrem Bräutigam. Da sie eine Stunde geritten waren, empfand sie heißen Durst und rief ihrer Kammerjungfer »steig ab und schöpfe mir mit meinem Becher, den du für mich mitgenommen hast, Wasser aus dem Bache; ich möchte gern einmal trinken«. »Wenn ihr Durst habt«, sprach die Kammerjungfer, »so steigt selber ab, legt euch ans Wasser und trinkt: ich mag eure Magd nicht sein.« Da stieg die Königstochter vor großem Durst herunter, neigte sich über das Wasser im Bach und trank, und durfte nicht aus dem goldenen Becher trinken. Da sprach sie »ach Gott!« da antworteten die drei Blutstropfen »wenn das deine Mutter wüßte, das Herz im Leibe thät ihr zerspringen«. Aber die Königsbraut war demüthig, sagte nichts und stieg wieder zu Pferd. So ritten sie etliche Meilen weiter fort, aber der Tag war warm, die Sonne stach, und sie durstete bald von neuem. Da sie nun an einen Wasserfluß kamen, rief sie noch einmal ihrer Kammerjungfer »steig ab und gib mir aus meinem Goldbecher zu trinken«, denn sie hatte aller bösen Worte längst vergessen. Die Kammerjungfer sprach aber noch hochmüthiger »wollt ihr trinken, so trinkt allein; ich mag nicht eure Magd sein«. Da stieg die Königstochter hernieder vor großem Durst und legte sich über das fließende Wasser, weinte und sprach »ach Gott!« und die Blutstropfen antworteten wiederum »wenn das deine Mutter wüßte, das Herz im Leibe thät ihr zerspringen«. Und wie sie so trank und sich recht überlehnte, fiel ihr das Läppchen, worin die drei Tropfen waren, aus dem Busen und floß mit dem Wasser fort, ohne daß sie es in ihrer großen Angst merkte. Die Kammerjungfer hatte aber zugesehen und freuete sich, daß sie Gewalt über die Braut bekäme: denn damit, daß diese die Blutstropfen verloren hatte, war sie schwach und machtlos geworden. Als sie nun wieder auf ihr Pferd steigen wollte, das da hieß Falada, sagte die Kammerfrau »auf *Falada* gehör ich, und auf meinen Gaul gehörst du«, und das mußte sie sich gefallen lassen. Dann befahl ihr die Kammerfrau auch noch die königlichen Kleider auszuziehen und ihre schlechten anzulegen, und endlich mußte sie sich unter freiem Himmel verschwören, daß sie am königlichen Hof keinem Menschen etwas davon sprechen wollte; und wenn sie diesen Eid nicht abgelegt hätte, wäre sie auf der Stelle umgebracht worden. Aber Falada sah das alles an und nahms wohl in Acht.

Die Kammerjungfer stieg nun auf Falada und die wahre Braut auf das schlechte Roß, und so zogen sie weiter, bis sie endlich in dem königlichen Schloß eintrafen. Da war große Freude über ihre Ankunft und der Königssohn sprang ihnen entgegen, hob die Kammerjungfer vom Pferde und meinte sie wäre seine Gemahlin: sie ward die Treppe hinaufgeführt, die wahre Königstochter aber mußte unten stehen bleiben. Da schaute der alte König am Fenster und sah sie im Hofe halten und sah, wie sie fein war, zart und gar schön, gieng alsbald ins königliche Gemach und fragte die Braut nach der, die sie bei sich hätte und die da unten im Hofe stände, und wer sie wäre. »Die habe ich mir unterwegs mitgenommen zur Gesellschaft; gebt der Magd was zu arbeiten, daß sie nicht müßig steht.« Aber der alte König hatte keine Arbeit für sie und wußte nichts, als daß er sagte »da hab ich so einen kleinen Jungen, der hütet die Gänse, dem mag sie helfen«. Der Junge hieß *Kürdchen* (Conrädchen), dem mußte die wahre Braut helfen Gänse hüten.

Bald aber sprach die falsche Braut zu dem jungen König »liebster Gemahl, ich bitte euch thut mir einen Gefallen«. Er antwortete »das will ich gerne thun«. »Nun so laßt den Schinder rufen und da dem Pferde, worauf ich hergeritten bin, den Hals abhauen, weil es mich unterwegs geärgert hat.« Eigentlich aber fürchtete sie, daß das Pferd sprechen möchte und verrathen, wie sie mit der Königstochter umgegangen war. Nun war das so weit gerathen, daß es geschehen und der treue Falada sterben sollte, da kam es auch der rechten Königstochter zu Ohr, und sie versprach dem Schinder heimlich ein Stück Geld, das sie ihm bezahlen wollte, wenn er ihr einen kleinen Dienst erwiese. In der Stadt war ein großes finsteres Thor, wo sie Abends und Morgens mit den Gänsen durch mußte, unter das finstere Thor, sagte sie, möchte er dem Falada seinen Kopf hinnageln, daß sie ihn doch noch mehr als einmal sehen könnte. Also versprach das der Schindersknecht zu thun, hieb den Kopf ab und nagelte ihn unter das finstere Thor fest.

Des Morgens früh, als sie und Kürdchen unterm Thor hinaustrieben, sprach sie im Vorbeigehen

»o du Falada, da du hangest«,

da antwortete der Kopf

»o du Jungfer Königin, da du gangest,
wenn das deine Mutter wüßte,
das Herz thät ihr zerspringen«.

Da zog sie still weiter zur Stadt hinaus, und sie trieben die Gänse aufs Feld. Und wenn sie auf der Wiese angekommen war, saß sie nieder und machte ihre Haare auf, die waren eitel Gold: und Kürdchen sah sie und freute sich, wie sie glänzten und wollte ihr ein paar ausraufen. Da sprach sie

»weh, weh, Windchen,
nimm Kürdchen sein Hütchen,
und laß'n sich mit jagen,
bis ich mich geflochten und geschnatzt,
und wieder aufgesatzt«.

Und da kam ein so starker Wind, daß er dem Kürdchen sein Hütchen wegwehte über alle Lande, und es mußte ihm nachlaufen. Bis es wiederkam, war sie mit dem Kämmen und Aufsetzen fertig, und er konnte keine Haare kriegen. Da war Kürdchen bös und sprach nicht mit ihr; und so hüteten sie die Gänse, bis daß es Abend ward, dann fuhren sie nach Haus.

Den andern Morgen, wie sie unter dem finstern Thor hinaus trieben, sprach die Jungfrau

»o du Falada, da du hangest«.

Falada antwortete

»o du Jungfer Königin, da du gangest,
wenn das deine Mutter wüßte,
das Herz thät ihr zerspringen«.

Und in dem Feld setzte sie sich wieder auf die Wiese und fieng an ihr Haar auszukämmen, und Kürdchen lief und wollte danach greifen, da sprach sie schnell

»weh, weh, Windchen,
nimm Kürdchen sein Hütchen,
und laß'n sich mit jagen,
bis ich mich geflochten und geschnatzt,
und wieder aufgesatzt«.

Da wehte der Wind und wehte ihm das Hütchen vom Kopf weit weg, daß Kürdchen lange nachzulaufen hatte. Und als es wieder kam, hatte sie längst ihr Haar zurecht, und es konnte keins davon erwischen; und so hüteten sie die Gänse, bis es Abend ward.

Abends aber, nachdem sie heim gekommen waren, gieng Kürdchen vor den alten König und sagte »mit dem Mädchen will ich nicht länger Gänse hüten«. »Warum denn?« fragte der alte König. »Ei, das ärgert mich den ganzen Tag.« Da befahl ihm der alte König zu erzählen, wie's ihm denn mit ihr gienge. Da sagte Kürdchen »Morgens, wenn wir unter dem finstern Thor mit der Heerde durchkommen, so ist da ein Gaulskopf an der Wand, zu dem redet sie

»Falada, da du hangest«,

da antwortet der Kopf

»o du Königsjungfer, da du gangest,
wenn das deine Mutter wüßte,
das Herz thät ihr zerspringen«.

Und so erzählte Kürdchen weiter, was auf der Gänsewiese geschähe, und wie es da dem Hut im Winde nachlaufen müßte.

Der alte König befahl ihm den nächsten Tag wieder hinaus zu treiben, und er selbst, wie es Morgen war, setzte sich hinter das finstere Thor und hörte da, wie sie mit dem Haupt des Falada sprach: und dann gieng er ihr auch nach in das Feld und barg sich in einem Busch auf der Wiese. Da sah er nun bald mit seinen eigenen Augen, wie die Gänsemagd und der Gänsejunge die Heerde getrieben brachten, und wie nach einer Weile sie sich setzte und ihre Haare losflocht, die strahlten von Glanz. Gleich sprach sie wieder

»weh, weh, Windchen,
nimm Kürdchen sein Hütchen,
und laß'n sich mit jagen,
bis daß ich mich geflochten und geschnatzt,
und wieder aufgesatzt«.

Da kam ein Windstoß und fuhr mit Kürdchens Hut weg, daß es weit zu laufen hatte, und die Magd kämmte und flocht ihre Locken still fort, welches der alte König alles beobachtete. Darauf gieng er unbemerkt zurück, und als Abends die Gänsemagd heim kam, rief er sie bei Seite und fragte, warum sie dem allen so thäte. »Das darf ich euch nicht sagen und darf keinem Menschen mein Leid klagen, denn so hab ich mich unter freiem Himmel verschworen, weil ich sonst um mein Leben gekommen wäre.« Er drang in sie und ließ ihr keinen Frieden, aber er konnte nichts aus ihr herausbringen. Da sprach er »wenn du mir nichts sagen willst, so klag dem Eisenofen da dein Leid« und gieng fort. Da kroch sie in den Eisenofen, fieng an zu jammern und zu weinen und sprach »da sitze ich von aller Welt verlassen und bin doch eine Königstochter: und eine falsche Kammerjungfer hat mich mit Gewalt dahin gebracht, daß ich meine königliche Kleider habe ablegen müssen, und hat meinen Platz bei meinem Bräutigam eingenommen, und ich muß als Gänsemagd gemeine Dienste thun. Wenn das meine Mutter wüßte, das Herz im Leib thät ihr zerspringen«. Der alte König stand aber außen an der Ofenröhre, lauerte ihr zu und hörte, was sie sprach. Da kam er wieder herein und hieß sie aus dem Ofen gehen. Er ließ ihr königliche Kleider anthun, und es schien ein Wunder, wie sie so schön war. Der alte König rief seinen Sohn und offenbarte ihm, daß er die falsche Braut hätte: die wäre blos ein Kammermädchen, die wahre aber stände hier, als die gewesene Gänsemagd. Der junge König war herzensfroh, als er ihre Schönheit und Tugend erblickte, und ein großes Mahl wurde angestellt, zu dem alle Leute und guten Freunde gebeten wurden. Obenan saß der Bräutigam, die Königstochter zur einen Seite und die Kammerjungfer zur andern: aber die Kammerjungfer war verblendet und erkannte jene nicht mehr in dem glänzenden Schmuck. Als sie nun gegessen und getrunken hatten und guten Muthes waren, gab der alte König der Kammerjungfer ein Räthsel auf, was eine solche werth wäre, die den Herrn so und so betrogen hätte, erzählte damit den ganzen Verlauf und fragte »welches Urtheils ist diese würdig?« Da sprach die falsche Braut »die ist nichts besseres werth, als daß sie splinternackt ausgezogen und in ein Faß gesteckt wird, das inwendig mit spitzen Nägeln beschlagen ist: und zwei weiße Pferde müssen vorgespannt werden, die sie Gasse auf Gasse ab zu Tode schleifen«. »Das bist du«, sprach der alte König, »und hast dein eigen Urtheil gefunden und danach soll dir widerfahren.« Und als das Urtheil vollzogen war, vermählte sich der junge König mit seiner rechten Gemahlin, und beide beherrschten ihr Reich in Frieden und Seligkeit.

36.

Die kluge Bauerntochter.

Es war einmal ein armer Bauer, der hatte kein Land, nur ein kleines Häuschen und eine alleinige Tochter; da sprach die Tochter »wir sollten den Herrn König um ein Stückchen Rottland bitten«. Da der König ihre Armuth hörte, schenkte er ihnen auch ein Eckchen Rasen, den hackte sie und ihr Vater um, und wollten ein wenig Korn und der Art Frucht darauf säen. Als sie den Acker beinahe herum hatten, so fanden sie in der Erde einen Mörsel von purem Gold. »Hör«, sagte der Vater zu dem Mädchen, »weil unser Herr König so gnädig ist gewesen und hat uns diesen Acker geschenkt, so müssen wir ihm den Mörsel dafür geben.« Die Tochter aber wollt es nicht bewilligen und sagte »Vater, wenn wir den Mörsel haben und haben den Stößer nicht, dann müssen wir auch den Stößer herbei schaffen: darum schweigt lieber still«. Er wollt ihr aber nicht gehorchen, nahm den Mörsel und trug ihn zum Herrn König und sagte, den hätte er gefunden in der Heide, ob er ihn als eine Verehrung annehmen wollte. Der König nahm den Mörsel und fragte, ob er nichts mehr gefunden hätte. »Nein«, antwortete der Bauer. Da sagte der König er sollte nun auch den Stößer herbeischaffen. Der Bauer sprach, den hätten sie nicht gefunden: aber das half ihm soviel, als hätt ers in den Wind gesagt; er ward ins Gefängnis gesetzt und sollte so lange da sitzen, bis er den

Stößer herbeigeschafft hätte. Die Bedienten mußten ihm täglich Wasser und Brod bringen, was man so in dem Gefängnis kriegt, da hörten sie, wie der Mann als fort schrie »ach hätt ich meiner Tochter gehört! ach, ach, hätt ich meiner Tochter gehört!« Da giengen die Bedienten zum König und sprachen das, wie der Gefangene als fort schrie »ach, hätt ich meiner Tochter gehört!« und wollte nicht essen und nicht trinken. Da befahl er den Bedienten, sie sollten ihn vor ihn bringen, und da fragte ihn der Herr König, warum er also fort schrie »ach, hätt ich meiner Tochter gehört! Was hat eure Tochter denn gesagt?« »Ja, sie hat gesprochen ich sollte den Mörsel nicht bringen, sonst müßt ich auch den Stößer schaffen.« »Habt ihr denn so eine kluge Tochter, so laßt sie einmal herkommen.« Also mußte sie vor den König kommen, der fragte sie, ob sie denn so klug wäre, und sagte, er wollte ihr wohl ein Räthsel aufgeben, wenn sie das treffen könnte, dann wollte er sie heirathen. Da sprach sie gleich ja, sie wollts errathen. Da sagte der König »komm zu mir, nicht gekleidet, nicht nackend, nicht geritten, nicht gefahren, nicht in dem Weg, nicht außer dem Weg, und wenn du das kannst, will ich dich heirathen«. Da gieng sie hin und zog sich aus splinternackend, da war sie nicht gekleidet; und nahm ein großes Fischgarn und setzte sich hinein und wickelte es ganz um sich herum, da war sie nicht nackend; und borgte einen Esel fürs Geld und band dem Esel das Fischgarn an den Schwanz, daran er sie fortschleppen mußte, und war das nicht geritten und nicht gefahren; und mußte sie der Esel in der Fahrgleise schleppen, so daß sie nur mit der großen Zehe auf die Erde kam, und war das nicht in dem Weg und nicht außer dem Wege. Und wie sie so daher kam, sagte der König, sie hätte das Räthsel getroffen und es wäre alles erfüllt. Da ließ er ihren Vater los aus dem Gefängnis und nahm sie bei sich als seine Gemahlin und befahl ihr das ganze königliche Gut an.

Nun waren etliche Jahre herum, als der Herr König einmal auf die Parade zog, da trug es sich zu, daß Bauern mit ihren Wagen vor dem Schloß hielten, die hatten Holz verkauft: etliche hatten Ochsen vorgespannt und etliche Pferde. Da war ein Bauer, der hatte drei Pferde, davon kriegte eins ein junges Füllchen, das lief weg und legte sich mitten zwischen zwei Ochsen, die vor dem Wagen waren. Als nun die Bauern zusammen kamen, fiengen sie an zu zanken, schmeißen und lärmen, und der Ochsenbauer wollte das Füllchen behalten und sagte die Ochsen hättens gehabt: und der andere sagte, nein, seine Pferde hättens gehabt, und es wäre sein. Der Zank kam vor den König, und der that den Ausspruch, wo das Füllen gelegen hätte, da sollt es bleiben, und also bekams der Ochsenbauer, dems doch nicht gehörte. Da gieng der andere weg, weinte und lamentirte über sein Füllchen. Nun hatte er gehört, wie daß die Frau Königin so gnädig wäre, weil sie auch von armen Bauersleuten abstammte: gieng zu ihr und bat sie, ob sie ihm nicht helfen könnte, daß er sein Füllchen wieder bekäme. Sagte sie »ja, wenn ihr mir versprecht, daß ihr mich nicht verrathen wollt, will ichs euch sagen. Morgen früh, wenn der König auf der Wachtparade ist, so stellt euch hin mitten in die Straße, wo er vorbei kommen muß, nehmt ein großes Fischgarn und thut als fischtet ihr, und fischt also fort und schüttet es aus, als wenn ihrs voll hättet«, und sagte ihm auch, was er antworten sollte, wenn er vom König gefragt würde. Also stand der Bauer am andern Tag da und fischte auf einem trockenen Platz. Wie der König vorbei kam und das sah, schickte er seinen Laufer hin, der sollte fragen, was der närrische Mann vorhätte. Da gab er zur Antwort »ich fische«. Fragte der

Laufer, wie er fischen könnte, es wäre ja kein Wasser da. Sagte der Bauer »so gut als zwei Ochsen können ein Füllen kriegen, so gut kann ich auch auf dem trockenen Platze fischen«. Der Laufer gieng hin und brachte dem König die Antwort, da ließ er den Bauer vor sich kommen und sagte ihm, das hätte er nicht von sich, von wem er das hätte: und sollts gleich bekennen. Der Bauer aber wollts nicht thun und sagte immer Gott bewahr! er hätt es von sich. Sie legten ihn aber auf ein Gebund Stroh und schlugen und drangsalten ihn so lange, bis ers bekannte, daß ers von der Frau Königin hätte. Als der König nach Haus kam, sagte er zu seiner Frau »warum bist du so falsch mit mir, ich will dich nicht mehr zur Gemahlin; deine Zeit ist um, geh wieder hin, woher du kommen bist, in dein Bauernhäuschen«. Doch erlaubte er ihr eins, sie sollte sich das Liebste und Beste mitnehmen, was sie wüßte, und das sollte ihr Abschied sein. Sie sagte »ja lieber Mann, wenn dus so befiehlst, will ich es auch thun«, und fiel über ihn her und küßte ihn und sprach sie wollte Abschied von ihm nehmen. Dann ließ sie einen starken Schlaftrunk kommen, Abschied mit ihm zu trinken: der König that einen großen Zug, sie aber trank nur ein wenig. Da gerieth er bald in einen tiefen Schlaf, und als sie das sah, rief sie einen Bedienten, nahm ein schönes weißes Linnentuch und schlug ihn da hinein, und die Bedienten mußten ihn in einen Wagen vor der Thüre tragen und fuhr sie ihn heim in ihr Häuschen. Da legte sie ihn auf ihr Bettchen, und er schlief Tag und Nacht in einem fort, und als er aufwachte, sah er sich um und sagte »ach Gott, wo bin ich denn!« und rief seinen Bedienten, aber es war keiner da. Endlich kam seine Frau vors Bett und sagte »lieber Herr König, ihr habt mir befohlen, ich sollte das Liebste und Beste aus dem Schloß mitnehmen, nun habe ich nichts Besseres und

Lieberes als dich, da hab ich dich mitgenommen.« Dem König kamen die Thränen in die Augen, und er sagte »liebe Frau, du sollst mein sein und ich dein«, und nahm sie wieder mit ins königliche Schloß und ließ sich aufs neue mit ihr vermählen; und werden sie ja wohl noch auf den heutigen Tag leben.

37.

Doctor Allwissend.

Es war einmal ein armer Bauer, Namens *Krebs*, der fuhr mit zwei Ochsen ein Fuder Holz in die Stadt und verkaufte es für zwei Thaler an einen Doctor. Wie ihm nun das Geld ausbezahlt wurde, saß der Doctor gerade zu Tisch: da sah der Bauer, wie er schön aß und trank, und das Herz gieng ihm danach auf, und er wäre auch gern ein Doctor gewesen. Also blieb er noch ein Weilchen stehen und frage endlich, ob er nicht auch könnte ein Doctor werden. »O ja«, sagte der Doctor, »das ist bald geschehen.« »Was muß ich thun?« fragte der Bauer. »Erstlich kauf dir ein Abcbuch, so eins, wo vorn ein Göckelhahn drin ist; mach deinen Wagen und deine zwei Ochsen zu Geld und schaff dir damit Kleider an und was sonst zur Doctorei gehört; drittens laß dir ein Schild malen mit den Worten ›ich bin der Doctor Allwissend‹, und laß das oben über deine Hausthür nageln.« Der Bauer that alles, wies ihm geheißen war. Als er nun ein wenig gedoctert hatte, aber noch nicht viel, ward einem reichen großen Herrn Geld gestohlen. Da ward ihm von dem Doctor Allwissend gesagt, der in dem und dem Dorfe wohnte und auch wissen müßte, wo das Geld hingekommen wäre. Also ließ der

Herr seinen Wagen anspannen, fuhr hinaus ins Dorf und fragte bei ihm an, ob er der Doctor Allwissend wäre? Ja, der wäre er. So sollte er mitgehen und das gestohlene Geld wieder schaffen. O ja, aber die Grethe, seine Frau, müßte auch mit. Der Herr war das zufrieden, ließ sie beide in den Wagen sitzen, und sie fuhren zusammen fort. Als sie auf den adeligen Hof kamen, war der Tisch gedeckt, da sollte er erst mitessen. Ja, aber seine Frau, die Grethe, auch, sagte er, und setzte sich mit ihr hinter den Tisch. Wie nun der erste Bediente mit einer Schüssel schönem Essen kam, stieß der Bauer seine Frau an und sagte »Grethe, das war der erste«, und meinte es wäre derjenige, welcher das erste Essen brächte. Der Bediente aber meinte er hätte damit sagen wollen »das ist der erste Dieb«, und weil ers nun wirklich war, ward ihm angst, und er sagte draußen zu seinen Kameraden »der Doctor weiß alles, wir kommen übel an; er hat gesagt ich wäre der erste«. Der zweite wollte gar nicht herein, er mußte aber doch. Wie er nun mit seiner Schüssel herein kam, stieß der Bauer seine Frau an »Grethe, das ist der zweite«. Dem Bedienten ward ebenfalls angst, und er machte, daß er hinaus kam. Dem dritten giengs nicht besser, der Bauer sagte wieder »Grethe, das ist der dritte«. Der vierte mußte eine verdeckte Schüssel herein tragen, und der Herr sprach zum Doctor, er sollte seine Kunst zeigen und rathen, was darunter läge, es waren aber Krebse. Der Bauer sah die Schüssel an, wußte nicht, wie er sich helfen sollte und sprach »ach, ich armer *Krebs*!« Wie der Herr das hörte, rief er »da, er weiß es, nun weiß er auch, wer das Geld hat«.

Dem Bedienten aber ward gewaltig angst und blinzelte den Doctor an, er möchte einmal heraus kommen. Wie er nun hinaus kam, gestanden sie ihm alle viere, sie hätten das Geld gestohlen; sie wolltens ja gerne heraus geben und ihm eine schwere Summe dazu, wenn er sie nicht verrathen wollte: es gieng ihnen sonst an den Hals. Sie führten ihn auch hin, wo das Geld versteckt lag. Damit war der Doctor zufrieden, gieng wieder hinein, setzte sich an den Tisch und sprach »Herr, nun will ich in meinem Buch suchen, wo das Geld steckt«. Der fünfte Bediente aber kroch in den Ofen, und wollte hören, ob der Doctor noch mehr wüßte. Der saß aber und schlug sein Abcbuch auf, blätterte hin und her und suchte den Göckelhahn. Weil er ihn nun nicht gleich finden konnte, sprach er »du bist doch darin und mußt auch heraus«. Da meinte der im Ofen, er wäre gemeint, sprang voller Schrecken heraus und rief »der Mann weiß alles«. Nun zeigte der Doctor Allwissend dem Herrn, wo das Geld lag, sagte aber nicht, wers gestohlen hatte, bekam von beiden Seiten viel Geld zur Belohnung und ward ein berühmter Mann.

38.

Der Zaunkönig und der Bär.

Zur Sommerszeit giengen einmal der Bär und der Wolf im Wald spazieren, da hörte der Bär so schönen Gesang von einem Vogel und sprach »Bruder Wolf, was ist das für ein Vogel, der so schön singt?« »Das ist der König der Vögel«, sagte der Wolf, »vor dem müssen wir uns neigen«; es war aber der Zaunkönig. »Wenn das ist«, sagte der Bär, »möchte ich auch gern seinen königlichen Palast sehen: komm und führ mich hin.« »Das geht nicht so, wie du meinst«, sprach der Wolf, »du mußt warten, bis die Frau Königin kommt.« Bald darauf kam die Frau Königin und hatte Futter im Schnabel und der Herr König auch, und wollten ihre Jungen ätzen. Der Bär wäre gerne nun gleich hinterdrein gegangen, aber der Wolf hielt ihn am Ermel und sagte »nein, du mußt warten, bis Herr und Frau Königin wieder fort sind«. Also nahmen sie das Loch in Acht, wo das Nest stand und trabten ab. Der Bär aber hatte keine Ruhe, wollte den königlichen Palast sehen und gieng nach einer kurzen Weile wieder vor. Da waren König und Königin richtig ausgeflogen: er guckte hinein und sah fünf oder sechs Junge, die lagen darin. »Ist das der königliche Palast?« rief der Bär, »das ist ein erbärmlicher Palast, ihr seid auch keine Königskinder, ihr seid unehrliche Kinder.« Wie das die jungen Zaunkönige hörten, wurden sie gewaltig bös und schrieen »nein, das sind wir nicht, unsere Eltern sind ehrliche Leute; Bär, das soll ausgemacht werden mit dir«. Dem Bär und dem Wolf ward angst, sie kehrten um und setzten sich in ihre Höhlen. Die jungen Zaunkönige aber schrien und lärmten fort, und als ihre Eltern wieder Futter brachten, sagten sie »wir rühren kein Fliegenbeinchen an und sollten wir verhungern, bis ihr erst ausgemacht habt, ob wir ehrliche Kinder sind oder nicht, der Bär ist da gewesen und hat uns gescholten«. Da sagte der alte König »seid nur ruhig, das soll ausgemacht werden«. Flog darauf mit der Frau Königin dem Bären vor seine Höhle und rief hinein »alter Brummbär, warum hast du meine Kinder gescholten? das soll dir übel bekommen, das wollen wir in einem blutigen Krieg ausmachen«. Also war dem Bäre der Krieg angekündigt, und ward alles vierfüßige Gethier berufen, Ochs, Esel, Rind, Hirsch, Reh und was die Erde sonst alles trägt. Der Zaunkönig aber berief alles, was in der Luft fliegt: nicht allein die Vögel groß und klein, sondern auch die Mücken, Hornissen, Bienen und Fliegen mußten herbei.

Als nun die Zeit kam, wo der Krieg angehen sollte, da

schickte der Zaunkönig Kundschafter aus, wer der kommandirende General des Feindes wäre. Die Mücke war die listigste von allen, schwärmte im Wald, wo der Feind sich versammelte und setzte sich endlich unter ein Blatt auf den Baum, wo die Parole ausgegeben wurde. Da stand der Bär, rief den Fuchs vor sich und sprach »Fuchs, du bist der schlauste unter allem Gethier, du sollst General sein und uns anführen.« »Gut«, sagte der Fuchs, »aber was für Zeichen wollen wir verabreden?« Die Thiere wußten es nicht. Da sprach der Fuchs »ich hab einen schönen langen buschigen Schwanz, der sieht aus fast wie ein rother Federbusch: wenn ich den Schwanz in die Höhe halte, so geht die Sache gut, und ihr müßt drauf los marschieren: laß ich ihn aber herunterhängen, so lauft was ihr könnt«. Als die Mücke das gehört hatte, flog sie wieder heim und verrieth dem Zaunkönig alles haarklein.

Als der Tag anbrach, wo die Schlacht sollte geliefert werden, hu, da kam das vierfüßige Gethier daher gerennt mit Gebraus, daß die Erde zitterte: Zaunkönig mit seiner Armee kam auch durch die Luft daher, die schnurrte, schrie und schwärmte, daß einem angst wurde; und giengen sie da von beiden Seiten an einander. Der Zaunkönig aber schickte die Hornisse hinab, sie sollte sich dem Fuchs unter den Schwanz setzen und aus Leibeskräften stechen. Wie nun der Fuchs den ersten Stich bekam, zuckte er, daß er das eine Bein aufhob, doch ertrug ers und hielt den Schwanz noch in der Höhe; beim zweiten Stich mußte er ihn einen Augenblick herunter lassen; beim dritten aber konnte er sich nicht mehr halten, schrie und nahm den Schwanz zwischen die Beine. Wie das die Thiere sahen, meinten sie, alles wäre verloren und fiengen an zu laufen, jeder in seine Höhle; und hatten die Vögel die Schlacht gewonnen.

Da flog der Herr König und die Frau Königin heim zu ihren Kindern und riefen »Kinder, seid fröhlich, eßt und trinkt nach Herzenslust, wir haben den Krieg gewonnen«. Die jungen Zaunkönige aber sagten »noch essen wir nicht, der Bär soll erst vors Nest kommen und Abbitte thun, und soll sagen, daß wir ehrliche Kinder sind«. Da flog der Zaunkönig vor das Loch des Bären und rief »Brummbär, du sollst vor das Nest zu meinen Kindern gehen und Abbitte thun und sagen, daß sie ehrliche Kinder sind, sonst sollen dir die Rippen im Leib zertreten werden«. Da kroch der Bär in der größten Angst hin und that Abbitte. Jetzt waren die jungen Zaunkönige erst zufrieden, setzten sich zusammen, aßen und tranken, und machten sich lustig bis in die späte Nacht hinein.

39.

Die klugen Leute.

Eines Tages holte ein Bauer seinen hagebuchnen Stock aus der Ecke und sprach zu seiner Frau »Trine, ich gehe jetzt über Land und komme erst in drei Tagen wieder zurück. Wenn der Viehhändler in der Zeit bei uns einspricht und will unsere Kühe kaufen, so kannst du sie losschlagen, aber nicht anders als für zweihundert Thaler, geringer nicht: hörst du wohl?« »Geh nur in Gottes Namen«, antwortete die Frau, »ich will das schon machen.« »Ja du«, sprach der Mann, »du bist als kleines Kind einmal auf den Kopf gefallen, das hängt dir bis auf diese Stunde nach. Aber das sage ich dir, machst du dummes Zeug, so streiche ich dir den Rücken blau an, und das ohne Farbe, blos mit dem Stocke, den ich da in der Hand habe, und der

Anstrich soll ein ganzes Jahr halten; darauf kannst du dich verlassen.« Damit gieng der Mann seiner Wege.

Am andern Morgen kam der Viehhändler, und die Frau brauchte nicht viel Worte mit ihm zu machen. Als er die Kühe besehen hatte und den Preis vernahm, sagte er »das gebe ich gerne, so viel sind sie unter Brüdern werth. Ich will die Thiere gleich mitnehmen«. Er machte sie von der Kette los und trieb sie aus dem Stall. Als er zum Hofthor hinaus wollte, so faßte ihn die Frau am Ermel und sprach »ihr müßt mir erst die zweihundert Thaler geben, sonst kann ich euch nicht gehen lassen«. »Richtig«, antwortete der Mann, »ich habe nur vergessen meine Geldkatze umzuschnallen. Aber macht euch keine Sorge, ihr sollt Sicherheit haben, bis ich zahle: zwei Kühe nehme ich mit, die dritte lasse ich euch zurück, so habt ihr ein gutes Pfand.« Der Frau leuchtete das ein, sie ließ den Mann mit seinen Kühen abziehen und dachte »wie wird sich der Hans freuen, wenn er sieht, daß ich es so klug gemacht habe«. Der Bauer kam den dritten Tag, wie er gesagt hatte, nach Haus und fragte gleich, ob die Kühe verkauft wären. »Freilich, lieber Hans«, antwortete die Frau, »und wie du gesagt hast für zweihundert Thaler. So viel sind sie kaum werth, aber der Mann nahm sie ohne Widerrede.« »Wo ist das Geld?« fragte der Bauer. »Das Geld das habe ich noch nicht«, antwortete sie, »er hatte gerade seine Geldkatze daheim gelassen, wirds aber bald bringen: er hat mir ein gutes Pfand zurückgelassen.« »Was für ein Pfand?« »Eine von den drei Kühen, die kriegt er nicht eher, als bis er die andern bezahlt hat. Ich habe es klug gemacht: ich habe die kleinste zurück behalten, die frißt am wenigsten.« Der Bauer ward zornig, hob seinen Stock in die Höhe, und wollte ihr den verheißenen Anstrich geben. Plötzlich ließ er ihn sinken und sagte »du bist die dümmste Gans, die auf

Gottes Erdboden herum wackelt, aber du dauerst mich. Ich will auf die Landstraße hinaus gehen und drei Tage lang warten, ob ich jemand finde, der noch einfältiger ist, als du bist. Glückt mirs, so sollst du frei sein, finde ich ihn aber nicht, so sollst du deinen wohl verdienten Lohn ohne Abzug erhalten«.

Er ging hinaus auf die große Straße, setzte sich auf einen Stein und wartete auf die Dinge, die kommen sollten. Da sah er einen Leiterwagen heran fahren und eine Frau stand mitten darauf, statt auf dem Gebund Stroh zu sitzen, das neben ihr lag, oder neben den Ochsen her zu gehen und sie zu leiten. Der Bauer dachte »das ist wohl eine, wie du sie suchst«, sprang auf und lief vor dem Wagen hin und her, wie einer der nicht recht gescheidt ist. »Was habt ihr vor, Gevatter?« sprach die Frau, »ich kenne euch nicht, wo kommt ihr her?« »Wie sollt ihr mich auch kennen, ich bin von dem Himmel herunter gefallen«, antwortete er, »und weiß nicht, wie ich wieder hin kommen soll; könnt ihr mich nicht hinauf fahren?« »Nein«, sagte die Frau, »ich weiß den Weg nicht. Aber wenn ihr aus dem Himmel kommt, so könnt ihr mir wohl sagen, wie es meinem Mann geht, der schon seit drei Jahren dort ist: ihr habt ihn gewiß gesehen.« »Ich habe ihn wohl gesehen, aber es kann nicht allen Menschen gut gehen. Er hütet die Schafe und das liebe Vieh macht ihm viel zu schaffen: das springt auf die Berge und verirrt sich in der Wildnis, da muß er hinterher laufen und es wieder zusammentreiben. Abgerissen ist er auch, und die Kleider werden ihm bald vom Leib fallen. Schneider gibt es dort auch nicht, der heilige Petrus läßt keinen hinein, wie ihr aus dem Märchen wißt.« »Wer hätte sich das gedacht!« rief die Frau, »ich will euch seinen Sonntagsrock holen, der hängt daheim noch im Schrank, den kann er mit Ehren tragen. Ihr seid so gut und nehmt ihn mit.« »Das geht nicht wohl«, antwortete der Bauer, »Kleider darf man nicht in den Himmel bringen, die werden einem vor dem Thor abgenommen.« »Wißt ihr was«, sprach die Frau, »ich habe eben meinen schönen Weizen verkauft und ein hübsches Geld dafür bekommen, das will ich ihm schicken. Wenn ihr den Beutel in die Tasche steckt, so wirds kein Mensch gewahr.« »Kanns nicht anders sein«, erwiderte der Bauer, »so will ich euch wohl den Gefallen thun.« »So bleibt nur da sitzen«, sagte sie, »ich will heim fahren und den Beutel holen: ich bin bald wieder da, ich setze mich nicht auf das Bund Stroh, sondern stehe auf dem Wagen, so hats das arme Vieh leichter.« Sie trieb ihre Ochsen an, und der Bauer dachte »die hat Anlage zur Narrheit, bringt sie das Geld wirklich, so kann meine Frau von Glück sagen, denn sie kriegt keine Schläge«. Es dauerte nicht lange, so kam sie gelaufen und brachte das Geld, steckte es ihm selbst in die Tasche, und ehe sie weggieng, dankte sie ihm noch tausendmal für seine Gefälligkeit.

Als die Frau wieder heim kam, fand sie ihren Sohn, der aus dem Feld zurückgekehrt war. Sie erzählte ihm, was sie für unerwartete Dinge erfahren hätte und setzte dann hinzu »ich freue mich recht, daß ich Gelegenheit gefunden habe, meinem armen Mann etwas zu schicken: wer hätte sich vorgestellt, daß er im Himmel an etwas Mangel leiden würde«. Der Sohn war in der größten Verwunderung, »Mutter«, sagte er, »so eins aus dem Himmel kommt nicht alle Tage, ich will gleich hinaus und sehen, ob ich den Mann noch finde: der muß mir erzählen, wies dort aussieht und mit der Arbeit geht«. Er sattelte das Pferd und ritt in aller Hast fort. Er fand den Bauer, der unter einem Weidenbaum saß und das Geld, das im Beutel war, zählen wollte. »Habt ihr nicht den Mann gesehen«, rief ihm der

Junge zu, »der aus dem Himmel gekommen ist?« »Ja«, antwortete er, »der hat sich wieder auf den Rückweg gemacht und ist den Berg dort hinauf gegangen, von wo ers etwas näher hat. Ihr könnt ihn noch einholen, wenn ihr etwas scharf reitet.« »Ach«, sagte der Junge, »ich habe mich den ganzen Tag abgeäschert, und der Ritt hierher hat mich vollends müde gemacht; ihr kennt den Mann, seid so gut, setzt euch auf mein Pferd und überredet ihn, daß er hierherkommt.« »Aha«, meinte der Bauer, »das ist auch einer, der hat keinen Docht in seiner Lampe!« »Warum sollte ich euch den Gefallen nicht thun?« sprach er, stieg auf das Pferd und ritt im stärksten Trab davon. Der Junge blieb sitzen, bis die Nacht einbrach, aber der Bauer kam nicht zurück: »Gewiß«, sprach er zu sich selbst, »hat der Mann aus dem Himmel große Eile gehabt und nicht umkehren wollen, und der Bauer hat ihm das Pferd mitgegeben, um es meinem Vater zu bringen.« Er gieng heim und erzählte seiner Mutter, was geschehen war, das Pferd habe er dem Vater geschickt, damit er nicht immer zurück zu laufen brauche. »Du hast wohl gethan«, antwortete sie, »du hast noch junge Beine und kannst zu Fuß gehen.«

Als der Bauer nach Haus gekommen war, stellte er das Pferd in den Stall neben die verpfändete Kuh, dann gieng er zu seiner Frau und sagte »Trine, das war dein Glück, ich habe zwei gefunden, die noch einfältiger sind als du: diesmal kommst du ohne Schläge davon; ich will sie für eine andere Gelegenheit aufsparen«. Dann zündete er seine Pfeife an, setzte sich in den Großvaterstuhl und sprach »das war ein gutes Geschäft, für zwei magere Kühe ein glattes Pferd und dazu einen großen Beutel voll Geld. Wenn die Dummheit immer so viel einbrächte, so wollte ich sie gerne in Ehren halten.« So dachte der Bauer, aber dir sind gewiß die Einfältigen lieber.

40.

Märchen von der Unke.

I.

Es war einmal ein kleines Kind, dem gab seine Mutter jeden Nachmittag ein Schüsselchen mit Milch und Weckbrocken, und das Kind setzte sich damit hinaus in den Hof. Wenn es aber anfieng zu essen, so kam die Hausunke aus einer Mauerritze hervor gekrochen, senkte ihr Köpfchen in die Milch und aß mit. Das Kind hatte seine Freude daran, und wenn es mit seinem Schüsselchen da saß und die Unke kam nicht gleich herbei, so rief es ihr zu

»Unke, Unke, komm geschwind,
komm herbei, du kleines Ding,
sollst dein Bröckchen haben,
an der Milch dich laben.«

Da kam die Unke gelaufen und ließ es sich gut schmecken. Sie zeigte sich auch dankbar, denn sie brachte dem Kind aus ihrem heimlichen Schatz allerlei schöne Dinge, glänzende Steine, Perlen und goldene Spielsachen. Die Unke trank aber nur Milch und ließ die Brocken liegen. Da nahm das Kind einmal sein Löffelchen, schlug ihr damit sanft auf den Kopf und sagte »Ding, iß auch Brocken«. Die Mutter, die in der Küche stand, hörte, daß das Kind mit jemand sprach, und als sie sah, daß es mit seinem Löffelchen nach einer Unke schlug, so lief sie mit einem Scheit Holz heraus und tödtete das gute Thier.

Von der Zeit an gieng eine Veränderung mit dem Kinde vor. Es war, so lange die Unke mit ihm gegessen hatte, groß und stark geworden, jetzt aber verlor es seine schönen rothen Backen und magerte ab. Nicht lange, so fieng der Todtenvogel an in der Nacht zu schreien, und das Rothkehlchen sammelte Zweiglein und Blätter, und bald hernach lag das Kind auf der Bahre.

II.

Ein Waisenkind saß an der Stadtmauer und spann, da sah es eine Unke aus einer Oeffnung unten an der Mauer hervor kommen. Geschwind breitete es sein blau seidenes Halstuch neben sich aus, das die Unken gewaltig lieben und auf das sie allein gehen. Alsobald die Unke das erblickte, kehrte sie um, kam wieder und brachte ein kleines goldenes Krönchen getragen, legte es darauf und gieng dann wieder fort. Das Mädchen nahm die Krone auf, sie glitzerte und war von zartem Goldgespinnst. Nicht lange, so kam die Unke zum zweitenmale wieder: wie sie aber die Krone nicht mehr sah, kroch sie an die Wand und schlug vor Leid ihr Köpfchen so lang dawider, als sie nur noch Kräfte hatte, bis sie endlich todt da lag. Hätte das Mädchen die Krone liegen lassen, die Unke hätte wohl noch mehr von ihren Schätzen aus der Höhle herbei getragen.

III.

Unke ruft »huhu, huhu«. Kind spricht »komm herut«. Die Unke kommt hervor, da fragt das Kind nach seinem Schwesterchen, »hast du Rothstrümpfchen nicht gesehen?« Unke sagt »ne, ik og nit: wie du denn? huhu, huhu, huhu«.

41.

Der arme Müllerbursch und das Kätzchen.

In einer Mühle lebte ein alter Müller, der hatte weder Frau noch Kinder, und drei Müllerburschen dienten bei ihm. Als sie nun etliche Jahre bei ihm gewesen waren, sagte er zu ihnen »ich bin alt und will mich hinter den Ofen setzen: zieht aus, und wer mir das beste Pferd nach Haus bringt, dem will ich die Mühle geben, und er soll mich dafür bis an meinen Tod verpflegen«. Der dritte von den Burschen war aber der Kleinknecht, der ward von den andern für albern gehalten, dem gönnten sie die Mühle nicht; und er wollte sie hernach nicht einmal. Da zogen alle drei mit einander, und als sie vor das Dorf kamen, sagten die zwei zu dem albernen Hans »du kannst nur hier bleiben, du kriegst dein Lebtag keinen Gaul«. Hans aber gieng doch mit, und als es Nacht war, kamen sie an eine Höhle, da hinein legten sie sich schlafen. Die zwei Klugen warteten, bis Hans eingeschlafen war, dann stiegen sie auf, machten sich fort, ließen Hänschen liegen und meinten's recht fein gemacht zu haben; ja, es wird euch doch nicht gut gehen! Wie nun die Sonne kam und Hans aufwachte, lag er in einer tiefen Höhle: er guckte sich überall um und rief »ach Gott, wo bin ich?« Da erhob er sich und krappelte die Höhle hinauf, gieng in den Wald und dachte »ich bin hier ganz allein und verlassen, wie soll ich nun zu einem Pferd kommen?« Indem er so in Gedanken dahin gieng, begegnete ihm ein kleines buntes Kätzchen, das sprach ganz freundlich »Hans, wo willst du hin?« »Ach, du kannst mir doch nicht helfen.« »Was dein Begehren ist, weiß ich wohl«, sprach das Kätzchen, »du willst einen hübschen Gaul haben; komm mit mir und sei sieben Jahre lang mein treuer Knecht, so will ich dir einen geben, schöner als du dein Lebtag einen gesehen hast.« »Nun, das ist eine wunderliche Katze«, dachte Hans, »aber versuchen kann ichs doch, obs wahr ist, was sie sagt.« Da nahm sie ihn mit in ihr verwünschtes Schlößchen und hatte da lauter Kätzchen, die ihr dienten: die sprangen flink die Treppe auf und ab, waren lustig und guter Dinge. Abends als sie sich zu Tisch setzten, mußten zwei Musik machen; eins strich den Baß, das andere blies die Trompete und blies die Backen auf, so sehr es nur konnte. Als sie gegessen hatten, wurde der Tisch weggetragen und die Katze sagte »nun komm, Hans, und tanze mit mir«. »Nein«, antwortete er, »mit einer Miezekatze tanze ich nicht, das habe ich noch nie gethan!« »So bringt ihn ins Bett«, sagte sie zu den Kätzchen. Da leuchtete ihm eins in seine Schlafkammer, eins zog ihm die Schuhe aus, eins die Strümpfe, und zuletzt blies eins das Licht aus. Am andern Morgen kamen sie wieder und halfen ihm aus dem Bett: eins zog ihm die Strümpfe an, eins band ihm die Strumpfbänder, eins holte die Schuhe, eins wusch ihn, und eins trocknete ihm mit dem Schwanz das Gesicht ab. »Das thut recht sanft!« sagte Hans. Er mußte aber auch der Katze dienen und alle Tage Holz klein machen; dazu kriegte er eine Axt von Silber und die Keile und Säge von Silber und der Schläger war von Kupfer. Nun, da machte ers klein, blieb da im Haus, hatte sein gutes Essen und Trinken, sah aber niemand als die bunte Katze und ihr Gesinde. Einmal sagte sie zu ihm »geh hin und mähe meine Wiese und mache das Gras trocken«, und gab ihm von Silber eine Sense und von Gold einen Wetzstein, hieß ihm aber auch alles wieder richtig abliefern. Da gieng Hans hin und that, was ihm geheißen war; nach vollbrachter Arbeit trug er Sense, Wetzstein und Heu nach Haus und fragte, ob sie ihm noch nicht seinen

Lohn geben wollte. »Nein«, sagte die Katze, »du sollst mir erst noch einerlei thun, da ist Bauholz von Silber, Zimmeraxt, Winkeleisen und was nöthig ist, alles von Silber, daraus baue mir erst ein kleines Häuschen.« Da baute Hans das Häuschen fertig und sagte, er hätte nun alles gethan und hätte noch kein Pferd; doch waren die sieben Jahre ihm herum gegangen wie ein halbes. Fragte die Katze, ob er ihre Pferde sehen wollte? »Ja«, sagte Hans. Da machte sie ihm das Häuschen auf, und weil sie die Thüre so aufmacht, da stehen zwölf Pferde, ach, die waren gewesen ganz stolz, die hatten geblänkt und gespiegelt, daß sich sein Herz im Leibe darüber freute. Nun gab sie ihm zu essen und zu trinken und sprach »geh heim, dein Pferd geb ich dir nicht mit: in drei Tagen aber komm ich und bringe dirs nach«. Also machte sich Hans auf, und sie zeigte ihm den Weg zur Mühle. Sie hatte ihm aber nicht einmal ein neues Kleid gegeben, sondern er mußte sein altes lumpiges Kittelchen behalten, das er mitgebracht hatte und das ihm in den sieben Jahren überall zu kurz geworden war. Wie er nun heim kam, da waren die beiden andern Müllerburschen auch wieder da, jeder hatte zwar sein Pferd mitgebracht, aber des einen seins war blind, des andern seins lahm. Sie fragten »Hans, wo hast du dein Pferd?« »In drei Tagen wirds nachkommen.« Da lachten sie und sagten »ja du Hans, wo willst du ein Pferd herkriegen, das wird was rechtes sein!« Hans gieng in die Stube, der Müller sagte aber, er sollte nicht an den Tisch kommen, er wäre so zerrissen und zerlumpt, man müßte sich schämen, wenn jemand herein käme. Da gaben sie ihm ein bischen Essen hinaus, und wie sie Abends schlafen giengen, wollten ihm die zwei andern kein Bett geben, und er mußte endlich ins Gänseställchen kriechen und sich auf ein wenig hartes Stroh legen. Am Morgen, wie er aufwacht, sind schon die drei Tage herum, und es kommt eine Kutsche mit sechs Pferden, ei, die glänzten, daß es schön war, und ein Bedienter, der brachte noch ein siebentes, das war für den armen Müllerbursch. Aus der Kutsche aber stieg eine prächtige Königstochter und gieng in die Mühle hinein, und die Königstochter war das kleine bunte Kätzchen, dem der arme Hans sieben Jahr gedient hatte. Sie fragte den Müller, wo der Mahlbursch, der Kleinknecht, wäre? Da sagte der Müller »den können wir nicht in die Mühle nehmen, der ist so verrissen und liegt im Gänsestall«. Da sagte die Königstochter, sie sollten ihn gleich holen. Also holten sie ihn heraus, und er mußte sein Kittelchen zusammenpacken, um sich zu bedecken. Da schnallte der Bediente prächtige Kleider aus und mußte ihn waschen und anziehen, und wie er fertig war, konnte kein König schöner aussehen. Danach wollte die Jungfrau die Pferde sehen, welche die andern Mahlburschen mitgebracht hatten, eins war blind, das andere lahm. Da ließ sie den Bedienten das siebente Pferd bringen. Wie der Müller das sah, sprach er, so eins wäre ihm noch nicht auf den Hof gekommen; »und das ist für den dritten Mahlbursch«, sagte sie. »Da muß er die Mühle haben«, sagte der Müller, die Königstochter aber sprach, da wäre das Pferd, er sollte die Mühle auch behalten: und nimmt ihren treuen Hans und setzt ihn in die Kutsche und fährt mit ihm fort. Sie fahren erst nach dem kleinen Häuschen, das er mit dem silbernen Werkzeug gebaut hat, da ist es ein großes Schloß, und ist alles darin von Silber und Gold. Und da hat sie ihn geheirathet, und war er reich, so reich, daß er für sein Lebtag genug hatte. Darum soll keiner sagen, daß wer albern ist, deshalb nichts rechtes werden könne.

42.

Der Jude im Dorn.

Es war einmal ein reicher Mann, der hatte einen Knecht, der diente ihm fleißig und redlich, war alle Morgen der erste aus dem Bett und Abends der letzte hinein, und wenns eine saure Arbeit gab, wo keiner anpacken wollte, so stellte er sich immer zuerst daran. Dabei klagte er nicht, sondern war mit allem zufrieden und war immer lustig. Als sein Jahr herum war, gab ihm der Herr keinen Lohn und dachte »das ist das gescheidtste, so spare ich etwas und er geht mir nicht weg, sondern bleibt hübsch im Dienst«. Der Knecht schwieg auch still, that das zweite Jahr wie das erste seine Arbeit, und als er am Ende desselben abermals keinen Lohn bekam, ließ er sichs gefallen und blieb noch länger. Als auch das dritte Jahr herum war, bedachte sich der Herr, griff in die Tasche, holte aber noch nichts heraus. Da fieng der Knecht endlich an und sprach »Herr, ich habe euch drei Jahre ehrlich gedient, seid so gut und gebt mir, was mir von Rechtswegen zukommt: ich wollte fort und mich gerne weiter in der Welt umsehen«. Da antwortete der Geizhals »ja mein lieber Knecht, du hast mir unverdrossen gedient, dafür sollst du mildiglich belohnt werden«, griff abermals in die Tasche, und zählte dem Knecht drei Heller einzeln auf, »da hast du für jedes Jahr einen Heller, das ist ein großer und reichlicher Lohn, wie du ihn bei wenigen Herrn empfangen hättest«. Der gute Knecht, der vom Geld wenig verstand, strich sein Capital ein und dachte »nun hast du vollauf in der Tasche, was willst du länger sorgen und dich mit schwerer Arbeit länger plagen«.

Da zog er fort, bergauf, bergab, sang und sprang nach

Herzenslust. Nun trug es sich zu, als er an einem Buschwerk vorüber kam, daß ein kleines Männchen hervor trat und ihn anrief. »Wo hinaus, Bruder Lustig? ich sehe du trägst nicht schwer an deinen Sorgen.« »Was soll ich traurig sein«, antwortete der Knecht, »ich habe vollauf, der Lohn von drei Jahren klingelt in meiner Tasche.« »Wie viel ist denn deines Schatzes?« fragte ihn das Männchen. »Wie viel? drei baare Heller richtig gezählt.« »Höre«, sagte der Zwerg, »ich bin ein armer bedürftiger Mann, schenke mir deine drei Heller; ich kann nichts mehr arbeiten, du aber bist jung und kannst dir dein Brot leicht verdienen.« Und weil der Knecht ein gutes Herz hatte und Mitleid mit dem Männchen fühlte, so reichte er ihm seine drei Heller und sprach »in Gottes Namen, es wird mir doch nicht fehlen«. Da sprach das Männchen »weil ich dein gutes Herz sehe, so gewähre ich dir drei Wünsche, für jeden Heller einen, die sollen dir in Erfüllung gehen«. »Aha«, sprach der Knecht, »du bist einer, der blau pfeifen kann. Wohlan, wenns doch sein soll, so wünsche ich mir erstlich ein Vogelrohr, das alles trifft, wonach ich ziele: zweitens eine Fidel, wenn ich darauf streiche, so muß alles tanzen, was den Klang hört, und drittens, wenn ich an jemand eine Bitte thue, so darf er sie nicht abschlagen.« »Das sollst du alles haben«, sprach das Männchen, griff in den Busch, und denk einer, da lag schon Fidel und Vogelrohr in Bereitschaft als wenn sie bestellt wären. Er gab sie dem Knecht und sprach »was du dir immer erbitten wirst, kein Mensch auf der Welt soll dirs abschlagen«.

»Herz, was begehrst du nun?« sprach der Knecht zu sich selber und zog lustig weiter. Bald darauf begegnete er einem Juden mit einem langen Ziegenbart, der stand und horchte auf den Gesang eines Vogels, der hoch oben in der Spitze eines Baumes saß. »Gottes Wunder!« rief er aus, »so ein kleines Thier hat so eine grausam mächtige Stimme! wenns doch mein wäre! wer ihm doch Salz auf den Schwanz streuen könnte!« »Wenns weiter nichts ist«, sprach der Knecht, »der Vogel soll bald herunter sein«, legte an und traf aufs Haar, und der Vogel fiel herab in die Dornhecken. »Geh, Spitzbub«, sagte er zum Juden, »und hol dir den Vogel heraus.« »Mein«, sprach der Jude, »laß der Herr den Bub weg, so kommt ein Hund gelaufen; ich will mir den Vogel auflesen, weil ihr ihn doch einmal getroffen habt«, legte sich auf die Erde und fieng an sich in den Busch hinein zu arbeiten. Wie er nun mitten in dem Dorn steckte, plagte der Muthwille den guten Knecht, daß er seine Fidel abnahm und anfieng zu geigen. Gleich fieng auch der Jude an die Beine zu heben und in die Höhe zu springen: und je mehr der Knecht strich, desto besser gieng der Tanz. Aber die Dörner zerrissen ihm den schäbigen Rock, kämmten ihm den Ziegenbart und stachen und zwickten ihn am ganzen Leib. »Mein«, rief der Jude, »was soll mir das Geigen! laß der Herr das Geigen, ich begehre nicht zu tanzen.« Aber der Knecht hört⟨e⟩ nicht darauf und dachte »du hast die Leute genug geschunden, nun soll dirs die Dornhecke nicht besser machen«, und fieng von neuem an zu geigen, daß der Jude immer höher aufspringen mußte und die Fetzen von seinem Rock an den Stacheln hängen blieben. »Au weih geschrien!« rief der Jude, »geb ich doch dem Herrn, was er verlangt, wenn er nur das Geigen läßt, einen ganzen Beutel mit Gold.« »Wenn du so spendabel bist«, sprach der Knecht, »so will ich wohl mit meiner Musik aufhören, aber das muß ich dir nachrühmen, du machst deinen Tanz noch mit, daß es eine Art hat«; nahm darauf den Beutel und gieng seiner Wege.

Der Jude blieb stehen und sah ihm nach, und war still, bis der Knecht weit weg und ihm ganz aus den Augen war, dann schrie er aus Leibeskräften, »du miserabler Musikant, du Bierfidler: wart, wenn ich dich allein erwische! ich will dich jagen, daß du die Schuhsohlen verlieren sollst: du Lump, steck einen Groschen ins Maul, daß du sechs Heller werth bist«, und schimpfte weiter, was er nur los bringen konnte. Und als er sich damit etwas zu Gute gethan und Luft gemacht hatte, lief er in die Stadt zum Richter. »Herr Richter, au weih geschrien! seht wie ein gottloser Mensch auf offener Landstraße mich beraubt und übel zugerichtet hat, ein Stein auf dem Erdboden möchte sich erbarmen: die Kleider zerfetzt! der Leib zerstochen und zerkratzt! mein bischen Armuth sammt dem Beutel genommen! lauter Ducaten, ein Stück schöner als das andere: um Gottes willen, laßt den Menschen ins Gefängnis werfen.« Sprach der Richter »wars ein Soldat, der dich mit seinem Säbel so zugerichtet hat?« »Gott bewahr!« sagte der Jude, »einen nackten Degen hat er nicht gehabt, aber ein Rohr hat er gehabt auf dem Buckel hängen, und eine Geige am Hals; daran ist der Bösewicht leicht zu erkennen.« Der Richter schickte seine Leute nach ihm aus, die fanden den guten Knecht, der ganz langsam weiter gezogen war, und fanden auch den Beutel mit Gold bei ihm. Als er vor Gericht gestellt wurde, sagte er »ich habe den Juden nicht angerührt und ihm das Geld nicht genommen, er hat mirs aus freien Stücken angeboten, damit ich nur aufhörte zu geigen, weil er meine Musik nicht vertragen konnte«. »Gott bewahr!« schrie der Jude, »der greift die Lügen wie Fliegen an der Wand.« Aber der Richter glaubte es auch nicht und sprach »das ist eine schlechte Entschuldigung, das thut kein Jude«, und verurtheilte den guten Knecht, weil er auf offener Straße einen Raub begangen hätte, zum Galgen. Als er aber abgeführt wurde, schrie ihm noch der Jude zu »du Bärenhäuter, du Hundemusikant, jetzt kriegst du deinen wohlverdienten Lohn«. Der Knecht stieg ganz ruhig mit dem Henker die Leiter hinauf, auf der letzten Sprosse aber drehte er sich um und sprach zum Richter »gewährt mir noch eine Bitte, eh ich sterbe«. »Ja«, sprach der Richter, »wenn du nicht um dein Leben bittest.« »Nicht ums Leben«, antwortete der Knecht, »ich bitte, laßt mich zu guter Letzt noch einmal auf meiner Geige spielen.« Der Jude erhob ein Zetergeschrei, »um Gottels willen, erlaubts nicht, erlaubts nicht«. Allein der Richter sprach »warum soll ich ihm die kurze Freude nicht gönnen: es ist ihm zugestanden und dabei soll es sein Bewenden haben«. Auch konnte er es ihm nicht abschlagen wegen der Gabe, die dem Knecht verliehen war. Der Jude aber rief »au weih! au weih! bindet mich an, bindet mich fest«. Da nahm der gute Knecht seine Geige vom Hals, legte sie zurecht, und wie er den ersten Strich that, fieng alles an zu wabern und zu wanken, der Richter, die Schreiber und die Gerichtsdiener, und dem, der den Juden festbinden wollte, fiel der Strick aus der Hand; beim zweiten Strich hoben alle die Beine, und der Henker ließ den guten Knecht los und machte sich zum Tanze fertig: bei dem dritten Strich sprang alles in die Höhe und fieng an zu tanzen, und der Richter und der Jude waren vorn und sprangen am besten. Bald tanzte alles mit, was auf den Markt aus Neugierde herbei gekommen war, alte und junge, dicke und magere Leute unter einander: und die Hunde, die mitgelaufen waren, setzten sich auf die Hinterfüße und hüpften mit. Und je länger er spielte, desto höher sprangen die Tänzer, daß sie sich einander an die Köpfe stießen und anfiengen jämmerlich zu schreien. Endlich rief der Richter ganz außer Athem »ich schenke dir dein Leben, höre nur auf zu geigen«. Der gute Knecht ließ sich bewegen, setzte die

Geige ab, hieng sie wieder um den Hals und stieg die Leiter herab. Da trat er zu dem Juden, der auf der Erde lag und nach Athem schnappte, und sagte »Spitzbube, jetzt gesteh, wo du das Geld her hast, oder ich nehme meine Geige vom Hals und fange wieder an zu spielen«. »Ich habs gestohlen, ich habs gestohlen«, schrie er, »du aber hasts redlich verdient.« Da ließ der Richter den Juden zum Galgen führen und als einen Dieb aufhängen.

43.

Vom klugen Schneiderlein.

Es war einmal eine Prinzessin gewaltig stolz: kam ein Freier, so gab sie ihm etwas zu rathen auf, und wenn ers nicht errathen konnte, so ward er mit Spott fortgeschickt. Sie ließ auch bekannt machen, wer ihr Räthsel löste, sollte sich mit ihr vermählen und möchte kommen, wer da wollte. Endlich fanden sich auch drei Schneider zusammen, davon meinten die zwei ältesten, sie hätten so manchen feinen Stich gethan und hättens getroffen, da könnts ihnen nicht fehlen, sie müßtens auch hier treffen: der dritte war ein kleiner unnützer Springinsfeld, der nicht einmal sein Handwerk verstand, aber meinte er müßte dabei Glück haben, denn woher sollt's ihm sonst kommen. Da sprachen die zwei andern zu ihm »bleib nur zu Haus, du wirst mit deinem bischen Verstand auch nicht weit kommen«. Das Schneiderlein ließ sich aber nicht irre machen und sagte, es hätte einmal seinen Kopf darauf gesetzt und wollte sich schon helfen, und gieng dahin, als wäre die ganze Welt sein.

Da meldeten sich alle drei bei der Prinzessin und sagten,

sie sollte ihnen ihr Räthsel vorlegen: es wären die rechten Leute angekommen, die hätten einen so feinen Verstand, daß man ihn wohl in eine Nadel fädeln könnte. Da sprach die Prinzessin »ich habe zweierlei Haar auf dem Kopf, von was für Farben ist das?« »Wenn's weiter nichts ist«, sagte der erste, »es wird schwarz und weiß sein, wie Tuch, das man Kümmel und Salz nennt.« Die Prinzessin sprach »falsch gerathen; antworte der zweite«. Da sagte der zweite »ists nicht schwarz und weiß, so ists braun und roth, wie meines Herrn Vaters Bratenrock«. »Falsch gerathen«, sagte die Prinzessin, »antworte der dritte, dem seh ichs an, der weiß es sicherlich.« Da trat das Schneiderlein hervor und sprach »die Prinzessin hat ein silbernes und ein goldenes Haar auf dem Kopf und das sind die zweierlei Farben«. Wie die Prinzessin das hörte, ward sie blaß und wäre vor Schrecken beinahe hingefallen, denn das Schneiderlein hatte es getroffen und sie hatte fest geglaubt, das würde kein Mensch auf der Welt herausbringen. Als ihr das Herz wiederkam, sprach sie »damit hast du mich noch nicht gewonnen, du mußt noch eins thun: unten im Stall liegt ein Bär, bei dem sollst du die Nacht zubringen; wenn ich dann morgen aufstehe, und du bist noch lebendig, so sollst du mich heirathen«. Sie dachte aber damit wollte sie das Schneiderlein los werden, denn der Bär hatte noch keinen Menschen lebendig gelassen, der ihm unter die Tatzen gekommen war. Das Schneiderlein ließ sich nicht abschrecken und sprach vergnügt »frisch gewagt ist halb gewonnen«.

Als nun der Abend kam, ward mein Schneiderlein hinunter zum Bären gebracht. Der Bär wollt auch gleich auf den kleinen Kerl los und ihm mit seiner Tatze einen guten Willkommen geben. »Sachte, sachte«, sprach das Schneiderlein, »ich will dich schon zur Ruhe bringen.« Da holte es ganz gemächlich, als hätt es keine Sorgen, welsche Nüsse aus der Tasche, biß sie auf und aß die Kerne. Wie der Bär das sah, kriegte er Lust und wollte auch Nüsse haben. Das Schneiderlein griff in die Tasche und reichte ihm eine Hand voll; es waren aber keine Nüsse, sondern Wackersteine. Der Bär steckte sie ins Maul, konnte aber nichts aufbringen, er mochte beißen, wie er wollte. »Ei«, dachte er, »was bist du für ein dummer Klotz! kannst nicht einmal die Nüsse aufbeißen«, und sprach zum Schneiderlein »mein, beiß mir die Nüsse auf«. »Da siehst du, was du für ein Kerl bist«, sprach das Schneiderlein, »hast so ein großes Maul und kannst die kleine Nuß nicht aufbeißen.« Da nahm es die Steine, war hurtig, steckte dafür eine Nuß in den Mund und knack, war sie entzwei. »Ich muß das Ding noch einmal probiren«, sprach der Bär, »wenn ichs so ansehe, ich mein, ich müßts auch können.« Da gab ihm das Schneiderlein abermals Wackersteine, und der Bär arbeitete und biß aus allen Leibeskräften hinein; aber du glaubst auch nicht, daß er sie aufgebracht hat. Wie das vorbei war, holte das Schneiderlein eine Violine unter dem Rock hervor und spielte sich ein Stückchen darauf. Als der Bär die Musik vernahm, konnte er es nicht lassen und fieng an zu tanzen, und als er ein Weilchen getanzt hatte, gefiel ihm das Ding so wohl, daß er zum Schneiderlein sprach »hör, ist das Geigen schwer?« »Kinderleicht, siehst du, mit der Linken leg ich die Finger auf und mit der Rechten streich ich den Bogen, da gehts lustig hopsasa, vivallalera!« »Geigen«, sprach der Bär, »das möcht ich auch verstehen, damit ich tanzen könnte, so oft ich Lust hätte. Was meinst du dazu? Willst du mir Unterricht darin geben?« »Von Herzen gern«, sagte das Schneiderlein, »wenn du Geschick dazu hast. Aber weis einmal deine Tatzen her, die sind gewaltig lang, ich muß dir erst die

Nägel ein wenig abschneiden.« Da ward ein Schraubstock herbei geholt und der Bär legte seine Tatzen darauf, das Schneiderlein aber schraubte sie fest und sprach »nun warte, bis ich mit der Scheere komme«, ließ den Bär brummen, so viel er wollte, legte sich in die Ecke auf ein Bund Stroh und schlief ein.

Die Prinzessin, als sie am Abend den Bären so gewaltig brummen hörte, glaubte nicht anders, als er brummte vor Freuden und hätte dem Schneider den Garaus gemacht. Am Morgen stand sie ganz unbesorgt und vergnügt auf, wie sie aber nach dem Stall guckt, so steht das Schneiderlein ganz munter davor und ist gesund wie ein Fisch im Wasser. Da konnte sie nun kein Wort mehr dagegen sagen, weil sies öffentlich versprochen hatte, und der König ließ einen Wagen kommen, darin mußte sie mit dem Schneiderlein zur Kirche fahren, und sollten sie da vermählt werden. Wie sie eingestiegen waren, giengen die beiden andern Schneider, die ein falsches Herz hatten und ihm sein Glück nicht gönnten, in den Stall und schraubten den Bären los. Der Bär in voller Wuth rannte hinter dem Wagen her. Die Prinzessin hörte ihn schnauben und brummen, es ward ihr angst, und sie rief »ach, der Bär ist hinter uns und will dich holen«. Das Schneiderlein war fix, stellte sich auf den Kopf, streckte die Beine zum Fenster hinaus und rief »siehst du den Schraubstock? wenn du nicht gehst, so sollst du wieder hinein«. Wie der Bär das sah, drehte er um und lief fort. Mein Schneiderlein fuhr da ruhig in die Kirche und die Prinzessin ward ihm an die Hand getraut, und lebte er mit ihr vergnügt wie eine Heidelerche. Wers nicht glaubt, bezahlt einen Thaler.

44.

Schneeweißchen und Rosenroth.

Eine arme Wittwe, die lebte einsam in einem Hüttchen und vor dem Hüttchen war ein Garten, darin standen zwei Rosenbäumchen: davon trug das eine weiße, das andere rothe Rosen; und sie hatte zwei Kinder, die glichen den beiden Rosenbäumchen, und das eine hieß Schneeweißchen, das andere Rosenroth. Sie waren aber so fromm und gut, so arbeitsam und unverdrossen, als je zwei Kinder auf der Welt gewesen sind: Schneeweißchen war nur stiller und sanfter als Rosenroth. Rosenroth sprang lieber in den Wiesen und Feldern umher, suchte Blumen und fieng Sommervögel: Schneeweißchen aber saß daheim bei der Mutter, half ihr im Hauswesen, oder las ihr vor, wenn nichts zu thun war. Die beiden Kinder hatten einander so lieb, daß sie sich immer an den Händen faßten, so oft sie zusammen ausgiengen: und wenn Schneeweißchen sagte »wir wollen uns nicht verlassen«, so antwortete Rosenroth »so lange wir leben nicht«, und die Mutter setzte hinzu »was das eine hat, solls mit dem andern theilen«. Oft liefen sie im Walde allein umher und sammelten rothe Beeren, aber kein Thier that ihnen etwas zu leid, sondern sie kamen vertraulich herbei; das Häschen fraß ein Kohlblatt aus ihren Händen, das Reh graste an ihrer Seite, der Hirsch sprang ganz lustig vorbei: die Vögel blieben auf den Ästen sitzen und sangen, was sie nur wußten. Kein Unfall traf sie: wenn sie sich im Walde verspätet hatten und die Nacht sie überfiel, so legten sie sich neben einander auf das Moos und schliefen, bis der Morgen kam, und die Mutter wußte das und hatte ihrentwegen keine Sorgen. Einmal, als sie im Walde übernachtet hatten und das

Morgenroth sie aufweckte, da sahen sie ein schönes Kind in einem weißen glänzenden Kleidchen neben ihrem Lager sitzen. Es stand auf und blickte sie ganz freundlich an, sprach aber nichts und gieng in den Wald hinein. Und als sie sich umsahen, so hatten sie ganz nahe bei einem Abgrunde geschlafen, und wären gewiß hinein gefallen, wenn sie in der Dunkelheit noch ein paar Schritte weiter gegangen wären. Die Mutter aber sagte ihnen, das müßte der Engel gewesen sein, der gute Kinder bewache.

Schneeweißchen und Rosenroth hielten das Hüttchen der Mutter so reinlich, daß es eine Freude war hinein zu schauen. Im Sommer besorgte Rosenroth das Haus und stellte der Mutter jeden Morgen, ehe sie aufwachte, einen Blumenstrauß vors Bett, darin war von jedem Bäumchen eine Rose. Im Winter zündete Schneeweißchen das Feuer an und hieng den Kessel an den Feuerhaken, und der Kessel war von Messing, glänzte aber wie Gold, so rein war er gescheuert. Abends, wenn die Flocken fielen, sagte die Mutter »geh, Schneeweißchen, und schieb den Riegel vor«, und dann setzten sie sich an den Heerd, und die Mutter nahm die Brille und las aus einem großen Buche vor, und die beiden Mädchen hörten zu, saßen und spannen; neben ihnen lag ein Lämmchen auf dem Boden, und hinter ihnen auf einer Stange saß ein weißes Täubchen und hatte seinen Kopf unter den Flügel gesteckt.

Eines Abends, als sie so vertraulich beisammen saßen, klopfte jemand an die Thür, als wollte er eingelassen sein. Die Mutter sprach »geschwind, Rosenroth, mach auf, es wird ein Wanderer sein, der Obdach sucht«. Rosenroth gieng und schob den Riegel weg, und dachte es wär ein armer Mann, aber der wars nicht, es war ein Bär, der seinen dicken schwarzen Kopf zur Thür herein steckte. Rosenroth schrie laut und sprang zurück: das Lämmchen blökte, das Täubchen flatterte auf und Schneeweißchen versteckte sich hinter der Mutter Bett. Der Bär aber fieng an zu sprechen und sagte »fürchtet euch nicht, ich thue euch nichts zu leid, ich bin halb erfroren und will mich nur ein wenig bei euch wärmen«. »Du armer Bär«, sprach die Mutter, »leg dich ans Feuer und gib nur acht, daß dir dein Pelz nicht brennt.« Dann rief sie »Schneeweißchen, Rosenroth, kommt hervor, ihr Kinder, der Bär thut euch nichts, er meints ehrlich«. Da kamen sie beide heran, und nach und nach näherten sich auch das Lämmchen und Täubchen, und hatten keine Furcht vor ihm. Der Bär sprach »ihr Kinder klopft mir den Schnee ein wenig aus dem Pelzwerk«, und sie holten den Besen und kehrten dem Bär das Fell rein: er aber streckte sich ans Feuer und brummte ganz vergnügt und behaglich. Nicht lange, so wurden sie ganz vertraut und trieben Muthwillen mit dem unbeholfenen Gast, zausten ihm das Fell mit den Händen, setzten ihre Füßchen auf seinen Rücken und walgerten ihn hin und her, oder nahmen eine Haselruthe und schlugen auf ihn los, und wenn er brummte, so lachten sie. Der Bär ließ sichs aber gerne gefallen, nur wenn sie es gar zu arg machten, rief er »laßt mich am Leben, ihr Kinder:

Schneeweißchen, Rosenroth,
schlägst dir den Freier todt.«

Als Schlafenszeit war und die andern zu Bett giengen, sagte die Mutter zu dem Bär »du kannst in Gottes Namen da am Herde liegen bleiben, so bist du vor der Kälte und dem bösen Wetter geschützt«. Sobald der Tag graute, ließen ihn die beiden Kinder hinaus, und er trabte über den Schnee in den Wald hinein. Von nun an kam der Bär jeden Abend zu der bestimmten Stunde, legte sich an den

Herd und erlaubte den Kindern Kurzweil mit ihm zu treiben, so viel sie wollten; und sie waren so gewöhnt an ihn, daß die Thüre nicht eher zugeriegelt wurde, als bis der schwarze Gesell angelangt war.

Als das Frühjahr heran gekommen und draußen alles grün war, sagte der Bär eines Morgens zu Schneeweißchen »nun muß ich fort, und darf den ganzen Sommer nicht wieder kommen«. »Wo gehst du denn hin, lieber Bär?« fragte Schneeweißchen. »Ich muß in den Wald und meine Schätze vor den bösen Zwergen hüten: im Winter, wenn die Erde hart gefroren ist, müssen sie wohl unten bleiben und können sich nicht durcharbeiten, aber jetzt, wenn die Sonne die Erde aufgethaut und erwärmt hat, da brechen sie durch, steigen herauf, suchen und stehlen: und was einmal in ihren Händen ist und in ihren Höhlen liegt, das kommt so leicht nicht wieder an des Tages Licht.« Schneeweißchen war ganz traurig über den Abschied und riegelte ihm die Thüre auf, und als der Bär sich hinaus drängte, blieb er an dem Thürhaken hängen und ein Stück seiner Haut riß auf, und da war es Schneeweißchen, als hätte es Gold durchschimmern gesehen: aber es war seiner Sache nicht gewiß. Aber der Bär lief eilig fort und war bald hinter den Bäumen verschwunden.

Nach einiger Zeit schickte die Mutter die Kinder in den Wald, Reisig zu sammeln. Da fanden sie draußen einen großen Baum, der lag gefällt auf dem Boden, und an dem Stamme sprang zwischen dem Gras etwas auf und ab, sie konnten aber nicht unterscheiden, was es war. Als sie näher kamen, sahen sie einen Zwerg mit einem alten verwelkten Gesicht und einem ellenlangen schneeweißen Bart. Das Ende des Bartes war in eine Spalte des Baumes eingeklemmt, und der Kleine sprang hin und her wie ein Hündchen an einem Seil, und wußte nicht, wie er sich

helfen sollte. Er glotzte die Mädchen mit seinen rothen feurigen Augen an und schrie »was steht ihr da! könnt ihr nicht herbeigehen und mir Beistand leisten?« »Was hast du angefangen, kleines Männchen?« fragte Rosenroth. »Dumme, neugierige Gans«, antwortete der Zwerg, »den Baum habe ich mir spalten wollen, um kleines Holz in der Küche zu haben: bei den dicken Klötzen verbrennt gleich das bischen Speise, das unser einer braucht, der nicht so viel hinunter schlingt, als ihr grobes gieriges Volk. Ich hatte den Keil schon glücklich hinein getrieben, und es wäre alles nach Wunsch gegangen, aber der verwünschte Keil war zu glatt und sprang unversehens heraus, und der Baum fuhr so geschwind zusammen, daß ich meinen schönen weißen Bart nicht mehr heraus ziehen konnte; nun steckt er drinn, und ich kann nicht fort. Da lachen die albernen glatten Milchgesichter! pfui, was seid ihr garstig!« Die Kinder gaben sich alle Mühe, aber sie konnten den Bart nicht herausziehen, er steckte zu fest. »Ich will laufen und Leute herbei holen«, sagte Rosenroth. »Wahnsinnige Schafsköpfe«, schnarrte der Zwerg, »wer wird gleich Leute herbei rufen, ihr seid mir schon um zwei zu viel: fällt euch nichts besseres ein?« »Sei nur nicht ungeduldig«, sagte Schneeweißchen, »ich will schon Rath schaffen«, und holte sein Scheerchen aus der Tasche und schnitt das Ende des Bartes ab. Sobald der Zwerg sich frei fühlte, griff er nach einem Sack, der zwischen den Wurzeln des Baumes steckte und mit Gold gefüllt war, hob ihn heraus und brummte vor sich hin »ungehobeltes Volk, schneidet mir ein Stück von meinem stolzen Barte ab! lohns euch der Guckguck!« Damit schwang er seinen Sack auf den Rücken und gieng fort, ohne die Kinder nur noch einmal anzusehen.

Einige Zeit danach wollten Schneeweißchen und Rosenroth ein Gericht Fische angeln. Als sie nahe bei dem Bach waren, sahen sie, daß etwas wie eine große Heuschrecke nach dem Wasser zu hüpfte, als wollte es hinein springen. Sie liefen heran und erkannten den Zwerg. »Wo willst du hin?« sagte Rosenroth, »du willst doch nicht ins Wasser?« »Solch ein Narr bin ich nicht«, schrie der Zwerg, »seht ihr nicht, der verwünschte Fisch will mich hinein ziehen!« Der Kleine hatte da gesessen und geangelt, und unglücklicher Weise hatte der Wind seinen Bart mit der Angelschnur verflochten: als gleich darauf ein großer Fisch anbiß, fehlten dem schwachen Geschöpf die Kräfte, ihn herauszuziehen: der Fisch behielt die Oberhand und riß den Zwerg zu sich hin. Zwar hielt er sich an allen Halmen und Binsen, aber das half nicht viel, er mußte den Bewegungen des Fisches folgen, und war in beständiger Gefahr ins Wasser gezogen zu werden. Die Mädchen kamen zu rechter Zeit, hielten ihn fest, und versuchten den Bart von der Schnur loszumachen, aber vergebens, Bart und Schnur waren fest in einander verwirrt. Es blieb nichts übrig, als das Scheerchen hervor zu holen und den Bart abzuschneiden; dabei gieng ein kleiner Theil desselben verloren. Als der Zwerg das sah, schrie er sie an »ist das Manier, ihr Lorche, einem das Gesicht zu schänden? nicht genug, daß ihr mir den Bart unten abgestutzt habt, jetzt schneidet ihr mir den besten Theil davon ab: ich darf mich vor den Meinigen gar nicht sehen lassen. Daß ihr laufen müßtet und die Schuhsohlen verloren hättet!« Dann holte er einen Sack Perlen, der im Schilfe lag, und ohne ein Wort weiter zu sagen, schleppte er ihn fort und verschwand hinter einem Stein.

Es trug sich zu, daß bald hernach die Mutter die beiden Mädchen nach der Stadt schickte Zwirn, Nadeln, Schnüre und Bänder einzukaufen. Der Weg führte sie über eine

Heide, auf der hier und da mächtige Felsenstücke zerstreut lagen: da sahen sie einen großen Vogel in der Luft schweben, der langsam über ihnen kreiste, sich immer tiefer herab senkte und endlich nicht weit bei einem Felsen niederstieß. Gleich darauf hörten sie einen durchdringenden jämmerlichen Schrei. Sie liefen herzu und sahen mit Schrecken, daß der Adler ihren alten Bekannten, den Zwerg, gepackt hatte und ihn forttragen wollte. Die mitleidigen Kinder hielten gleich das Männchen fest und zerrten sich so lange mit dem Adler herum, bis er seine Beute fahren ließ. Als der Zwerg sich von den ersten Schrecken erholt hatte, schrie er mit seiner feinen Stimme »konntet ihr nicht säuberlicher mit mir umgehen? gerissen habt ihr an meinem dünnen Röckchen, daß es überall zerfetzt und durchlöchert ist, unbeholfenes und täppisches Gesindel, das ihr seid!« Dann nahm er einen Sack mit Edelsteinen und schlüpfte wieder unter den Felsen in seine Höhle. Die Mädchen waren an seinen Undank schon gewöhnt, setzten ihren Weg fort und verrichteten ihr Geschäft in der Stadt. Als sie beim Heimweg wieder auf die Heide kamen, überraschten sie den Zwerg, der auf einem reinlichen Plätzchen seinen Sack mit Edelsteinen ausgeschüttet und nicht gedacht hatte, daß so spät noch jemand daher kommen würde. Die Abendsonne schien über die glänzenden Steine, und sie schimmerten und leuchteten so prächtig in allen Farben, daß die Kinder stehen blieben und sie betrachteten. »Was steht ihr da und habt Maulaffen feil?« schrie der Zwerg, und sein aschgraues Gesicht ward zinnoberroth vor Zorn. Er wollte mit seinen Scheltworten fortfahren, als sich ein lautes Brummen hören ließ und ein schwarzer Bär aus dem Walde heraus trabte. Erschrocken sprang der Zwerg auf, aber er konnte nicht mehr zu seinem Schlupfwinkel gelangen, der Bär war schon in seiner Nähe. Da rief er in Herzensangst »lieber Herr Bär, verschont mich, ich will euch all meine Schätze geben, seht, die schönen Edelsteine, die da liegen. Schenkt mir das Leben, was habt ihr an mir kleinem schmächtigen Kerl? ihr spürt mich nicht zwischen den Zähnen: da die beiden gottlosen Mädchen packt, das sind für euch zarte Bissen, fett wie junge Wachteln, die freßt in Gottes Namen.« Der Bär kümmerte sich um seine Worte nicht, gab dem boshaften Geschöpf einen einzigen Schlag mit der Tatze, und es regte sich nicht mehr.

Die Mädchen waren fortgesprungen, aber der Bär rief ihnen nach »Schneeweißchen und Rosenroth, fürchtet euch nicht, wartet, ich will mit euch gehen«. Da erkannten sie seine Stimme und blieben stehen, und als der Bär bei ihnen war, fiel plötzlich die Bärenhaut ab, und er stand da als ein schöner Mann und war ganz in Gold gekleidet. »Ich bin eines Königs Sohn«, sprach er, »und war von dem gottlosen Zwerg, der mir meine Schätze gestohlen hatte, verwünscht als ein wilder Bär in dem Walde zu laufen, bis ich durch seinen Tod erlöst würde. Jetzt hat er seine wohlverdiente Strafe empfangen.«

Schneeweißchen ward mit ihm vermählt und Rosenroth mit seinem Bruder, und sie theilten die großen Schätze mit einander, die der Zwerg in seine Höhle zusammen getragen hatte. Die alte Mutter lebte noch lange Jahre ruhig und glücklich bei ihren Kindern. Die zwei Rosenbäumchen aber nahm sie mit, und sie standen vor ihrem Fenster und trugen jedes Jahr die schönsten Rosen, weiß und roth.

45.

Die vier kunstreichen Brüder.

Es war ein armer Mann, der hatte vier Söhne; wie die heran gewachsen waren, sprach er zu ihnen »liebe Kinder, ihr müßt jetzt hinaus in die Welt, ich habe nichts, das ich euch geben könnte: macht euch auf und geht in die Fremde, lernt ein Handwerk und seht, wie ihr euch durchschlagt«. Da ergriffen die vier Brüder den Wanderstab, nahmen Abschied von ihrem Vater und zogen zusammen zum Thor hinaus. Als sie eine Zeit lang gewandert waren, kamen sie an einen Kreuzweg, der nach vier verschiedenen Gegenden führte. Da sprach der älteste »hier müssen wir uns trennen, aber heut über vier Jahre wollen wir an dieser Stelle wieder zusammen treffen und in der Zeit unser Glück versuchen«.

Nun gieng jeder seinen Weg, und dem ältesten begegnete ein Mann, der fragte ihn, wo er hinaus wollte und was er vor hätte. »Ich will ein Handwerk lernen« antwortete er. Da sprach der Mann »geh mit mir und werde ein Dieb«. »Nein«, antwortete er, »das gilt für kein ehrliches Handwerk mehr, und das Ende vom Lied ist, daß einer als Schwengel in der Feldglocke gebraucht wird.« »O«, sprach der Mann, »vor dem Galgen brauchst du dich nicht zu fürchten: ich will dich blos lehren, wie du holst, was sonst kein Mensch kriegen und wobei dir niemand auf die Spur kommen kann.« Da ließ er sich überreden, ward bei dem Manne ein gelernter Dieb, und ward so geschickt, daß vor ihm nichts sicher war, was er einmal haben wollte. Der zweite Bruder begegnete einem Manne, der dieselbe Frage an ihn that, was er in der Welt lernen wollte. »Ich weiß es noch nicht«, antwortete er. »So geh mit mir und werde ein

Sterngucker: nichts besser als das, es bleibt einem nichts verborgen.« Er ließ sich das gefallen und ward ein so geschickter Sterngucker, daß sein Meister, als er ausgelernt hatte und weiter ziehen wollte, ihm ein Fernrohr gab und zu ihm sprach »damit kannst du sehen, was auf Erden und am Himmel vorgeht, und kann dir nichts verborgen bleiben«. Den dritten Bruder nahm ein Jäger in die Lehre und gab ihm in allem, was zur Jägerei gehört, so guten Unterricht, daß er ein ausgelernter Jäger ward. Der Meister schenkte ihm beim Abschied eine Büchse und sprach »die fehlt nicht, was du damit aufs Korn nimmst, das triffst du sicher«. Der jüngste Bruder begegnete gleichfalls einem Manne, der ihn anredete und nach seinem Vorhaben fragte. »Hast du nicht Lust ein Schneider zu werden?« »Daß ich nicht wüßte«, sprach der Junge, »das Krummsitzen von Morgens bis Abends, das Hin- und Herfegen mit der Nadel und das Bügeleisen will mir nicht in den Sinn.« »Ei was«, antwortete der Mann, »du sprichst, wie dus verstehst: bei mir lernst du eine ganz andere Schneiderkunst, die ist anständig und ziemlich, zum Theil sehr ehrenvoll.« Da ließ er sich überreden, gieng mit und lernte die Kunst des Mannes aus dem Fundament. Beim Abschied gab ihm dieser eine Nadel und sprach »damit kannst du zusammen nähen, was dir vorkommt, es sei so weich wie ein Ei, oder so hart als Stahl: und es wird ganz zu einem Stück, daß keine Naht mehr zu sehen ist«.

Als die bestimmten vier Jahre herum waren, kamen die vier Brüder zu gleicher Zeit an dem Kreuzwege zusammen, herzten und küßten sich und kehrten heim zu ihrem Vater. »Nun«, sprach dieser ganz vergnügt, »hat euch der Wind wieder zu mir geweht?« Sie erzählten, wie es ihnen ergangen war, und daß jeder das Seinige gelernt hätte. Nun saßen sie gerade vor dem Haus unter einem großen

Baum, da sprach der Vater »jetzt will ich euch auf die Probe stellen und sehen, was ihr könnt«. Danach schaute er auf und sagte zu dem zweiten Sohne »oben im Gipfel dieses Baumes sitzt zwischen zwei Ästen ein Buchfinkennest, sag mir, wie viel Eier liegen darin?« Der Sterngucker nahm sein Glas, schaute hinauf und sagte »fünfe sinds«. Sprach der Vater zum ältesten »hol du die Eier herunter, ohne daß der Vogel, der darauf sitzt und brütet, gestört wird«. Der kunstreiche Dieb stieg hinauf und nahm dem Vöglein, das gar nichts davon merkte und ruhig sitzen blieb, die fünf Eier unter dem Leib weg und brachte sie dem Vater herab. Der Vater nahm sie, legte an jede Ecke des Tisches eins und das fünfte in die Mitte und sprach zum Jäger »du schießest mir mit einem Schuß die fünf Eier in der Mitte entzwei«. Der Jäger legte seine Büchse an und schoß die Eier, wie es der Vater verlangt hatte, alle fünfe und zwar in einem Schuß; der hatte gewiß von dem Pulver, was um die Ecke schießt. »Nun kommt die Reihe an dich«, sprach der Vater zu dem vierten Sohn, »du nähst die Eier wieder zusammen, und auch die jungen Vöglein, die darin sind, und zwar so, daß ihnen der Schuß nicht schadet.« Der Schneider holte seine Nadel und nähte, wies der Vater gefordert hatte. Als er fertig war, mußte der Dieb die Eier wieder auf den Baum ins Nest tragen und dem Vogel, ohne daß er etwas merkte, unterlegen. Das Thierchen brütete sie vollends aus, und nach ein paar Tagen krochen die Jungen hervor und hatten da, wo sie vom Schneider zusammengenäht waren, ein rothes Streifchen um den Hals.

»Ja«, sprach der Alte zu seinen Söhnen, »ich muß euch über den grünen Klee loben: ihr habt eure Zeit wohl benutzt und was rechtschaffenes gelernt: ich kann nicht sagen, wem von euch der Vorzug gebührt. Wenn ihr Gelegenheit habt eure Kunst anzuwenden, da wird sichs ausweisen.« Nicht lange danach kam ein großer Lärm ins Land, die Königstochter wäre von einem Drachen entführt worden. Der König war Tag und Nacht darüber in Sorgen und ließ bekannt machen, wer sie zurück brächte, sollte sie zur Gemahlin haben. Die vier Brüder sprachen unter einander »das wäre eine Gelegenheit, wo wir uns zeigen könnten«, wollten zusammen ausziehen und die Königstochter befreien. »Wo sie ist, will ich bald wissen«, sprach der Sterngucker, schaute durch sein Glas und sprach »ich sehe sie schon, sie sitzt weit von hier auf einem Felsen im Meer, aber neben ihr sitzt der Drache, der sie bewacht.« Da gieng er zu dem König und bat um ein Schiff für sich und seine Brüder, und fuhr mit ihnen über das Meer, bis sie zu dem Felsen kamen. Die Königstochter saß da, aber der Drache lag in ihrem Schooß und schlief. Der Jäger sprach »ich darf nicht schießen, ich würde die schöne Jungfrau zugleich tödten«. »So will ich mein Heil versuchen«, sagte der Dieb, schlich sich heran und stahl sie unter dem Drachen weg, aber so leis und behend, daß das Unthier nichts merkte, sondern fortschnarchte. Sie eilten voll Freude mit ihr aufs Schiff und steuerten in die offene See: aber der Drache, der bei seinem Erwachen die Königstochter nicht mehr gefunden hatte, kam hinter ihnen her und schnaubte wüthend durch die Luft. Als er gerade über dem Schiff schwebte und sich herablassen wollte, da legte der Jäger seine Büchse an und schoß ihn mitten ins Herz. Das Unthier fiel todt herab, war aber so groß und gewaltig, daß es im Herabfallen das ganze Schiff zertrümmerte. Sie erhaschten glücklich noch ein paar Bretter und schwammen auf dem weitem Meer umher. Da war wieder große Noth, aber der Schneider nicht faul, nahm seine wunderbare Nadel, nähte die Bretter mit ein paar großen Stichen in der Eile zusammen, setzte sich darauf, ruderte rechts und links und sammelte alle Stücke des Schiffs. Dann nähte er auch diese so geschickt zusammen, daß in kurzer Zeit das Schiff wieder segelfertig war und sie glücklich heim fahren konnten.

Als der König seine Tochter wieder erblickte, war große Freude. Er sprach zu den vier Brüdern »einer von euch soll sie zur Gemahlin haben, aber welcher das ist, macht unter euch aus«. Da entstand ein heftiger Streit unter ihnen. Der Sterngucker sprach »hätte ich nicht die Königstochter gesehen, so wären alle eure Künste umsonst gewesen: darum ist sie mein«. Der Dieb sprach »was hätte das Sehen geholfen, wenn ich sie nicht unter dem Drachen weggeholt hätte; darum ist sie mein«. Der Jäger sprach »ihr wärt doch sammt der Königstochter von dem Ungeheuer zerrissen worden, hätte es meine Kugel nicht getroffen: darum ist sie mein«. Der Schneider sprach »und hätte ich mit meiner Kunst nicht das Schiff wieder zusammen geflickt, ihr wärt alle jämmerlich ertrunken: darum ist sie mein«. Da that der König den Ausspruch »jeder von euch hat ein gleiches Recht, und weil ein jeder die Jungfrau nicht haben kann, so soll sie keiner von euch haben: aber ich will jedem zur Belohnung ein halbes Königreich geben«. Den Brüdern gefiel diese Entscheidung, und sie sprachen »es ist besser so, als daß wir uneins werden«. Da erhielt jeder ein halbes Königreich, und sie lebten mit ihrem Vater in aller Glückseligkeit, so lange es Gott gefiel.

46.

Einäuglein, Zweiäuglein und Dreiäuglein.

Es war eine Frau, die hatte drei Töchter, davon hieß die älteste *Einäuglein*, weil sie nur ein einziges Auge mitten auf der Stirne hatte, und die mittelste *Zweiäuglein*, weil sie zwei Augen hatte wie andere Menschen, und die jüngste *Dreiäuglein*, weil sie drei Augen hatte, und das dritte stand bei ihr gleichfalls mitten auf der Stirne. Darum aber, daß Zweiäuglein nicht anders aussah als andere Menschenkinder, konnten es die Schwestern und die Mutter nicht leiden. Sie sprachen zu ihm »du mit deinen zwei Augen bist nicht besser als das gemeine Volk, du gehörst nicht zu uns«. Sie stießen es herum und warfen ihm schlechte Kleider hin, und gaben ihm nicht mehr zu essen, als was sie übrig ließen, und thaten ihm Herzeleid an, wo sie nur konnten.

Es trug sich zu, daß Zweiäuglein hinaus ins Feld gehen und die Ziege hüten mußte, aber noch ganz hungrig war, weil ihm seine Schwestern so wenig zu essen gegeben hatten. Da setzte es sich auf einen Rain und fieng an zu weinen und so zu weinen, daß zwei Bächlein aus seinen Augen herabflossen. Und wie es in seinem Jammer einmal aufblickte, stand eine Frau neben ihm, die fragte »Zweiäuglein, was weinst du?« Zweiäuglein antwortete »soll ich nicht weinen? weil ich zwei Augen habe wie andere Menschen, so können mich meine Schwestern und meine Mutter nicht leiden, stoßen mich aus einer Ecke in die andere, werfen mir alte Kleider hin und geben mir nichts zu essen, als was sie übrig lassen. Heute haben sie mir so wenig gegeben, daß ich noch ganz hungrig bin«. Sprach die weise Frau »Zweiäuglein, trockne dir dein Angesicht, ich will dir etwas sagen, daß du nicht mehr hungern sollst. Sprich nur zu deiner Ziege

›Zicklein, meck,
Tischlein, deck‹,

so wird ein sauber gedecktes Tischlein vor dir stehen und das schönste Essen darauf, daß du essen kannst, so viel du Lust hast. Und wenn du satt bist und das Tischlein nicht mehr brauchst, so sprich nur

›Zicklein, meck,
Tischlein, weg‹,

so wirds vor deinen Augen wieder verschwinden«. Darauf gieng die weise Frau fort. Zweiäuglein aber dachte »ich muß gleich einmal versuchen, ob es wahr ist, was sie gesagt hat, denn mich hungert gar zu sehr«, und sprach

»Zicklein, meck,
Tischlein, deck«,

und kaum hatte sie die Worte ausgesprochen, so stand da ein Tischlein mit einem weißen Tüchlein gedeckt, darauf ein Teller mit Messer und Gabel und silbernem Löffel, und die schönsten Speisen standen rund herum, rauchten und waren noch warm, als wären sie eben erst aus der Küche gekommen. Da sagte Zweiäuglein das kürzeste Gebet her, das es wußte. »Herr Gott, sei unser Gast zu aller Zeit, Amen«, und langte zu und ließ sichs wohl schmecken. Und als es satt war, sprach es, wie die weise Frau gelehrt hatte,

»Zicklein, meck,
Tischlein, weg«.

Alsbald war das Tischchen und alles, was darauf stand, wieder verschwunden. »Das ist ein schöner Haushalt«, dachte Zweiäuglein, und war ganz vergnügt und guter Dinge.

Abends, als es mit seiner Ziege heim kam, fand es ein irdenes Schüsselchen mit Essen, das ihm die Schwestern hingestellt hatten, aber es rührte nichts an. Am andern Tag zog es mit seiner Ziege wieder hinaus und ließ die paar Brocken, die ihm gereicht wurden, liegen. Das erstemal und das zweitemal beachteten es die Schwestern gar nicht, wie es aber jedesmal geschah, merkten sie auf und sprachen »es ist nicht richtig mit dem Zweiäuglein, das läßt jedesmal das Essen stehen und hat doch sonst alles aufgezehrt, was ihm gereicht wurde: das muß andere Wege gefunden haben«. Damit sie aber hinter die Wahrheit kämen, sollte Einäuglein mitgehen, wenn Zweiäuglein die Ziege auf die Weide trieb, und sollte achten, was es da vor hätte, und ob ihm jemand etwa Essen und Trinken brächte.

Als nun Zweiäuglein sich wieder aufmachte, trat Einäuglein zu ihm und sprach »ich will mit ins Feld gehen und sehen, daß die Ziege auch recht gehütet und ins Futter getrieben wird«. Aber Zweiäuglein merkte, was Einäuglein im Sinne hatte, und trieb die Ziege hinaus in hohes Gras und sprach »komm, Einäuglein, wir wollen uns hinsetzen, ich will dir was vorsingen«. Einäuglein setzte sich hin und war von dem ungewohnten Weg und von der Sonnenhitze müde, und Zweiäuglein sang immer

»Einäuglein, wachst du?
Einäuglein, schläfst du?

Da that Einäuglein das eine Auge zu und schlief ein. Und als Zweiäuglein sah, daß Einäuglein fest schlief und nichts verrathen konnte, sprach es

»Zicklein, meck,
Tischlein, deck«,

und setzte sich an sein Tischlein und aß und trank, bis es satt war. Dann rief es wieder

»Zicklein, meck,
Tischlein, weg«,

und alles war augenblicklich verschwunden. Zweiäuglein weckte nun Einäuglein und sprach »Einäuglein, du willst hüten, und schläfst dabei ein, derweil hätte die Ziege in alle Welt laufen können; komm, wir wollen nach Haus gehen«. Da giengen sie nach Haus, und Zweiäuglein ließ wieder sein Schüsselchen unangerührt stehen, und Einäuglein konnte der Mutter nicht verrathen, warum es nicht essen wollte, und sagte zu seiner Entschuldigung »ich war draußen eingeschlafen«.

Am andern Tag sprach die Mutter zu Dreiäuglein »diesmal sollst du mitgehen und Acht haben, ob Zweiäuglein draußen ißt und ob ihm jemand Essen und Trinken bringt, denn essen und trinken muß es heimlich«. Da trat Dreiäuglein zum Zweiäuglein und sprach »ich will mitgehen und sehen, ob auch die Ziege recht gehütet und ins Futter getrieben wird«. Aber Zweiäuglein merkte, was Dreiäuglein im Sinne hatte, und trieb die Ziege hinaus ins hohe Gras und sprach »wir wollen uns dahin setzen, Dreiäuglein, ich will dir was vorsingen«. Dreiäuglein setzte sich und war müde von dem Weg und der Sonnenhitze, und

Zweiäuglein hub wieder das vorige Liedlein an und sang

»Dreiäuglein, wachst du?«

aber statt daß es nun singen mußte

»Dreiäuglein, schläfst du?«

sang es aus Unbedachtsamkeit

»Zweiäuglein, schläfst du?«

und sang immer

»Dreiäuglein, wachst du
Zweiäuglein, schläfst du?«

Da fielen dem Dreiäuglein seine zwei Augen zu und schliefen, aber das dritte, das von dem Sprüchlein nicht war angeredet worden, schlief nicht ein. Zwar that es Dreiäuglein zu, aber nur aus List, gleich als schliefe es auch damit: doch blinzelte es und konnte alles gar wohl sehen. Und als Zweiäuglein meinte, Dreiäuglein schliefe fest, sagte es sein Sprüchlein

»Zicklein, meck,
Tischlein, deck«,

aß und trank nach Herzenslust und hieß dann das Tischlein wieder fortgehen,

»Zicklein, meck,
Tischlein, weg«.

Aber Dreiäuglein hatte alles mit angesehen. Da kam Zweiäuglein zu ihm, weckte es und sprach »ei, Dreiäuglein, bist du eingeschlafen? du kannst gut hüten! komm, wir wollen heim gehen«. Und als sie nach Haus kamen, aß Zweiäuglein wieder nicht und Dreiäuglein sprach zur Mutter »ich weiß nun, warum das hochmüthige Ding nicht ißt: wenn sie draußen zur Ziege spricht

›Zicklein meck,
Tischlein, deck‹,

so steht ein Tischlein vor ihr, das ist mit dem besten Essen besetzt, viel besser als wirs haben: und wenn sie satt ist, so spricht sie

›Zicklein, meck,
Tischlein, weg‹,

und alles ist wieder verschwunden; ich habe alles genau mit angesehen. Zwei Augen hatte sie mir mit einem Sprüchlein eingeschläfert, aber das eine auf der Stirne, das war zum Glück wach geblieben«. Da rief die neidische Mutter »willst dus besser haben, als wir? die Lust soll dir vergehen!« Sie holte ein Schlachtmesser und stieß es der Ziege ins Herz, daß sie todt hinfiel.

Als Zweiäuglein das sah, gieng es voll Trauer hinaus, setzte sich auf den Feldrain und weinte seine bittern Thränen. Da stand auf einmal die weise Frau wieder neben ihm und sprach »Zweiäuglein, was weinst du?« »Soll ich nicht weinen?« antwortete es, »die Ziege, die mir jeden Tag, wenn ich euer Sprüchlein hersagte, den Tisch so schön deckte, die hat meine Mutter todt gestochen; nun muß ich wieder Hunger und Kummer leiden.« Die weise

Frau sprach »Zweiäuglein, ich will dir einen guten Rath ertheilen, bitt deine Schwestern, daß sie dir das Eingeweide von der geschlachteten Ziege geben und vergrab es vor der Hausthür in die Erde, so wirds dein Glück sein«. Da verschwand sie, und Zweiäuglein gieng heim und sprach zu den Schwestern »liebe Schwestern, gebt mir doch etwas von meiner Ziege, ich verlange nichts Gutes, gebt mir nur das Eingeweide«. Da lachten sie und sprachen »das kannst du haben, wenn du weiter nichts willst«. Und Zweiäuglein nahm das Eingeweide und vergrubs Abends in aller Stille nach dem Rathe der weisen Frau vor die Hausthüre.

Am andern Morgen, als sie insgesammt erwachten und vor die Hausthüre traten, so stand da ein wunderbarer prächtiger Baum, der hatte Blätter von Silber, und Früchte von Gold hiengen dazwischen, daß gewiß nichts schöneres und köstlicheres auf der weiten Welt war. Sie wußten aber nicht, wie der Baum in der Nacht dahin gekommen war, nur Zweiäuglein merkte, daß er aus den Eingeweiden der Ziege aufgewachsen war, denn er stand gerade da, wo es sie in die Erde begraben hatte. Da sprach die Mutter zu Einäuglein »steig hinauf, mein Kind, und brich uns die Früchte von dem Baume ab«. Einäuglein stieg hinauf, aber wie es einen von den goldenen Äpfeln greifen wollte, so fuhr ihm der Zweig aus den Händen: und das geschah jedesmal, so daß es keinen einzigen Apfel brechen konnte, es mochte sich anstellen, wie es wollte. Da sprach die Mutter »Dreiäuglein, steig du hinauf, du kannst mit deinen drei Augen besser um dich schauen als Einäuglein«. Einäuglein rutschte herunter und Dreiäuglein stieg hinauf: aber Dreiäuglein war nicht geschickter und mochte schauen, wie es wollte, die goldenen Äpfel wichen immer zurück. Endlich ward die Mutter ungeduldig und stieg selbst hinauf, konnte aber so wenig wie Einäuglein und Dreiäuglein die Frucht fassen und griff immer in die leere Luft hinein. Da sprach Zweiäuglein »ich will mich einmal hinauf machen, vielleicht gelingt mirs eher«. Die Schwestern riefen zwar »du mit deinen zwei Augen, was willst du wohl!« Aber Zweiäuglein stieg hinauf, und die goldenen Äpfel zogen sich nicht vor ihm zurück, sondern es war ordentlich als kämen sie seinen Händen entgegen, also daß es einen nach dem andern abpflücken konnte und ein ganzes Schürzchen voll mit herunter brachte. Die Mutter nahm sie ihm ab, und statt daß sie und Einäuglein und Dreiäuglein dafür das arme Zweiäuglein hätten besser behandeln sollten, so wurden sie nur neidisch, daß es allein die Früchte holen konnte und giengen noch härter mit ihm um.

Es trug sich zu, als sie einmal beisammen an dem Baum standen, daß ein junger Ritter daher kam. »Geschwind, Zweiäuglein«, riefen die zwei Schwestern, »kriech unter, daß wir uns deiner nicht schämen müssen« und stürzten über das arme Zweiäuglein in aller Eil ein leeres Faß, das gerade neben dem Baume stand, und schoben die goldenen Äpfel, die es abgebrochen hatte, auch drunter. Als nun der Ritter näher kam, war es ein schöner Herr, der bewunderte den prächtigen Baum von Gold und Silber und sprach zu den beiden Schwestern »wem gehört dieser schöne Baum? wer mir einen Zweig davon gäbe, könnte dafür verlangen, was er wollte«. Da antworteten Einäuglein und Dreiäuglein, der Baum gehörte ihnen zu, und sie wollten ihm einen Zweig wohl abbrechen. Sie gaben sich auch beide große Mühe, aber sie waren es nicht im Stande, denn die Zweige und Früchte wichen jedesmal vor ihnen zurück. Da sprach der Ritter »das ist ja wunderlich, daß der Baum euch zugehören soll und ihr doch nicht Macht habt etwas davon abzubrechen«. Sie blieben dabei, der Baum wäre ihr Eigenthum: indem sie aber so sprachen, rollte Zweiäuglein unter dem Fasse ein paar goldene Äpfel heraus, so daß sie zu den Füßen des Ritters liefen, denn Zweiäuglein war bös, daß Einäuglein und Dreiäuglein nicht die Wahrheit sagten. Wie der Ritter die Äpfel sah, erstaunte er und fragte, wo sie herkämen. Einäuglein und Dreiäuglein antworteten, sie hätten noch eine Schwester, die dürfte sich aber nicht sehen lassen, weil sie nur zwei Augen hätte wie andere gemeine Menschen. Der Ritter aber verlangte sie zu sehen und rief »Zweiäuglein komm hervor«. Da kam Zweiäuglein ganz getrost unter dem Faß hervor, und der Ritter war verwundert über seine große Schönheit und sprach »du, Zweiäuglein, kannst mir gewiß einen Zweig von dem Baum abbrechen«. »Ja«, antwortete Zweiäuglein, »das will ich wohl können, denn der Baum gehört mir«: und stieg hinauf und brach mit leichter Mühe einen Zweig mit seinen silbernen Blättern und goldenen Früchten ab und reichte ihn dem Ritter hin. Da sprach der Ritter »Zweiäuglein, was soll ich dir dafür geben?« »Ach«, antwortete Zweiäuglein, »ich leide Hunger und Durst, Kummer und Noth vom frühen Morgen bis zum späten Abend: wenn ihr mich mitnehmen und erlösen wollt, so wäre ich glücklich.« Da hob der Ritter das Zweiäuglein auf sein Pferd und brachte es heim auf sein väterliches Schloß. Dort gab er ihm schöne Kleider, Essen und Trinken nach Herzenslust, und weil er es so lieb hatte, ließ er sich mit ihm einsegnen, und ward die Hochzeit in großer Freude gehalten.

Wie nun Zweiäuglein so von dem schönen Rittersmann fortgeführt wurde, da beneideten ihm die zwei Schwestern erst recht sein Glück. »Der wunderbare Baum bleibt uns doch«, dachten sie, »können wir auch keine Früchte davon brechen, so wird doch jedermann davor stehen bleiben, zu uns kommen und ihn rühmen; wer weiß, wo noch unser Weizen blüht!« Aber am andern Morgen war der Baum verschwunden und ihre Hoffnung dahin; und wie Zweiäuglein zu seinem Kämmerlein hinaussah, so stand er zu seiner großen Freude davor, und war ihm also nachgefolgt.

Zweiäuglein lebte lange Zeit vergnügt. Einmal kamen zwei arme Frauen zu ihm auf das Schloß und baten um ein Almosen. Da sah ihnen Zweiäuglein ins Gesicht und erkannte seine beiden Schwestern, Einäuglein und Dreiäuglein, die so in Armuth gerathen waren, daß sie umherziehen und vor den Thüren ihr Brot suchen mußten. Zweiäuglein aber hieß sie willkommen und that ihnen Gutes und pflegte sie, also daß die beiden von Herzen bereuten, was sie ihrer Schwester in der Jugend Böses angethan hatten.

47.

Die weiße und die schwarze Braut.

Eine Frau gieng mit ihrer Tochter und Stieftochter über Feld, Futter zu schneiden. Da kam der liebe Gott als ein armer Mann zu ihnen gegangen und fragte »wo führt der Weg ins Dorf?« »Wenn ihr ihn wissen wollt«, sprach die Mutter, »so sucht ihn selber«, und die Tochter setzte noch hinzu »habt ihr Sorge, daß ihr ihn nicht findet, so bringt euch einen Wegweiser mit.« Die Stieftochter aber sprach »armer Mann, ich will dich führen, komm mit mir«. Da zürnte der liebe Gott über die Mutter und Tochter, wendete ihnen den Rücken zu und verwünschte sie, daß sie sollten schwarz werden wie die Nacht und häßlich wie die Sünde. Der armen Stieftochter aber war Gott gnädig und gieng mit ihr: und als sie nahe am Dorf waren, sprach er einen Segen über sie und sagte »wähle dir drei Sachen aus, die will ich dir gewähren«. Da sprach das Mädchen »ich möchte gern so schön und rein werden wie die Sonne«. Alsbald ward sie weiß und schön wie der Tag. »Dann möchte ich einen Geldbeutel haben, der nie leer würde«; den gab ihr der liebe Gott auch, sprach aber »vergiß das Beste nicht«. Da sagte sie »ich wünsche mir zum dritten das ewige Himmelreich nach meinem Tode«. Das ward ihr auch zugesagt, und also schied der liebe Gott von ihr.

Wie nun die Stiefmutter mit ihrer Tochter nach Hause kam und sah, daß sie beide kohlschwarz und häßlich waren, die Stieftochter aber weiß und schön, da stieg die Bosheit in ihrem Herzen noch höher, und sie hatte nichts anders im Sinn, als wie sie ihr ein Leid anthun könnte. Die Stieftochter aber hatte einen Bruder, Namens Reginer, den liebte sie sehr und erzählte ihm alles, was geschehen war. Nun sprach Reginer einmal zu ihr »liebe Schwester, ich will dich abmalen, damit ich dich beständig vor Augen habe, denn meine Liebe zu dir ist so groß, daß ich dich immer anblicken möchte«. Da antwortete sie »aber laß niemand das Bild sehen«. Er malte sich nun seine Schwester ab und hieng das Bild in seiner Stube auf; er hatte aber seine Wohnung in des Königs Schloß, bei dem er Kutscher war. Alle Tage blieb er davor stehen und dankte Gott für das Glück, das er seiner lieben Schwester verliehen hatte. Nun war gerade dem König, bei dem er diente, seine Gemahlin verstorben, welche so schön gewesen war, daß man keine finden konnte, die ihr gliche, und der König war darüber in tiefer Trauer. Die Hofdiener sahen es indessen dem Kutscher ab, wie er täglich vor dem schönen

Bilde stand, mißgönntens ihm und meldeten es dem König. Da ließ dieser das Bild vor sich bringen, und sah, daß es in allen seiner verstorbenen Frau ähnlich war, nur noch schöner, so daß er sich sterblich hinein verliebte. Er ließ den Kutscher vor sich kommen und fragte, wen das Bild vorstellen sollte. Als der Kutscher sagte, daß das seine Schwester wäre, entschloß sich der König keine andere als diese zur Gemahlin zu nehmen, gab ihm Wagen und Pferde und prächtige Goldkleider, und schickte ihn fort, seine erwählte Braut abzuholen. Wie Reginer mit der Botschaft ankam, freute sich seine Schwester, allein die Schwarze war eifersüchtig über das Glück der andern, ärgerte sich über alle Maßen und sprach zu ihrer Mutter »was helfen nun all eure Künste, da ihr mir doch ein solches Glück nicht verschaffen könnt«. Da sagte die Alte »sei still, ich will dirs schon zuwenden«, und durch ihre Hexenkünste trübte sie dem Kutscher die Augen, daß er halb blind war, und der Weißen verstopfte sie die Ohren, daß sie halb taub war. Darauf stiegen sie in den Wagen, erst die Braut in den herrlichen königlichen Kleidern, dann die Stiefmutter mit ihrer Tochter, und Reginer saß auf dem Bock, um zu fahren. Wie sie eine Weile gereist waren, unterwegs, rief der Kutscher

»deck dich zu, mein Schwesterlein,
daß Regen dich nicht näßt,
daß Wind dich nicht bestäubt,
daß du fein schön zum König kommst«.

Die Braut fragte »was sagt mein lieber Bruder?« »Ach«, sprach die Alte, »er hat gesagt, du solltest dein gülden Kleid ausziehen und es deiner Schwester geben«. Da zog sies aus und thats der Schwarzen an, die gab ihr dafür einen schlechten grauen Kittel. So fuhren sie weiter; über ein Weilchen rief der Bruder abermals

»deck dich zu, mein Schwesterlein,
daß Regen dich nicht näßt,
daß Wind dich nicht bestäubt,
und du fein schön zum König kommst«.

Die Braut fragte »was sagt mein lieber Bruder?« »Ach«, sprach die Alte, »er hat gesagt, du solltest deine güldene Haube abthun und deiner Schwester geben«. Da that sie die Haube ab und that sie der Schwarzen auf, und saß im bloßen Haar. So fuhren sie weiter; wiederum über ein Weilchen rief der Bruder

»deck dich zu, mein Schwesterlein,
daß Regen dich nicht näßt,
daß Wind dich nicht bestäubt,
und du fein schön zum König kommst«.

Die Braut fragte »was sagt mein lieber Bruder?« »Ach«, sprach die Alte, »er hat gesagt, du möchtest einmal aus dem Wagen sehen«. Sie fuhren aber gerade auf einer Brücke über ein tiefes Wasser. Wie nun die Braut aufstand und aus dem Wagen sich heraus bückte, da stießen sie die beiden hinaus, daß sie mitten ins Wasser stürzte. Als sie aber versunken war, in demselben Augenblick stieg eine schneeweiße Ente aus dem Wasserspiegel hervor und schwamm den Fluß hinab. Der Bruder hatte gar nichts davon gemerkt und fuhr den Wagen weiter, bis sie an den Hof kamen. Da brachte er dem König die Schwarze als seine Schwester und meinte sie wärs wirklich, weil es ihm trüb vor den Augen war und er doch die Goldkleider schimmern sah. Der König, als er die grundlose Häßlichkeit an seiner vermeinten Braut erblickte, ward sehr bös und befahl den Kutscher in eine Grube zu werfen, die voll Ottern und Schlangengezücht war. Die alte Hexe aber wußte den König doch so zu bestricken und durch ihre Künste ihm die Augen zu verblenden, daß er sie und ihre Tochter behielt, ja daß sie ihm ganz leidlich vorkam und er sich wirklich mit ihr verheirathete.

Einmal Abends, während die schwarze Braut dem König auf dem Schoße saß, kam eine weiße Ente zum Gossenstein in die Küche geschwommen und sagte zum Küchenjungen

»Jüngelchen, mach Feuer an,
daß ich meine Federn wärmen kann.«

Das that der Küchenjunge und machte ihr ein Feuer auf dem Heerd: da kam die Ente und setzte sich daneben, schüttelte sich und strich sich die Federn mit dem Schnabel zurecht. Während sie so saß und sich wohlthat, fragte sie

»was macht mein Bruder Reginer?«

Der Küchenjunge antwortete

»der liegt in der Grube gefangen,
bei Ottern und Schlangen«.

Fragte sie weiter

»was macht die schwarze Hexe im Haus?«

Der Küchenjunge antwortete

»die sitzt warm
ins Königs Arm«.

Sagte die Ente

»daß Gott erbarm!«

und schwamm den Gossenstein hinaus.

Den folgenden Abend kam sie wieder und that dieselben Fragen und den dritten Abend noch einmal. Da konnte es der Küchenjunge nicht länger übers Herz bringen, gieng zu dem König und entdeckte ihm alles. Der König aber wollte es selbst sehen, gieng den andern Abend hin, und wie die Ente den Kopf durch den Gossenstein herein streckte, nahm er sein Schwert und hieb ihr den Hals durch, da ward sie auf einmal zum schönsten Mädchen und glich genau dem Bild, das der Bruder von ihr gemacht hatte. Der König aber war voll Freuden, und weil sie ganz naß da stand, ließ er ihr köstliche Kleider bringen und ließ sie damit bekleiden. Dann erzählte sie ihm, wie sie durch List und Falschheit wäre betrogen und endlich in den Fluß hinab geworfen worden; und ihre erste Bitte war, daß ihr Bruder aus der Schlangenhöhle herausgeholt würde. Und als der König diese Bitte erfüllt hatte, gieng er in die Kammer, wo die alte Hexe saß und fragte »was verdient die, welche das und das thut?« und erzählte den ganzen Hergang. Da war sie verblendet, merkte nichts und sprach »die verdient, daß man sie nackt auszieht und in ein Faß mit Nägeln legt, und vor das Faß ein Pferd spannt und das Pferd in alle Welt schickt«. Das geschah alles an ihr und ihrer schwarzen Tochter. Der König heirathete die weiße schöne Braut und belohnte den treuen Bruder, indem er ihn zu einem reichen und angesehenen Manne machte.

48.

Die drei Faulen.

Ein König hatte drei Söhne, die waren ihm alle gleich lieb, und er wußte nicht, welchen er zum König nach seinem Tode bestimmen sollte. Als die Zeit kam, daß er sterben wollte, rief er sie vor sein Bett und sprach »liebe Kinder, ich habe etwas bei mir bedacht, das will ich euch eröffnen, welcher von euch der Faulste ist, der soll nach mir König werden«. Da sprach der älteste »Vater, so gehört das Reich mir, denn ich bin so faul, wenn ich liege und will schlafen, und es fällt mir ein Tropfen in die Augen, so mag ich sie nicht zuthun, damit ich einschlafe«. Der zweite sprach »Vater, das Reich gehört mir, denn ich bin so faul, wenn ich beim Feuer sitze mich zu wärmen, so ließ ich mir eher die Fersen verbrennen, eh ich die Beine zurückzöge«.

Der dritte sprach »Vater, das Reich ist mein, denn ich bin so faul, sollte ich aufgehenkt werden und hätte den Strick schon um den Hals, und einer gäbe mir ein scharf Messer in die Hand, damit ich den Strick zerschneiden dürfte, so ließ ich mich eher erhenken, eh ich meine Hand aufhübe zum Strick«. Wie der Vater das hörte, sprach er »du hast es am weitesten gebracht, du sollst der König sein«.

49.

Von dem Tode des Hühnchens.

Auf eine Zeit gieng das Hühnchen mit dem Hähnchen in den Nußberg, und sie machten mit einander aus, wer einen Nußkern fände, sollte ihn mit dem andern theilen. Nun fand das Hühnchen eine große große Nuß, sagte aber nichts davon und wollte den Kern allein essen. Der Kern war aber so dick, daß es ihn nicht hinunter schlucken konnte und er ihm im Hals stecken blieb, daß ihm angst wurde, es müßte ersticken. Da schrie das Hühnchen »Hähnchen, ich bitt dich lauf, was du kannst, und hol mir Wasser, sonst erstick ich«. Das Hähnchen lief, was es konnte, zum Brunnen und sprach »Born, du sollst mir Wasser geben: das Hühnchen liegt auf dem Nußberg, hat einen großen Nußkern geschluckt und will ersticken«. Der Brunnen antwortete »lauf erst hin zur Braut und laß dir rothe Seide geben«. Das Hähnchen lief zur Braut »Braut, du sollst mir rothe Seide geben: rothe Seide will ich dem Brunnen geben, der Brunnen soll mir Wasser geben, das Wasser will ich dem Hühnchen bringen, das liegt auf dem Nußberg, hat einen großen Nußkern geschluckt und will daran ersticken«. Die Braut antwortete »lauf erst und hol mir mein Kränzlein, das blieb an einer Weide hängen«. Da lief das Hähnchen zur Weide und zog das Kränzlein von dem Ast und brachte es der Braut, und die Braut gab ihm rothe Seide dafür, die brachte es dem Brunnen, der gab ihm Wasser dafür. Da brachte das Hähnchen das Wasser zum Hühnchen, wie es aber hinkam, war dieweil das Hühnchen erstickt und lag da todt und regte sich nicht. Da war das Hähnchen so traurig, daß es laut schrie, und kamen alle Thiere und beklagten das Hühnchen; und sechs Mäuse bauten einen kleinen Wagen, das Hühnchen darin zum Grabe zu fahren; und als der Wagen fertig war, spannten sie sich davor, und das Hähnchen fuhr. Auf dem Wege aber kam der Fuchs, »wo willst du hin, Hähnchen?« »Ich will mein Hühnchen begraben.« »Darf ich mitfahren?«

»Ja, aber setz dich hinten auf den Wagen,
vorn können meine Pferdchen nicht vertragen.«

Da setzte sich der Fuchs hinten auf, dann der Wolf, der Bär, der Hirsch, der Löwe und alle Thier in dem Wald. So gieng die Fahrt fort, da kamen sie an einen Bach. »Wie sollen wir nun hinüber?« sagte das Hähnchen. Da lag ein Strohhalm am Bach, der sagte »ich will mich quer drüber legen, so könnt ihr über mich fahren«. Wie aber die sechs Mäuse auf die Brücke kamen, rutschte der Strohhalm und fiel ins Wasser, und die sechs Mäuse fielen alle hinein und ertranken. Da gieng die Noth von neuem an, und kam eine Kohle und sagte »ich bin groß genug, ich will mich darüber legen, und ihr sollt über mich fahren«. Die Kohle legte sich auch an das Wasser, aber sie berührte es unglücklicher Weise ein wenig, da zischte sie, verlöschte und war todt. Wie das ein Stein sah, erbarmte er sich und wollte dem Hähnchen helfen und legte sich über das Wasser. Da zog nun das Hähnchen den Wagen selber, wie es ihn aber bald drüben hatte und war mit dem todten Hühnchen auf dem Land und wollte die andern, die hinten auf saßen, auch heran ziehen, da waren ihrer zu viel geworden, und der Wagen fiel zurück, und alles fiel mit einander in das Wasser und ertrank. Da war das Hähnchen noch allein mit dem todten Hühnchen, und grub ihm ein Grab und legte es hinein, und machte einen Hügel darüber, auf den setzte es sich und grämte sich so lang, bis es auch starb; und da war alles todt.

50.

Die Sternthaler.

Es war einmal ein kleines Mädchen, dem war Vater und Mutter gestorben, und es war so arm, daß es kein Kämmerchen mehr hatte, darin zu wohnen, und kein Bettchen mehr, darin zu schlafen, und endlich gar nichts mehr, als die Kleider auf dem Leib und ein Stückchen Brot in der Hand, das ihm ein mitleidiges Herz geschenkt hatte. Es war aber gut und fromm. Und weil es so von aller Welt verlassen war, gieng es im Vertrauen auf den lieben Gott hinaus ins Feld. Da begegnete ihm ein armer Mann, der sprach »ach, gib mir etwas zu essen, ich bin so hungrig«. Es reichte ihm das ganze Stückchen Brot und sagte «Gott segne dirs«, und gieng weiter. Da kam ein Kind, das jammerte und sprach »es friert mich so an meinem Kopfe, schenk mir etwas, womit ich ihn bedecken kann«. Da that es seine Mütze ab und gab sie ihm. Und als es noch eine Weile gegangen war, kam wieder ein Kind, und hatte kein Leibchen an und fror: da gab es ihm seins: und noch weiter, da bat eins um ein Röcklein, das gab es auch von sich hin. Endlich gelangte es in einen Wald, und es war schon dunkel geworden, da kam noch eins und bat um ein Hemdlein, und das fromme Mädchen dachte »es ist dunkle Nacht, da sieht dich niemand, du kannst wohl dein Hemd weg geben«, und zog sein Hemd ab und gab es auch noch hin. Und wie es so stand und gar nichts mehr hatte, fielen auf einmal die Sterne vom Himmel und waren lauter harte blanke Thaler: und statt des verschenkten Hemdleins hatte es ein neues an, das war vom allerfeinsten Linnen. Da sammelte es sich die Thaler hinein, und war reich für sein Lebtag.

Nachwort

Das hier durch einen Nachdruck in seiner Originalgestalt wieder zugänglich gemachte Werk der Brüder Grimm repräsentiert nicht nur das späteste Zeugnis der langen und wechselvollen Textgeschichte der »Kinder- und Hausmärchen«, sondern ist zugleich auch die letzte Veröffentlichung Wilhelm Grimms (24. Februar 1786 bis 16. Dezember 1859). Es mutet wie folgerichtig an, daß er sein großes Lebenswerk mit einer neuen Auflage des Buches abschließen sollte, das sein in jeder Hinsicht erfolg- und folgenreichstes war und ist, das seinen und seines Bruders Jacob (4. Januar 1785 bis 20. September 1863) Ruhm begründete und in alle Welt trug.

Wurde doch die Märchenausgabe zu Lebzeiten der Brüder Grimm insgesamt nicht weniger als neunzehnmal aufgelegt: Die sogenannte »Große Ausgabe« (die zunächst 156, zuletzt 211 Texte umfaßte) erschien zwischen 1812/15 und 1857 siebenmal, die »Kleine Ausgabe« (mit je 50 Texten) zwischen 1825 und 1858 zehnmal; dazu stellen sich die selbständigen Veröffentlichungen des Bandes mit den wissenschaftlichen Anmerkungen in den Jahren 1822 und 1856. Die »Kinder- und Hausmärchen« sind dergestalt das meistaufgelegte Werk der Brüder Grimm überhaupt (ganz im Gegensatz dazu haben z. B. die »Deutschen Sagen« zu Lebzeiten der Grimms nur eine Auflage erreicht); sie wurden und blieben darüber hinaus das bestbekannte, meistübersetzte und wohl häufigst verbreitete deutschsprachige Buch aller Zeiten. Diesen ungeheuren, zunächst gar nicht vorhersehbaren Erfolg hat zumindest in den Anfängen der Wirkungsgeschichte die hier vorliegende »Kleine Ausgabe« bewirkt und noch lange bestimmt.

Die Erstauflage der Märchen war in weniger als tausend Exemplaren gedruckt worden. Zwar war der erste, 1812 erschienene Band um 1818 nahezu vergriffen, doch vom 1815 herausgekommenen zweiten Band lagen noch viele Stücke unverkäuflich auf Lager. Für diesen schleppenden Absatz waren die allgemeine politische und soziale Lage im deutschsprachigen Raum, der teilweise desolate Zustand des damaligen Buchhandels, vor allem aber die Neuheit des Sujets verantwortlich.

Die Grimms waren ja die ersten gewesen, die eine bis dahin weidlich verachtete und durch die gesellschaftspolitischen Umwälzungen der Zeit scheinbar zum Aussterben verurteilte volksliterarische Gattung aus der mündlichen in die gesicherte schriftliche Tradition übertrugen, indem sie ihr zugleich Beachtung und das Interesse der Gebildeten unter ihren Verächtern sichern wollten.

Auch beim zweiten Anlauf tat sich das Buch ungemein schwer: Bis zur dritten Auflage vergingen nicht weniger als achtzehn Jahre (zwischen 1819 und 1837). Neben den oben skizzierten Gründen schienen den Brüdern Grimm selbst besonders drei Tatsachen einem buchhändlerischen Erfolg ihres Märchenbuchs im Wege zu stehen: der hohe Preis (je Band 1 Taler 18 Groschen); die zunächst unmittelbar beigegebenen wissenschaftlichen Anmerkungen und Vorreden; die bis auf das jeweilige Frontispiz fehlende Bebilderung. Darüber hinaus war nicht zu übersehen, daß die Menge der zunächst unter vorwiegend wissenschaftlich-mythenkundlichen Aspekten gesammelten und veröffentlichten Märchentexte der sich zunehmend als eigentliche Interessentengruppe herauskristallisierenden Leser- bzw. Hörerschaft – den Kindern und ihren Erziehern nämlich – nicht ausnahmslos zusagen konnte. Angeregt durch eine Auswahlübersetzung der »Kinder- und Hausmärchen« ins Englische, entwickelte in diesem Zusammenhang Wilhelm Grimm im Brief vom 16. August 1823 an den Verleger Reimer die Idee zu einer »Kleinen Ausgabe«: »Sie [die von Edgar Taylor übersetzte englische Ausgabe] hat so viel Beifall gefunden, daß schon jetzt d. h. nach dreiviertel Jahren eine 2te Auflage gedruckt wird. Nun wünsche ich auch eine kleine deutsche Ausgabe zu veranstalten, welche wie die englische nur eine Auswahl enthält und in einem einzigen Band bestände. Am besten scheint es mir, wenn sie Taschenbuchformat hätte [. . .] und zu Weihnachten verkauft würde. [. . .] Nun wünschte ich, daß das kleine Buch recht wohlfeil würde, wenn es angieng, nur 1 Thaler kostete. Auf diese Art meine ich würde es erst rechten Eingang finden, da nicht jeder die 3 Bände der großen Ausgabe sich kaufen kann. Es fielen natürlich auch alle Anmerkungen, die Einleitungen, überhaupt alles Gelehrte weg.«

Im Dezember 1825 kam dieses Projekt mit einer Startauflage von 1500 Stück zustande. Ihr erst zögernd einsetzender, dann geradezu rasanter Erfolg mag auch durch die Beigabe von sieben Kupferstichen (zunächst von der Hand des jüngsten Grimm-Bruders Ludwig Emil) mitbestimmt worden sein – im wesentlichen beruht er aber auf der klugen Auswahl und Zusammenstellung, für die Wilhelm Grimm allein verantwortlich zeichnet. Er griff dabei in erster Linie auf Texte zurück, die ihm kindgerecht erschienen, und berücksichtigte dabei zugleich eine bereits gegebene oder zu erwartende Popularität (und das heißt erfreulicherweise zugleich: den inneren und künstlerischen Wert). Die Textauswahl aber entsprach nicht nur einem gut erfaßten Erwartungshorizont, sie bestimmte diesen fortan und bis heute auch ganz entscheidend mit.

Die Grimmschen Märchen, die allenthalben am besten bekannt sind, finden sich fast ausnahmslos in dieser Auswahl.

Daß dennoch auch einige Märchen, die man nur ungern vermißt, hier fehlen, ist dem damaligen Zeitgeschmack zu verdanken: »Das tapfere Schneiderlein« oder »Tischchen deck dich ...« z. B. galten wohl nicht ohne weiteres als pädagogisch wertvoll; nachweislich fiel das herrliche »Rapunzel« der zeitgenössischen Kritik zum Opfer (als nicht kindgemäß, weil in Einzelheiten angeblich obszön). Im ganzen aber war und blieb der Publikumsgeschmack genau getroffen, so daß es Wilhelm Grimm – im Gegensatz zur »Großen Ausgabe« – fast durchweg beim ursprünglichen Textbestand beließ. Erst als nach den Auflagen von 1833, 1836, 1839, 1841, 1844 und 1847 der Verleger gewechselt wurde (nunmehr Duncker in Berlin), ersetzte Wilhelm Grimm 1850 das Märchen »Die drei Brüder« durch »Schneeweißchen und Rosenroth« und schließlich 1858 (nach der unveränderten Auflage von 1853) noch »Die treuen Thiere« durch »Die klugen Leute«. Auch wenn er in auf die erste Veröffentlichung der »Kleinen Ausgabe« folgenden Briefen mehrfach betonte, daß »darin von einigen Märchen ein neuer und besserer Text ist geliefert worden« (4. August 1826 an Edgar Taylor), so ist doch festzuhalten, daß die Anlehnung an den Wortlaut der großen Ausgabe von 1819 in der Regel sehr eng ist. Immerhin zeigt gleich der Eingangssatz kleine Veränderungen: »Es war einmal eine Königstochter, die wußte nicht was sie anfangen sollte vor langer Weile. Da nahm sie eine goldene Kugel« (1819) – »Es war einmal eine Königstochter, die saß daheim und wußte nicht was sie vor langer Weile anfangen sollte. Da stand sie auf, nahm eine goldene Kugel« (1825). Vergleicht man damit nun die allerletzte Textfassung überhaupt, wie sie in der vorliegenden Ausgabe geboten wird, so fällt gerade an dieser Stelle die Aufschwellung des ursprünglichen Eingangssatzes zu einem ganzen, auch programmatisch gemeinten Abschnitt ins Auge.

Die Fragen, wann solche und ähnliche Veränderungen im Lauf der langen Textgenese statthatten, vor allem aber was sie intendierten und tatsächlich bewirkten, sind noch längst nicht hinreichend und genau genug beantwortet. Dazu kann diese Neuedition hoffentlich auf ihre Weise beitragen. Trotz solcher eher gelehrten Überlegungen aber soll auch dieses Buch nach einer Formulierung Jacob Grimms aus dem Jahre 1811 sich »von jedermanns Ergötzlichkeit nicht entfernen«, will es und wird es auch in dieser Form seine Leser erfreuen und belehren, wie das Grimms Märchen nun schon seit über einhundertsiebzig Jahren in einmaliger Weise bewirken.

Heinz Rölleke

Zum Text

Die vorliegende Edition bietet bis auf stillschweigende Verbesserung einiger Druckversehen in Orthographie und Zeichensetzung die buchstabengetreue Wiedergabe der Grimmschen Märchenausgabe von 1858. Das Nebeneinander divergierender Formen (z. B. Bildniß/Bildnis; Brod/Brot; darnach/danach; giebst/gibst; Heerd/Herd; Waizen/Weizen) wurde nicht vereinheitlicht, um den Eindruck der Originalgestalt des Textes zu wahren und vor allem um sich darin dokumentierende Spuren der Textgenese nicht zu verwischen.

H. R.

Inhalt

Märchen und Sagen
im insel taschenbuch

Alexander N. Afanasjew: Russische Volksmärchen. Übertragen von Werner von Grimm. Herausgegeben von Imogen Delisle-Kupffer. Mit farbigen Illustrationen von Ivan Bilibin. it 1058

Hans Christian Andersen: Märchen. 3 Bände. Mit Illustrationen von Vilhelm Pedersen und Lorenz Frølich. Aus dem Dänischen von Eva-Maria Blühm. it 133

Apuleius: Der goldene Esel. Mit Illustrationen von Max Klinger zu ›Amor und Psyche‹. Aus dem Lateinischen von August Rode. Mit einem Nachwort von Wilhelm Haupt. it 146

Clemens Brentano: Rheinmärchen. In der von Guido Görres herausgegebenen Ausgabe von 1846. Mit Illustrationen von Edward Steinle. it 804

Deutsche Heldensagen. Nacherzählt von Gretel und Wolfgang Hecht. it 345

Deutsche Sagen. 2 Bände. Herausgegeben von den Brüdern Grimm. Mit Illustrationen von Otto Ubbelohde. it 481

Charles A. Eastman: Indianergeschichten aus alter Zeit. Deutsch von Elisabeth Friederichs. Mit einem Nachwort herausgegeben von Dietrich Leube. Illustrationen und Anmerkungen von Frederick Weygold. it 861

Erotische Geschichten aus den Tausendundein Nächten. Aus dem arabischen Urtext der Wortley-Montague-Handschrift übertragen und herausgegeben von Felix Tauer. it 704

Die Erzählungen aus den Tausendundein Nächten. Vollständige deutsche Ausgabe in zwölf Bänden. Zum ersten Mal nach dem arabischen Urtext der Calcuttaer Ausgabe aus dem Jahre 1839. Übertragen von Enno Littmann. it 224

Geschichten aus dem Mittelalter. Herausgegeben von Hermann Hesse. Aus dem Lateinischen übersetzt von Hermann Hesse und J. G. T. Graesse und mit Nacherzählungen von Leo Greiner. Neu zusammengestellt von Volker Michels. it 161

Geschichten der Liebe aus den 1001 Nächten. Aus dem arabischen Urtext übertragen von Enno Littmann. Mit acht farbigen Miniaturen. it 38

Johann Wolfgang Goethe: Märchen. Der neue Paris. Die neue Melusine. Das Märchen. Herausgegeben und erläutert von Katharina Mommsen. it 825

– Reineke Fuchs. Mit Stahlstichen nach Zeichnungen von Wilhelm Kaulbach. it 125

160/1/12.96

Märchen und Sagen
im insel taschenbuch

Golem! Geschichten, Gedichte und Bilder um eine Legende. Herausgegeben von Franz-Heinrich Hackel. it 1674

Jacob Grimm / Wilhelm Grimm: Kinder- und Hausmärchen, gesammelt durch die Brüder Grimm. In drei Bänden. Mit Zeichnungen von Otto Ubbelohde und einem Vorwort von Ingeborg Weber-Kellermann. it 829

– Kinder- und Hausmärchen, gesammelt durch die Brüder Grimm. Kleine Ausgabe von 1858. Mit Illustrationen von Ludwig Pietsch und einem Nachwort von Heinz Rölleke. it 842

Grimms Märchen, wie sie nicht im Buche stehen. Herausgegeben und erläutert von Heinz Rölleke. it 1551

Wilhelm Hauff: Märchen. Erster Band. Herausgegeben von Bernhard Zeller. Mit Illustrationen von Theodor Weber, Theodor Hosemann und Ludwig Burger. it 216

Hermann Hesse: Die Märchen. Zusammengestellt von Volker Michels. Großdruck. it 2349

– Piktors Verwandlungen. Ein Liebesmärchen, vom Autor handgeschrieben und illustriert, mit ausgewählten Gedichten und einem Nachwort versehen von Volker Michels. it 122

– Die Stadt. Ein Märchen, ins Bild gebracht von Walter Schmögner. it 236

– Der Zwerg. Ein Märchen. Mit Illustrationen von Rolf Köhler. it 636

E. T. A. Hoffmann: Der goldne Topf. Ein Märchen aus der neuen Zeit. Mit 13 Illustrationen von Karl Thylmann. Herausgegeben und mit einem Nachwort von Jochen Schmidt. it 570

Indianermärchen. Nach amerikanischen und deutschen Quellen herausgegeben und erläutert von Hugo Kunike. it 764

Irische Elfenmärchen. In der Übertragung der Brüder Grimm. it 988

Keltische Sagen. Aus dem Gälischen übertragen von Rudolf Thurneysen. Herausgegeben und mit einem Nachwort von Renate Brendel. it 1307

Jean de La Fontaine: Die schönsten Fabeln. Aus dem Französischen von Thomas Keck. Mit farbigen Illustrationen von Rolf Köhler und einem Nachwort von Jürgen von Stackelberg. it 1451

Märchen aus Babylon. Mythen und Sagen des Zweistromlandes. Nacherzählt von Hans Wuessing. Mit zahlreichen Abbildungen. it 1558

Märchen der Romantik. Mit zeitgenössischen Illustrationen. Herausgegeben von Maria Dessauer. it 285

Märchen deutscher Dichter. Ausgewählt von Elisabeth Borchers. it 13

160/2/12.96

Märchen und Sagen
im insel taschenbuch

Märchen zur Weihnacht. Ein Hausbuch für groß und klein. Herausgegeben von Franz-Heinrich Hackel. it 1649

Friedrich de la Motte-Fouqué: Undine. Ein Märchen von Friedrich de la Motte-Fouqué. Musik von E.T.A. Hoffmann. Mit Bildern von Karl Friedrich Schinkel. Mit einem Essay von Ute Schmidt-Berger. it 1353

Johann Karl August Musäus: Rübezahl. Für die Jugend von Christian Morgenstern. Mit Illustrationen von Max Slevogt. it 73

Die Nibelungen. In der Wiedergabe von Franz Keim. Mit Illustrationen von Carl Otto Czeschka. Mit einem Vor- und Nachwort von Helmut Brackert. Im Anhang die Nacherzählung ›Die Nibelungen‹ von Gretel und Wolfgang Hecht. it 14

Das Papageienbuch Tuti Nameh. Orientalische Geschichten. Übersetzt von Georg Rosen. it 1624

Russische Märchen. Nacherzählt von Elisabeth Borchers. Mit den Illustrationen von Ivan Bilibin. it 1608

Sagen der Juden zur Bibel. Die ersten Menschen und Tiere, Abraham, Isaak und Jakob, Joseph und seine Brüder, Mose, der Mann Gottes, Juda und Israel. Aus dem Hebräischen von Rahel bin Gorion. Auswahl und Nachbemerkung von Emanuel bin Gorion. it 420

Wolfgang Schadewaldt: Sternsagen. Mit Illustrationen aus dem 18. Jahrhundert. it 234

Die schönsten Märchen aus 1001 Nacht. Nacherzählt von Günter Eich. Herausgegeben von Karl Karst. it 1740

Gustav Schwab: Sagen des klassischen Altertums. 3 Bde. Mit sechsundneunzig Zeichnungen von John Flaxman und einem Nachwort von Manfred Lemmer. it 127

Oscar Wilde: Die Erzählungen und Märchen. Mit Illustrationen von Heinrich Vogeler. Aus dem Englischen übersetzt von Felix Paul Greve und Franz Blei. it 5

– Die schönsten Märchen. Großdruck. it 2355

160/3/12.96

Rätsel
im insel taschenbuch

Berühmte Schachpartien. Sehenswerte und denkwürdige Aufgaben. Von Roswin Finkenzeller. it 1682

Denksport für Tennisspieler. Herausgegeben von Karl Josef Jacquemain. Mit farbigen Bildern von Tobias Borries. it 1727

Kreuzworträtsel von beb. it 1655

Kulinarische Rätsel. Angerichtet und aufgetischt von Norbert Lebert. it 1526

Rafi Reisers Insel-Rätsel. it 1884

Rafi Reisers Planquadrat. Von Wolfgang Lechner. Mit Illustrationen von Susanne Kleiber. it 1690

Wie war noch der Name? Frankfurter Rätsel von Sieglinde Oehrlein. it 1606

Ortstermine. Historische Denkspiele. Von Dieter Vogt. Mit Beiträgen von Hans Kricheldorff und Jürgen Ostermeyer, Siegfried Diehl, Eike Haberland, Johannes Laudage und Zeichnungen von Eckhard Kaiser. it 1707

Raymond Smullyan: Satan, Cantor und die Unendlichkeit. Und 200 weitere Tüfteleien. Aus dem Englischen von Wilderich Tuschmann. it 1899

Streichholzspiele. Eine kleine Geometrie des Vergnügens. Gesucht und erfunden von Dieter Voigt. it 1673

Wer lag in der Tonne? Ein Quis-Quiz aus der Alten Welt. Von Gerhard Fink. it 1698

Zweisteins Logeleien. Rätsel für Rechner. it 1510

176/1/12.96